ro
ro
ro

«Ein großer Lesegenuss.» *Die Zeit*

«Am Ende erzählt Zoli nicht nur die Geschichte der Roma, nicht nur eine Geschichte von Untergang und Überleben, sondern vor allem eine berückend schöne Geschichte vom unbändigen Willen der Menschen zum Glück.» *Frankfurter Neue Presse*

«Eine wahrlich tolle Heldin für einen Roman.» *Neue Zürcher Zeitung*

«Auch ein melancholisches Buch kann glücklich machen: Wenn die Sätze so schön sind, dass man sie ausschneiden möchte.» *Stern*

Colum McCann wurde 1965 in Dublin geboren. Er arbeitete als Journalist, Farmarbeiter und Lehrer und unternahm lange Reisen durch Asien, Europa und Amerika. Für seine Romane und Erzählungen erhielt McCann zahlreiche Literaturpreise. Neben dem Bestseller «Der Tänzer» (rororo 23827) sind bereits «Gesang der Kojoten» (rororo 22288) und «Der Himmel unter der Stadt» (rororo 22696) im Rowohlt Verlag erschienen.

Colum McCann

Zoli Roman

Deutsch von
Dirk van Gunsteren

Rowohlt Taschenbuch Verlag

2. Auflage Mai 2009

Veröffentlicht im Rowohlt Taschenbuch Verlag,
Reinbek bei Hamburg, August 2008
Copyright © 2007 by Rowohlt Verlag GmbH,
Reinbek bei Hamburg
«Zoli» Copyright © Colum McCann 2006
Die Originalausgabe erschien 2006
bei Weidenfeld & Nicolson, London
Umschlaggestaltung any.way
Barbara Hanke / Cordula Schmidt
(Illustration: Tiziana & Gianni Baldizzone / CORBIS)
Satz aus der Galliard PostScript, InDesign,
von hanseatenSatz-bremen, Bremen
Druck und Bindung CPI – Clausen & Bosse, Leck
Printed in Germany
ISBN 978 3 499 23943 4

Für Allison, Isabella, John Michael und Christian

Die Recherchen zu diesem Roman wurden durch ein Stipendium des Dorothy and Lewis B. Cullman Center for Scholars and Writers an der New York Public Library unterstützt. Daher widme ich dieses Buch den Mitarbeitern dieser Bibliothek und allen anderen Bibliothekaren in aller Welt.
Danke.

«Wenn du schweigst, stirbst du. Wenn du sprichst, stirbst du auch. Also sprich und stirb.»

Tahar Djaout

«In unserem Jahrhundert jedoch, in dem nur das Böse und die Gleichgültigkeit grenzenlos sind, können wir uns unnötige Fragen nicht leisten; nein, wir müssen uns mit jeder Gewissheit verteidigen, derer wir habhaft werden können. Ich weiß, dass du dich erinnerst . . .»

John Berger:
Und unsere Gesichter, mein Herz, vergänglich wie Fotos

«Die Kunst des Gehens besteht darin, vor Einbruch der Dunkelheit zurück zu sein.»

Wendell Berry: Collected Poems

Slowakei
2003

Er fährt an dem schmalen Flussbett entlang, und nach und nach enthüllt sich die vermüllte Landschaft: umgekippte Eimer an der Biegung des Flusses, ein kaputter, unkrautüberwucherter Kinderwagen, ein Benzinfass, das eine trockene Zunge aus Rost herausstreckt, der Kadaver eines Kühlschranks in den Brombeersträuchern.

Ein Hund, ganz Narben und Knochen, erscheint witternd vor dem Wagen und holt innerhalb weniger Augenblicke Kinder herbei, die sich an die Wagenfenster drücken. Er versucht es mit Lässigkeit und versenkt die Türverriegelung mit dem Ellbogen. Ein Junge ist so behände, dass er beinahe lautlos auf die Kühlerhaube springt – er packt die Scheibenwischer und streckt sich lang aus. Jubelschreie ertönen, als zwei andere sich an der hinteren Stoßstange festklammern und, auf bloßen Füßen schlitternd, ziehen lassen. Junge Mädchen in tief auf der Hüfte sitzenden Jeans traben neben dem Wagen her. Eines von ihnen deutet mit dem Finger und lacht, hält aber plötzlich inne und steht still und stumm. Der Junge gleitet von der Kühlerhaube, die beiden anderen lassen die Stoßstange los, und mit einem Mal ist vor ihm der Fluss, schnell dahinströmend, wirbelnd, braun und unerwartet. Er reißt das Lenkrad herum. Brombeerzweige kratzen über die Fenster. Unter den Rädern zischt das hohe Gras. Der Wagen schwingt zurück auf den Feldweg, und die Kinder rennen wieder schreiend nebenher.

Auf den Flusssteinen am gegenüberliegenden Ufer waschen zwei alte Frauen Bettlaken. Sie erheben sich, schütteln mit einem halben Lächeln die Köpfe, knien wieder nieder und beugen sich über ihre Arbeit.

Er fährt durch eine weitere enge Kurve, vorbei an den Überresten einer Salatkiste, und steuert auf einen Riegel aus Bäumen zu, und da, jenseits eines lachhaft kleinen, wackligen Stegs, ist die graue Zigeunersiedlung, abgeschnitten auf einer Insel im Fluss, als hätte das Wasser sich irgendwann entschlossen, an diesen Menschen auf beiden Seiten vorbeizufließen. Bretterbuden. Fensterlose Hütten. Im Zickzack verlegte Rohre und nicht zusammenpassende Hölzer. Über den Schornsteinen dünne Rauchgirlanden. Jedes Dach von einer Satellitenschüssel verunstaltet und mit Wellblechstücken geflickt. In der Ferne flattert eine blaue Jacke in den Zweigen eines Baumes.

Er lenkt den Wagen ins hohe Gras, hält an, zieht die Handbremse, tut so, als würde er im Handschuhfach etwas suchen. Er greift tief hinein, obwohl nichts darin ist, gar nichts – es ist nur ein kleiner Aufschub. Die Kinder drängen sich an den Fenstern. Er öffnet die Tür, und alles, was er von der Siedlung jenseits des Wassers hört, sind Dutzende von Radios, die gleichzeitig plärren: slowakische, amerikanische, tschechische Lieder.

Sofort zupfen die Kinder an seinen Ärmeln, streichen über seine Rippen, tasten die Jackentaschen ab. Es ist, als hätte er mit einem Mal ein Dutzend Hände. «Weg!», ruft er und verscheucht sie. Ein Junge hüpft auf der vorderen Stoßstange herum, sodass der Wagen im Rhythmus nickt. «Okay», ruft er, «das reicht!» Die älteren Teenager in ihren dunklen Lederjacken zucken die Schultern. Die Mädchen mit den aufgeknöpften Blusen weichen kichernd zurück. Wie makellos ihre Zähne. Wie geschwind der Silberglanz ihrer Augen. In einem ärmellosen T-Shirt tritt der größte der Jungen vor. «Robo», sagt er und reckt die Brust. Sie schütteln sich die Hand, und er nimmt Robo beiseite, bringt sein Gesicht dicht an sein Ohr und sagt etwas. Er versucht, die diversen Ausdünstungen des Jungen auszublenden – nasse Wolle und beißender Rauch –, und es dauert nur Sekunden, bis sie eine Vereinbarung getroffen haben: fünfzig Kronen, wenn er ihn zu den Ältesten bringt und den Wagen bewacht.

Robo ruft den anderen ein kurzes Kommando zu und verpasst einem Jungen, der auf Zehenspitzen auf der hinteren Stoßstange steht, einen Schlag mit dem Handrücken. Sie gehen zum Steg. Vom Fluss her kommen noch mehr Kinder, manche nackt, manche in Windeln, ein Mädchen trägt ein zerrissenes, rosarotes Kleid und Gummisandalen. Anscheinend ist es immer dasselbe Mädchen, es kommt von überall her, jedes Mal mit anderen Schuhen, wunderschön, mit kohlschwarzen Augen und ungekämmtem Haar.

Er sieht die Kinder wie eine seltsame Kette von Reihern den Steg überqueren: Ein Fuß steht sicher auf einer Bohle, der andere tastet sich leicht und mit gestreckten Zehen vor. Das Blech vibriert unter ihrem Gewicht. Auf einem Stück Sperrholz kommt er ins Taumeln, schwankt, sucht nach Halt und findet keinen. Die Kinder verstecken den Mund hinter den Händen und kichern – er ist, denkt er, jeder Idiot, der jemals hier hinübergegangen ist. Er spürt das Gewicht der Dinge, die er mitgenommen hat: zwei Flaschen, Notizblock und Stift, die Instamatic-Kamera und das kleine Diktiergerät, alles tief in seinen Taschen verstaut. Er hält die Jackenschöße fest, springt über die letzte Lücke und landet im weichen Uferschlamm, nur zwanzig

Meter von den Hütten entfernt. Aufblickend holt er tief Luft, doch es ist, als wären in ihm tausend Saiten zugleich angeschlagen worden, in seiner Brust pocht es; er hätte nicht allein hierherkommen sollen: ein slowakischer Journalist, vierundvierzig Jahre alt, wohlgerundet, verheiratet, Vater, im Begriff, ein Zigeunerlager zu betreten. Sein nächster Schritt landet in einer Pfütze, und er denkt, wie dumm es war, weiche Lederschuhe anzuziehen, die nicht mal für einen schnellen Rückzug taugen.

Am Rand des Lagers bemerkt er die düster starrenden Männer, die an hölzernen Türpfosten lehnen. Frauen stehen mit über dem Bauch gefalteten Händen da. Er versucht, ihre Blicke aufzufangen, doch sie sehen einfach durch ihn hindurch in die Ferne. Seltsam, denkt er, dass sie ihn nicht fragen, was er hier will. Vielleicht halten sie ihn für einen Polizisten, einen Sozialarbeiter, einen Bewährungshelfer, irgendeinen Büttel in offizieller Mission.

Während er Robo über die ausgetretenen Pfade folgt, fühlt er sich für einen Augenblick mächtig.

Türen, die als Tische dienen. Vorhänge aus Sackleinen. Leere Čučuflaschen, als Windspiele in die Bäume gehängt. Zu seinen Füßen Holzstücke und leere Haferflockenschachteln, Dauerlutscherstäbchen und Glassplitter, die in den weichen Boden getretenen Knochen irgendeines Tiers. Kleinkinder, die in an der Decke befestigten Hängematten schlafen, von Fliegen umschwirrt. Er greift nach der Kamera, wird aber vom Pulk der Kinder weitergeschoben. Offene Türen werden rasch verschlossen. Nackte Glühbirnen verlöschen. Er sieht Teppiche an den Wänden, Bilder von Jesus, von Lenin, von Maria Magdalena und Judas Thaddäus hoch über leeren Regalen, beleuchtet von kleinen roten Kerzen. Von überall her ertönt Musik – keine

Akkordeons, keine Mundharmonikas, keine Geigen, sondern Fernseher und Radios in voller Lautstärke und aus jeder Hütte, die über ein solches Gerät verfügt: ein unaufhörliches Dröhnen.

Robo beugt sich zu ihm und ruft: «Hier entlang, Onkel, komm mit», und ihm wird bewusst, wie fremd ihm dieser Junge ist, wie dunkelhäutig und distanziert.

Um eine scharfe Ecke geht es zu der größten Hütte. Neu und schimmernd hockt eine Satellitenschüssel auf dem Dach. Er klopft an die Sperrholztür. Mit jedem Klopfen schwingt sie ein Stück weiter auf. Drinnen sitzt ein Kontingent von acht, neun, vielleicht zehn Männern. Sie heben die Köpfe wie eine Versammlung von Raben. Ein paar von ihnen nicken, doch sie spielen weiter, und er kennt das Spiel. Es heißt Nonchalance, er hat es selbst schon gespielt, anderswo, in Plattenbauten in Bratislava, in den Ghettos von Prešov, in den Slums von Letanovce.

In der hinteren Ecke des Raums bemerkt er zwei Frauen, die ihn mit großen Augen mustern. Er spürt eine Hand im Rücken, die ihn schiebt. «Ich warte hier auf dich, Mister», sagt Robo, und dann quietscht hinter ihm die Tür.

Er sieht sich um: der saubere Boden, die Ordnung in den Regalen, dass Weiß des Hemdes, das an einem Nagel von der Decke hängt.

«Schönes Haus», sagt er und merkt sogleich, wie idiotisch das klingt. Er errötet und richtet sich auf. In der Ecke sitzt ein breitschultriger Mann, hart, mit kantigem Kinn, das graue Haar zerzaust nach einer unruhigen Nacht. Er geht zu ihm und sagt ganz leise, dass er Journalist ist und an einer Geschichte schreibt und dass er gern mit einigen der Ältesten sprechen möchte.

«Wir sind die Ältesten», sagt der Mann.

«Gut», sagt er und klopft seine Jacke ab. Er kramt in der Tasche und zieht eine Packung Marlboro hervor. Dumm von ihm, dass er sie nicht schon vorher geöffnet hat. Die anderen beobachten ihn stumm. Seine Hände zittern. Ein Schweißtropfen rinnt ihm über die Stirn. Er entfernt den roten Streifen, hebt die Zellophanhaube ab und schiebt drei Zigaretten heraus, die wie Spanner aus der Schachtel lugen.

«Ich will nur reden», sagt er.

Der Mann nimmt eine Zigarette, wartet auf Feuer, bläst dann den Rauch zur Seite.

«Über was?»

«Über vergangene Zeiten.»

«Gestern ist vergangen», sagt der Mann und lacht. Das Lachen breitet sich im Raum aus, zögerlich zunächst, bis schließlich die Frauen einfallen, sodass es lauter wird und die Spannung sich löst. Plötzlich klopft man ihm auf die Schultern. Sein Grinsen wird breiter, und die Männer sprechen mit einem Akzent, der in einer tiefen Tonlage beginnt und in einer hohen endet – melodisch, schnell, wie Glockenklang. Einige Wörter scheinen Romani zu sein, und wenn er recht verstanden hat, heißt der Mann Boschor. Er beugt sich vor und wirft die Zigarettenschachtel an Boschor vorbei auf den Tisch. Die Männer bedienen sich beiläufig, die Frauen treten hinzu, eine von ihnen ist mit einem Mal jung und schön. Sie beugt sich hinunter, lässt sich Feuer geben, und er wendet den Blick von den schwingenden Brüsten unter dem Kleid. Boschor zeigt auf die Karten und sagt: «Wir spielen nur um ein bisschen Essen. Und Trinken.» Er zieht an der Zigarette. «Aber eigentlich trinken wir gar nicht so viel.»

Er hört das Stichwort, knöpft das Hemd auf, entblößt

seine schlaffe Brust und zieht die erste Flasche wie eine Trophäe hervor. Boschor nimmt sie, wendet sie hin und her, nickt anerkennend und lässt eine Salve auf Romani los. Das Gelächter flackert wieder auf.

Er sieht die junge Frau in ein Regal greifen. Sie nimmt eine Mahagonischatulle mit silbernen Beschlägen und klappt sie weit auf. Ein Kaffeeservice aus Porzellan. Sie stellt die Tassen auf den Tisch und öffnet den Schraubverschluss der Flasche. Er bemerkt, dass er die einzige unversehrte Tasse bekommt.

Boschor lehnt sich zurück und sagt freundlich: «Gesundheit.»

Sie stoßen an, und Boschor beugt sich vor und flüstert: «Und um Geld, mein Freund, wir spielen auch um Geld.»

Er zuckt nicht mit der Wimper und legt die zweihundert Kronen auf den Tisch. Boschor nimmt die Scheine, steckt sie in die Tasche, lächelt und bläst den Rauch an die Decke.

«Danke, mein Freund.»

Die Karten werden beiseite gelegt, und man widmet sich ganz dem Trinken. Er bemerkt erstaunt, wie dicht Boschor neben ihm sitzt – ihre Knie berühren sich, die dunkle Hand des anderen liegt auf seinem Jackenärmel –, und fragt sich, wie er sich in ihren Geheimnissen zurechtfinden soll. Selbst ihr Slowakisch ist schwer zu verstehen, sie sprechen einen ländlichen Dialekt, aber bald schon steht die zweite Flasche auf dem Tisch. Er stellt sie mit einer raschen, aber ruhigen Bewegung hin, wie um den Eindruck zu erwecken, als hätte sie schon die ganze Zeit dort gestanden. Sie trinken weiter und erzählen ihm Geschichten von verschlagenen Bürgermeistern und hinterhältigen Bürokraten, von Beihilfen und Arbeitslosengeld, davon, dass

Kolja letzte Woche mit einer Spitzhacke niedergeschlagen worden ist und dass sie in keine Kneipe gehen dürfen – »Wir müssen zu jeder Scheißkneipe fünfzig Meter Abstand halten» –, all die Dinge, die ein Journalist, wie sie wissen, hören will. Selbst die Zigeuner verwenden Schlagwörter, denkt er, als sollte ihn das erstaunen. Sie kennen sie alle – Rassismus, Integration, Schulbildung, Minderheitenrechte, Diskriminierung –, und eigentlich ist das alles Blödsinn, aber immerhin ist etwas in Gang gekommen, und je mehr sich die Flaschen leeren, desto gesprächiger werden die Männer: Ihre Stimmen sind lauter, sie reden durcheinander und erzählen ihm eine Geschichte von einem Motorrad, das die Polizei beschlagnahmt hat.

«Alles, was gestohlen wird, haben wir gestohlen», sagt Boschor und beugt sich vor; seine Augen sind etwas blutunterlaufen, das Weiße hat einen Stich ins Gelbliche. «Immer sollen wir es gewesen sein. Aber dafür sind wir zu stolz.»

Er nickt Boschor zu, rutscht auf dem Stuhl hin und her und sucht eine stille Nische. Er reicht noch mehr Zigaretten herum und löscht das Streichholz mit einem Fingerschnippen.

«Dann sind jetzt Motorräder die Pferde der Roma?», fragt er.

Für einen Augenblick findet er es eine gute Frage, bis Boschor sie wiederholt, nicht einmal, sondern zweimal. Das jüngste Mädchen kichert, die Männer klatschen sich lachend auf die Schenkel.

«Scheiße, mein Freund», sagt Boschor, «wir haben ja nicht mal mehr Zaumzeug.»

Wieder Gelächter, doch er hakt nach und sagt, dass Pferde doch sicher zu den alten Roma-Angelegenheiten gehören. «Du weißt schon», sagt er, «Stolz, Tradition, das Erbe der Väter und so.»

Boschors Stuhl rückt quietschend über den Boden. Er beugt sich vor. «Ich hab dir doch gesagt, mein Freund, dass wir keine Pferde haben.»

«Weil sich alles geändert hat?»

«Unter den Kommunisten war es besser», sagt Boschor und schnippt die Zigarettenasche in Richtung Tür. «Das waren Zeiten.»

Das lässt sein Herz höher schlagen, er ist für einen Augenblick wie berauscht davon, und indem er sich – ein alter Reportertrick – ein kleines bisschen vorbeugt, entlockt er Boschor noch mehr.

«Ja, damals unter den Kommunisten hatten wir Jobs, wir hatten Häuser, wir hatten zu essen. Die haben uns nicht herumgeschubst, mein Freund – und wenn das eine Lüge ist, soll mein schwarzes Herz stillstehen.»

«Tatsächlich?»

Boschor nickt, holt eine abgewetzte Brieftasche hervor und zieht ein Foto heraus: eine Kumpanija, die Männer elegant, die Frauen in langen Röcken. Sie sind auf einer Landstraße unterwegs, und über dem Dach des Wohnwagens flattert eine rote Fahne mit Hammer und Sichel.

«Das ist mein Onkel Jozef.»

Er nimmt das Foto, betrachtet es eingehend und wünscht zu Jesus in den Wolken, er hätte das Diktiergerät eingeschaltet, denn jetzt geht es los. Aber wie soll er in die Tasche greifen, ohne Aufmerksamkeit auf den Apparat zu lenken? Scheint das rote Lämpchen durch den Stoff? Wann soll er anfangen, seine wirklichen Fragen zu stellen? Er will sagen, dass er wegen Zoli gekommen ist, ihr kennt doch Zoli, sie ist hier in der Nähe geboren, eine Zigeunerin, eine Dichterin, Sängerin, auch Kommunistin, Parteimitglied, sie hat mal eine Tournee mit Harfenspielern gemacht, sie wurde ausgestoßen, kennt ihr ihren Namen, habt ihr ihre Musik gehört, *Wir singen, um das tote Gras wieder süß zu machen,* habt ihr sie je gesehen, spricht man noch von ihr, *Aus dem Gesprungenen und Zerbrochenen mache ich, was gebraucht wird,* wurde sie verurteilt, hat man ihr vergeben, hat sie irgendein Zeichen hinterlassen, *Ich werde nie, niemals, den gekrümmten Finger gerade nennen,* haben eure Väter euch Geschichten von ihr erzählt, haben eure Mütter ihre Lieder gesungen, durfte sie je zurückkehren?

Doch als er ihren Namen nennt – er beugt sich vor und sagt: «Habt ihr je von einer Zoli Novotna gehört?» –, steht alles still, die Tassen bleiben auf dem Tisch, die Zigaretten verharren auf Mundhöhe, und ein Schweigen senkt sich herab.

Boschor sieht zur Tür und sagt: «Den Namen kenne ich nicht, verstanden, Specknacken? Und selbst wenn, würde ich mit dir nicht darüber reden.»

Tschechoslowakei
Dreißiger Jahre bis 1948/49

Es gibt Dinge über die Jugend, die nur die Jugend weiß, aber am deutlichsten erinnere ich mich daran, in einem roten Kleid ganz hinten auf dem Wohnwagen zu sitzen und auf die Straße zu sehen, die sich rückwärts entfernte.

Mein Haar war kurz. Ich hatte es mit einem Messer abgeschnitten. Ich war sechs. Meine Eltern waren fort, meine Brüder und Schwestern, meine Vettern und Cousinen ebenfalls: Sie waren von den Hlinka-Garden aufs Eis getrieben worden. Rings um den See wurden Feuer entzündet und MGs aufgebaut, sodass sie nicht fliehen konnten. Als es gegen Mittag immer wärmer wurde, zwang man sie, die Wohnwagen in die Mitte des Sees zu fahren. Das Eis brach, die Räder versanken, und der Rest folgte ihnen, Wohnwagen, Pferde, Harfen. Ich habe es nicht mit eigenen Augen gesehen, meine Tochter, aber in Gedanken konnte ich es hören, und obwohl später großartige Musik erklang, obwohl es später süß klingende Augenblicke gab, in denen unser Volk stark war, geehrt und geschätzt, werden diese Jahre für immer dadurch geprägt sein, dass ich zurückblickte und lauschte und darauf wartete, dass meine Familie uns einholte.

Nur Großvater und ich entkamen – wir waren drei ganze Tage auf der anderen Seite des Sees unterwegs gewesen. Wir kehrten in eine Stille zurück. Er legte mir die Hand auf den Mund. Die Pferde scheuten, und der Wohnwagen erzitterte. Rings um den See die kalte Asche der Feuer. Großvater sprang vom Kutschbock. Er sagte:

Warte hier. Er war ein Mann, dem man nicht widersprach. Er glaubte, dass es gute Orte gab und dass die meisten Menschen gut waren, dass aber die Regeln, die sie für die Orte machten, schlecht waren und die Menschen durch sie ebenfalls schlecht wurden.

Er verlor keine Zeit damit zu weinen oder die Hüte, Schals und Kisten einzusammeln, die zwischen den Eisschollen trieben. Sein zotteliges Haar hing ihm bis auf die Schultern, als er zu mir kam und sagte: Schnell jetzt und leise, Zoli. Kein Wort.

Wir zogen die Vorhänge zu und wickelten die scharfen Messer in Handtücher, damit sie nicht klirrten. Er verhüllte den Spiegel mit einem Hemd. Alle Teller wurden in Tücher verpackt. Der Weg, den wir nahmen, war schmal, zwei ausgefahrene Karrenspuren mit einer grünen Grasnarbe dazwischen. Es war bereits Frühling – deswegen war das Eis ja auch gebrochen. An den Bäumen sprossen Knospen. Vögel saßen singend auf den Zweigen. Die Sonne schien hell wie Weißblech, und ich kniff die Augen zusammen. Ich wartete darauf, dass meine Mutter kam, mein Vater, mein älterer Bruder, meine Schwestern, meine Vettern und Cousinen. Großvater hielt das Pferd an und flüsterte laut: Hör auf zu weinen, Kind. Er drückte mich an sich, sah über die Schulter und sagte: Hör zu, Kind, die Hlinka-Garden sind noch immer in der Gegend – du musst mäuschenstill sein.

Ich hatte die Hlinkas gesehen: Lederstiefel, die an den Knöcheln Falten schlugen, Schlagstöcke, die gegen ihre Oberschenkel klatschten, umgehängte Gewehre, Stiernacken.

Großvater führte die Rote, bis es dunkel wurde, und hielt in einem Wäldchen an. Die Sterne über uns waren wie Krallenwunden. Ich hockte in einer Ecke und wiegte mich vor und zurück, und dann schnitt ich mit einem sehr scharfen Messer meine Haare ab. Die Zöpfe versteckte ich in meinem Kissen. Als er mich sah, gab er mir zwei Ohrfeigen und sagte: Was hast du getan? Er nahm einen der Zöpfe und steckte ihn in die Tasche, und dann drückte er mich an sich und flüsterte, meine Mutter habe als Kind einmal das Gleiche getan, es sei nicht recht, es verstoße gegen unsere Gesetze.

Als wir erwachten, liefen dunkle Streifen über Großvaters Wangen. Er ging hinaus, wusch sich in einem Bach das Gesicht und gab der Roten Schmelzwasser zu trinken. Dann fuhren wir weiter.

Wir waren tagelang unterwegs, von der Morgendämmerung bis zum Einbruch der Nacht. Wir kamen durch ein Dorf, wo die vier Turmuhren drei verschiedene Zeiten zeigten. Die Läden waren geöffnet, und auf dem Markt herrschte geschäftiges Treiben. Wir wollten Brot kaufen. Als wir auf den Marktplatz fuhren, setzte Großvater sich auf, und seine Schultern wurden steif.

Vor den Kirchenstufen lungerten ein paar Hlinka-Gardisten herum. Sie lachten und rauchten. Als sie den Hufschlag unseres Pferdes hörten, verstummten sie. Aus der Gasse neben dem Uhrenturm bog ein Panzerwagen. Ganz ruhig jetzt, sagte Großvater. Er gab der Roten die Peitsche, und wir fuhren rasch weiter, an der Kirche vorbei und hinaus aus dem Ort, weit fort.

Faschistenbrut, sagte er.

Wir klopften an jede Tür und baten um etwas zu essen, und am späten Abend kamen wir an eine von hohen Brombeersträuchern gesäumte Straße. Da stand ein Steinhaus, umgeben von alten Bäumen. Auf der Fensterbank eine Katze, die uns beobachtete. Großvater verhandelte mit einem Bauern über die Reparatur eines Giebels im Austausch gegen etwas Suppe und ein bisschen Geld. Der Bauer sagte: Mach dich an die Arbeit – erst der Giebel. Aber Großvater sagte: Ich kann nicht, solange das Kind so hungrig ist. Sieh dir die Kleine an, wir brauchen Geld für Essen. Der Bauer sagte: Du bist ein Zigeuner – wenn ich dir Geld gebe, sehe ich dich nie wieder. Großvater biss sich auf die Zunge und sagte: Ich repariere dir den Giebel, wenn du dem Kind was zu essen gibst.

Der Bauer kam mit einer kleinen Henkelschüssel voll Borschtsch aus dem Haus. Wir tranken von derselben Seite der Schüssel. Die Suppe war schlecht und dünn.

Es gibt Zeiten, sagte Großvater, da muss ein Brunnen lernen, Pisse zu schlucken.

In jener Nacht stand unser Wagen auf dem unkraut-überwucherten Feld hinter dem Bauernhaus. Der Bauer hatte ein Radio, wir konnten es leise hören, aber es kam kein Bericht über die Morde. Ich schmiegte mich an meinen Großvater und fragte ihn, warum sie nicht über das Eis geflohen seien, und er sagte, mein Vater sei stark, aber nicht stark genug, um den Faschisten zu entkommen, und meine Mutter sei ebenfalls stark, doch bei ihr sei es eine andere Art von Stärke, und mein Bruder habe es sicher versucht, sei aber wohl zurückgetrieben worden. Dann wendete er das Gesicht ab und sagte: Möge Gott oder wer auch immer die Seele deiner jüngsten Schwester gnädig aufnehmen.

Als es ganz dunkel war, zog Großvater kräftig an der Zigarette und sagte: Bevor das Eis bricht, gibt es dir eine Warnung. Die Hlinkas haben den See mit ihren Feuern umzingelt und auf den Tag gewartet – da ist es wärmer geworden. Wir hatten Glück, dass sie uns nicht gesehen haben.

Er prüfte die Messerklinge mit dem Daumen. Ich fragte ihn, wie tief das Wasser war und was geschah, wenn das Eis dünner wurde, aber Großvater sagte, ich solle keine Fragen mehr stellen und sie würden bald *mule* sein, Geister, die nicht gestört werden wollten. Ich sagte, sie hätten es vielleicht geschafft davonzuschwimmen, unter dem Eis, und er sah mich an und seufzte. Ich fragte ihn, ob die Pferde auch Geister werden würden, und er sagte: Keine Fragen mehr, Kind. Doch später, als sich die Nacht herabgesenkt hatte, legte er sich neben mich und sagte, dass er nicht daran denken wollte, wie im Eis der erste Sprung erschienen war, wie die Pferde gewiehert und die Räder geknarzt hatten, wie der Atem der Hlinka-Gardisten in der Luft gehangen hatte. An nichts von alledem. Er kniff mich in die Wange und erzählte mir eine Geschichte über Nägel und eine Schmiede und einen Himmel, der von starken Händen an die rechte Stelle geschoben wurde, und als er damit fertig war, sagte er, dass in den vielen Tagen, die noch vor uns lägen, gute Dinge vollbracht werden würden.

Am Morgen kam der Bauer aus seinem Haus und sagte: Und jetzt verschwindet.

Großvater gab der Roten einen Klaps und bat sie, einen großen Haufen Scheiße vor dem Haus des Bauern abzuladen, doch sie tat es nicht. Wir zogen weiter, aber das wurde sein Satz und später sein Lieblingswitz, wann immer wir irgendwohin kamen, wo es ihm nicht gefiel: Na los, Pferd, scheiß!

Mir entging nicht die kleinste Kopfbewegung meines Großvaters, Čhonorroeja. Er war ein Mann mit festen

Grundsätzen. Er hatte drei Hemden und glaubte, mehr Hemden solle ein Mann nicht besitzen. Der offene Kragen lag über dem Revers seines schwarzen Jacketts. Sein riesiger Schnauzbart war geschwungen, sein Kinnhaar lang. Er hatte eine knochige Nase, die ihm oft gebrochen worden war. Am Hut trug er eine Marx-Nadel, doch wenn wir uns einem Dorf näherten, nahm er ihn immer ab und stopfte ihn in den Hosenbund, sodass er ihm die Jacke ausbeulte. Die Nadel würde uns nur Ärger bringen, sagte er, davon hätten wir schon genug. Er rauchte gern sehr dünn gedrehte Zigaretten, die er zwischen dem Ringfinger und dem kleinen Finger der rechten Hand hielt. Die gehäckselten Windenblätter, die er unter den Tabak mischte, färbten seine Finger grün, und der Rauch trieb vom Kutschbock nach hinten.

Seines Wissens war er neununddreißig Jahre alt. Meine Großmutter war dieser Welt entflohen, noch bevor ich sie betreten hatte – das war zur Zeit der Weißen Grippe gewesen. Er hatte ein Foto in der Innentasche seines Jacketts, aber darauf war sie schon halb abgewetzt, weil er es so oft hervorholte und wieder einsteckte. Sie hatten viele Kinder gehabt, aber alle bis auf eines lagen bereits unter der Erde. Der eine Sohn, der noch lebte, war wie ein Gadžo geworden, und das bedeutete, dass er ebenfalls tot war. Niemand erwähnte ihn, nicht einmal sein Name wurde ausgesprochen. Mein Großvater hatte mich von Anfang an Zoli genannt – ein Jungenname, nach seinem ersten Sohn. Wenn ich Marienka gerufen wurde, drehte ich mich oft nicht mal um. Er sagte, das Wichtigste an einem Namen ist der, der ihn gibt, ganz gleich, was irgendjemand sonst sagt. Wir sind voller Namen, sagte er, und das werden wir immer sein, so sind wir eben.

Wir fuhren weiter, Großvater und ich, ließen alles hinter uns: die Schokoladenfabrik, die Reifenfabrik, die Flüsse und Berge. Wir nannten sie die «Zitternden Berge», aber es waren natürlich die Karpaten. Er trug glänzende, knie-hohe Stiefel mit Ziehharmonikafalten an den Knöcheln, beim rechten war die Fersennaht geplatzt. Ich beugte mich gern aus dem Wohnwagen und betrachtete das Loch. Es sah aus, als würde es sprechen – offen, geschlossen, of-fen, geschlossen –, aber es gab auch lange Strecken, wo es nicht viel sagte. Ich war noch nicht alt genug, meine Tochter, um zu wissen, warum meine Familie auf das Eis getrieben worden war.

Ich erinnere mich an das vorangegangene Frühjahr: Wir wachten früh auf, mein Bruder, meine Schwester und ich. Meine Mutter und mein Vater schliefen und Angela, das Baby, ebenfalls. Ich spähte in die Zelfia, die von der Decke hing, und sah, wie die kleine Brust sich hob und senkte. Auf Zehenspitzen gingen wir hinaus und die drei Stufen hinunter. Die Sonne war noch nicht ganz aufgegangen. Die Felder schimmerten grün und weiß. Die meisten ande-ren Kinder waren schon da und spielten. Wir waren zwan-zig, vielleicht auch mehr, und machten eine Menge Krach. Vater kam an die Tür und warf seinen Pantoffel nach uns, damit wir still waren. Ruhe!, rief er.

Wir verstummten und machten uns auf den Weg zu den Feldern bei der Fabrik. Wir stiegen über die kleine, aus al-ten Reifen gebaute Mauer. Sie wippte ein bisschen. Meine Schuhe waren auch aus Gummistreifen, und sie quietsch-ten, als ich von der Mauer sprang. Wir sahen über das Feld aus gefrorenem Gras.

Wir spielten, wer die längste Eishülle fand. Die grünsten

Halme waren am besten, denn sie waren lang und gerade und beugten sich nicht unter dem Gewicht. Langsam gingen wir über das Feld, über die matschigen, gefrorenen Furchen und suchten. Ich hörte meinen Bruder, meine Schwester und die anderen Kinder rufen, sie hätten eine gefunden, die möglicherweise längste Eishülle überhaupt, groß genug für einen Arm, vielleicht sogar für ein Bein. Wir schoben und drängten, wir schrien und lachten und legten das Eis auf die flachen Hände, um die Länge zu vergleichen, bevor es dahinschmolz.

Mir gefiel, wie das Eis sich anfühlte, und ich blieb im hohen Gras und sah mich um. Der Trick bestand darin, den Grashalm unten festzuhalten und das Eis vorsichtig nach oben abzustreifen – zu langsam, und es brach, zu schnell, und es fiel hinunter. Die schönste Hülle war beinahe unversehrt, und man konnte von einem funkelnden Ende zum anderen hindurchsehen. Ich steckte sie in den Mund, blies und spürte die Luft am anderen Ende hinausströmen, und dann schmolz das Eis auf meiner Zunge.

Ich blieb auf dem Feld, bis die Sonne über die Bäume stieg und die anderen fort waren. Schatten wurden erst lang und dann mit einem Mal kurz. Als die Sonne über die Baumwipfel schien, begann das Eis zu schmelzen. Meine Strümpfe waren klatschnass. Ich rannte über das Feld, kletterte über die wippende Reifenmauer und lief zu den Wohnwagen am Rand des Wacholderwäldchens. Das Feuer brannte bereits, und mein Vater hielt die erste Zigarette des Tages in der hohlen Hand. Alle anderen – meine Brüder, Schwestern, Vettern, Cousinen – hatten schon gefrühstückt und waren zur Schokoladenfabrik gelaufen. Meine Mutter kratzte eine letzte Portion Kascha aus dem Topf und sagte: Wo warst du denn nur, Zoli? Wir dachten schon, die Gadže hätten dich gefangen und weggeschleppt. Mein Vater sagte: Komm mal her, mein Kätzchen. Er nahm mich am Ohr, zog ein Stück Brot aus der Tasche und gab es mir. Wie war das Eis?, fragte er. Herrlich, sagte ich. War es denn nicht kalt?, fragte er, und ich sagte: Ja, es war kalt, und es war herrlich.

Mein Großvater sagte einmal: Zeig mir ein Roma-Kind, das nicht glücklich ist, und ich zeige dir einen Gadžo-Zwerg.

Wir fuhren weiter, Großvater und ich. Wir aßen, was wir im Wald fanden: Blätter, die wir kochten, Kiefernzapfen, die wir im Feuer aufspringen ließen, wilden Knoblauch und kleine Tiere, die sich in seinen am Abend ausgelegten Schlingen verfangen hatten. Vögel aßen wir nicht. Das durften wir nicht, es war ein uraltes Gesetz, aber wir aßen Kaninchen, Hasen und Igel. Unsere Flaschen füllten wir an den Wasserhähnen in Häusern, wo wir willkommen waren, oder in reißenden Schmelzwasserbächen, die von den Bergen herabströmten, oder an einem verlassenen Brunnen auf einem Feld. Manchmal waren wir ein paar Tage bei Roma, die in Blechhütten und Erdhöhlen lebten. Sie empfingen uns sehr freundlich, aber wir blieben nicht dort, sondern zogen weiter. Dafür hätten wir keine Zeit, sagte Großvater, wir gehörten nicht unter Zimmerdecken, sondern unter freien Himmel.

Abends setzte Großvater sich hin und las mir vor. Er war der einzige Mensch, den ich kannte, der lesen, schreiben und rechnen konnte. Er besaß ein sehr wertvolles Buch, dessen Titel ich nicht wusste und das mir eigentlich nicht besonders gefiel – es klang so seltsam und lächerlich und war voller riesengroßer Worte, ganz anders als seine Geschichten. Er sagte, ein gutes Buch brauche immer einen Zuhörer. Mich ließ es schnell einschlafen. Er las immer dieselben Seiten; sie waren sehr abgegriffen, und auf einer war links unten sogar ein Brandloch. Es war sein einziges Buch, und er hatte es mit einem neuen Einband aus braunem Leder versehen, auf dem in goldenen Buchstaben das Wort *Katechismus* stand – für den Fall, dass man ihn danach fragte. Jahre später fand ich heraus, dass es *Das Kapital* gewesen war. Der Gedanke daran bringt mich auch heute noch zum Lachen, obwohl ich eigentlich gar nicht sicher bin, Čhonorroeja, ob er das, was auf diesen Seiten stand, auch wirklich verstanden hat. Sie haben ihn genauso verwirrt, wie sie letztlich alle verwirrt haben.

Warum hat Mama nicht gelesen?, fragte ich ihn.

Darum.

Darum, weil …?

Weil sie nicht fühlen wollte, wie schwer meine Hand sein kann, sagte er. Und jetzt geh und hör auf, mir Fragen zu stellen.

Später nahm er mich in die Arme, und ich schmiegte mich an sein langes Haar. Er sagte, es sei eine Tradition und schon immer so gewesen, dass nur die Ältesten läsen, und eines Tages würde ich das verstehen. Tradition bedeute, sich an das Alte zu halten, sagte er, aber manchmal bedeute es auch, Neues zu tun. Dann brachte er mich zu Bett und deckte mich zu.

Auf unserer langsamen Reise unter dem Schatten der Berge nach Osten versprach er, wenn ich Ruhe gäbe, werde er mir lesen und schreiben beibringen. Aber ich müsse es geheim halten, niemand dürfe es wissen. Es sei besser so, denn sonst werde es mit denen, die Büchern nicht trauten, nur Ärger geben.

Er knöpfte die Brusttasche des Hemds auf, wo er seine Brille aufbewahrte. Die Brille war ramponiert und an mehreren Stellen mit Draht und Heftpflaster geflickt, der Steg mit einem biegsamen Zweig geschient. Als er sie aufsetzte, musste ich lachen.

Er fing nicht mit A, B und C an, sondern mit Z, obwohl mein anderer Name Marienka war.

Wir schliefen im Freien, das Wetter war schön, und die Nächte waren sanft und erfüllt, auch wenn sie nicht unsere Sehnsucht nach denen stillten, die wir zurückgelassen hatten. Wir hatten nur wenig, was uns an sie erinnerte, aber es gab ein altes Lied, das meine Mutter immer gesungen hatte: *Brich nicht dein Brot mit einem Bäcker, er hat einen dunklen Ofen mit einer großen Tür, großen Tür.* Manchmal sang ich es Großvater vor, und er saß auf der untersten Stufe und hörte zu. Er schloss die Augen, rauchte seinen Tabak und summte mit, und dann, eines Tages, unterbrach er mich plötzlich und sagte: Was hast du da gesungen, Zoli? Ich wich einen Schritt zurück. Was hast du da gesungen, Kind? Da sang ich es noch einmal: *Brich nicht dein Brot mit einem Hlinka, er hat einen dunklen Ofen mit einer großen Tür, großen Tür.* Großvater starrte mich an. Du hast das Lied verändert, sagte er. Ich zitterte. Na los, sing es noch einmal, dann merkst du es. Ich wiederholte die Strophe, und er klatschte in die Hände und ließ sich das Wort *Hlinka* auf der Zunge zergehen. Er sang die Strophe ebenfalls und sagte dann: Mach dasselbe mit dem Metzger, mein Zuckerherz. *Schneid nicht Fleisch mit einem Hlinka, er hat ein scharfes Messer, es schneidet tief, schneidet tief.* Mit dem Hufschmied, sagte er. *Beschlag*

keine Pferde mit einem Hlinka, er hat lange Nägel, sie ma-
chen dich lahm, machen dich lahm. Ich war noch zu klein,
um zu wissen, was ich getan hatte, aber als wir ein paar
Jahre später erfuhren, was die Hlinkas und die Nazis mit
Öfen, Messern und Nägeln getan hatten, erschien mir das
Lied in einem neuen Licht.

Wenn ich mich jetzt aus der Ferne betrachte, wenn
ich mich umdrehe und auf all das zurückblicke, sehe ich
bloß irgendein Mädchen in einem gepunkteten Kleid, auf
schmalen Nebenstraßen unterwegs in einem Land, das
ihm auf Schritt und Tritt fremd erschien.

Einmal überholte uns ein Automobil, und ein Mann
in einem teuren braunen Mantel wollte ein Foto machen.
Großvater wandte sich ab. Wir sind doch nicht vom Zirkus. Der Mann bot ein paar Heller. Großvater sagte: Lieber lasse ich Steine übers Wasser hüpfen. Der Mann zückte
einen knisternden Geldschein und zog ihn so straff, dass
er knallte wie ein Trommelfell, und Großvater sagte schul-
terzuckend: Warum haben Sie das nicht gleich gesagt?
Ich musste ganz still auf den Stufen stehen und breitete
meinen Rock aus. Der Mann steckte den Kopf unter ein
schwarzes Tuch. Er sah aus wie ein großer Vogel mit einer
Kapuze. Ein Blitz flammte auf und ließ mich zusammenzucken. Er machte sechs Aufnahmen. Dann sagte Großvater:
Gut, das reicht.

Als wir wieder unter den Alleebäumen dahinfuhren,
sagte er kein Wort, aber im nächsten Dorf kaufte er mir
eine Pfefferminzstange. Er gab der Roten einen kleinen
Klaps mit der Peitsche und sagte: Gib ihnen nie was um-
sonst, hast du gehört, Zoli?

In Poprad wurde ich behördlich erfasst, denn alle Roma-
Kinder mussten bis zum fünften Lebensjahr untersucht

worden sein, und ich war schon sieben. Das Gebäude war weiß und imposant, mit Standbildern davor und grauen Stufen, die zu einem riesigen Portal führten. Drinnen war eine geschwungene Treppe, aber man sagte uns, wir sollten zu den kleinen, gedrungenen Baracken gehen, die auf dem Hof hinter dem Gebäude standen.

Die Frau studierte lange Großvaters Papiere, musterte ihn von oben bis unten, vom Scheitel bis zur Sohle, und sagte dann: Ist das Ihre?

Die Tochter meiner Tochter, sagte er.

Sie ist erstaunlich groß.

Ich hörte Leder knarzen und merkte, dass Großvater auf Zehenspitzen stand.

Sie schob mich in ein Zimmer, machte Großvater die Tür vor der Nase zu und wandte mein Gesicht mit den Händen hin und her. Dein rechtes Auge ist träge, sagte sie. Ich schluckte hart. Sie drückte meinen Kopf nach vorn und untersuchte meine Haare auf Läuse. Dann fragte sie, woher die Beule sei. Welche Beule?, fragte ich. Mein Haar war nachgewachsen, und mein Großvater hatte an eine Strähne eine Münze genäht, die nun bei bestimmten Kopfbewegungen an meine Stirn schlug. Die Frau hob die Münze an und drückte einen Finger auf meine Stirn. Es ist lächerlich, Geld in den Haaren zu tragen, sagte sie. Warum tut ihr so was?

Ich sah auf das Silberding, das ihr um den Hals hing. Sie presste das kalte runde Metall an meine Brust und horchte durch die Schläuche. Sie leuchtete mir mit einer Taschenlampe in den Mund, stellte mich an die Wand und murmelte etwas. Sie musterte mich und sagte, ich sei sehr groß für mein Alter. Ich war tatsächlich groß, selbst für eine Siebenjährige, und jetzt war ich angeblich fünf.

Nie im Leben, murmelte sie.

Sie vermaß meine Nase, den Abstand meiner Augen und sogar die Länge meiner Hände und schrieb alles sorgfältig auf. Sie nahm meinen Daumen, wälzte ihn auf einem mit Tinte getränkten Kissen hin und her und drückte ihn, wie auch die anderen Finger, fest auf ein Blatt Papier. Mir gefielen die Muster, die meine Finger machten – sie sahen aus wie Fußspuren an einem Flussufer. Sie stellte mir viele Fragen: Wo war ich geboren, wie lautete mein richtiger Name, ging ich zur Schule, wo waren meine Eltern, und warum waren sie nicht hier? Ich sagte, sie seien eingebrochen und unter dem Eis, erzählte aber nichts von den Hlinka-Gardisten. Sie sagte: Was ist mit deinen Geschwistern? Die auch, sagte ich. Sie hob die Augenbrauen und sah mich streng an. Mein Bruder Anton hat versucht zu fliehen, platzte ich heraus. Von wo?, wollte sie wissen. Ich sah auf meine Hände. Von wo wollte er fliehen, Kleine? Von dem See im Wald. Und vor wem? Vor den Wölfen. Gott im Himmel, sagte sie, und wie sahen die aus? Ich schwieg, und sie sagte: Ach, du armes Kind, und strich mir sanft über die Wange.

Sie brachte mich hinaus zu Großvater, sah sich rasch um und beugte sich zu ihm.

Wollen Sie Anzeige erstatten?, flüsterte sie.

Über was?

Sie könnten Anzeige erstatten. Ich werde dafür sorgen, dass sie an der richtigen Stelle landet.

Ich weiß nicht, wovon Sie reden, sagte Großvater.

Die Kleine hat es mir erzählt, flüsterte sie.

Was erzählt?

Sie brauchen keine Angst zu haben, sagte sie.

Großvater warf mir einen raschen Blick zu und begann

eine lange, verworrene Geschichte über ein Wolfsrudel, hungrige Männer, Wagenräder, die Spuren im Waldboden hinterließen, und Vögel, die von Bäumen aufstoben. Sie ergab überhaupt keinen Sinn. Nicht mal er selbst wusste, was sie bedeuten sollte.

Die Frau starrte ihn an. Ich frage Sie noch einmal: Wollen Sie Anzeige erstatten?

Großvater begann mit einer anderen langen, verworrenen Geschichte.

Die Frau seufzte, und ihre Stimme wurde wieder streng. Ich hab genug von euch Zigeunern, sagte sie. Sie schlug auf eine Tischglocke. Aus einem angrenzenden Zimmer kam ein anderer Beamter. Er hatte Gummibänder um die Arme. Als er uns sah, verdrehte er die Augen. Ach, Gott, murmelte er. Er schob die Papiere über die Theke, ohne sie anzusehen.

Sie muss sich alle drei Monate hier melden.

Und die anderen Kinder?

Alle Zigeunerkinder müssen das.

Und die anderen?, fragte Großvater.

Die?, sagte der Mann. Die nicht. Warum?

Großvater knurrte leise und unterschrieb die Papiere mit drei Kreuzen. Auf dem Weg hinaus fragte ich ihn, warum er nicht die Buchstaben benutzt hatte, die er mir beigebracht hatte, und er fuhr herum und nagelte mich mit seinem Blick fest. Wir waren auf der Treppe, und er nahm mein Ohr und sagte: Erzähl ihnen das nie. Niemals. Hast du mich verstanden?

Er zog mich am Ohr.

Dann wird alles nur noch schlimmer. Dann setzen sie uns nur noch mehr zu. Hast du mich verstanden, Kind? Niemals.

Ich begann zu weinen, und er schwieg und ließ mich los. Der Schmerz war groß. Wir gingen die letzten Stufen hinunter. Ich sah auf meine Hände. Die Finger waren schwarz von Tinte. Ich leckte an ihnen, und er schlug mir auf die Hand.

Ein anständiges Mädchen hält sich innerlich rein, sagte er. Lass diese Tinte nicht in deinen Bauch.

Der Wagen stand ein wenig windschief auf dem Kopfsteinpflaster. Ich ging hin, nahm die Zügel und legte mein heißes Ohr an den pulsierenden Hals der Roten. Großvater stieg auf den Kutschbock, setzte sich und starrte lange auf das Gebäude. Schließlich sagte er: Komm, steig auf, mein Zuckerherz. Er zog mich hinauf und setzte mich neben sich. Er schwieg eine Weile, spuckte dann zur Seite aus, legte mir den Arm um die Schultern und sagte, er habe unter anderem deshalb drei Kreuze gemacht, weil er sich von ihnen und ihren Gesetzen nicht zum Idioten machen lassen wolle.

Er nahm die Zügel und wollte sie gerade auf den Rücken der Roten klatschen lassen, doch dann sah er über die Schulter und flüsterte: Na los, Pferd, scheiß! Und wie an einer vom Himmel herabgelassenen Schnur hob die Rote den Schweif und ließ zwei dampfende Haufen auf das Pflaster vor dem imposanten weißen Gebäude fallen. Lachend fuhren wir davon, wir lachten aus vollem Hals. Am Ende der Straße sahen wir zurück: Ein Mann mit einem verkniffenen roten Gesicht schob die Pferdeäpfel auf eine Schaufel. Wir lachten noch mehr, bis wir das Gebäude nicht mehr sehen konnten und wieder auf der Landstraße waren, wo die Bäume blühten, die Mücken tanzten und blaue Libellen umherschwirrten, die, wenn man sie in ein Glas sperrte, die Wände mit glitzerndem Flügelstaub sprenkelten.

Großvater setzte den Hut wieder auf, wand eine gezwirbelte Schnurrbartspitze um den Finger und rief noch einmal: Na los, Pferd, scheiß!

Wir folgten Zeichen: Ein Faden an einem Hühnerknochen wies nach links, ein angebrochener Zweig nach rechts, ein weißer Stofffetzen verriet uns den Weg zu einem freundlichen Bauern, wo wir die Rote tränken und unsere Wasserflaschen füllen konnten.

Es war Spätsommer, und die Apfelbäume beugten die Äste unter ihrer Last. Wir durchquerten einen schönen, sauberen Fluss und kamen in einen tiefen Wald, wo Eiben, Eichen und Ahorne uns verbargen. Zwischen den harten Gräsern wuchsen Löwenzahn und wilde Orchideen. Großvater fuhr auf eine Lichtung, wo vierzehn Wohnwagen standen. Es waren Vlach-Wagen wie unserer, atemberaubend schön beschnitzt und bemalt. An einer grasbewachsenen, sumpfigen Stelle entsprang eine Quelle. Daneben stand ein Knotenstock, über dessen Ende ein Blechbecher gestülpt war. Ein Mädchen brachte uns zu trinken. Das Wasser rann mir kühl durch die Kehle. Großvater ging mit riesigen Schritten durch das Lager und umarmte einen Bruder, den er seit Jahren nicht gesehen hatte. Er rief mir zu, ich solle kommen und meine Vettern und Cousinen kennenlernen und die Vettern und Cousinen meiner Vettern und Cousinen und die anderen ebenfalls. Bald waren wir umringt, und ich tauchte sogleich in dieses neue Leben ein, das so viel Ähnlichkeit mit meinem alten hatte.

Einige von ihnen waren aus Polen. Sie hatten auch Harfen. Ich hatte noch nie so große Harfen gesehen, sie waren wunderschön, mit Darmsaiten bespannt und doppelt so groß wie ich. Selbst wenn ich mich auf die Zehenspitzen

stellte, konnte ich das obere Ende der Saiten nicht errei-
chen. Die Harfen waren angemalt und mit Schnitzereien
von Rädern, Greifen und Vögeln verziert. Wenn man die
Saiten anschlug, trugen die Töne weit durch den Wald.
Es war das Schönste, was ich je gehört hatte. Die Frauen,
die die Harfen spielten, hatten sehr lange Fingernägel. Sie
malten sie jeden Abend mit den Farben an, die gerade zur
Hand waren. Diese Farben stellten sie selbst her; sie kochten sie aus Tierfett und roten Flusskieseln und manchmal –
ein Hellblau – aus bestimmten Eierschalen und trugen sie
mit winzigen Pinseln aus Grasähren auf. Eliška, eine Polin mit Haaren so schwarz wie ein Fingerabdruck, besaß
einen sehr feinen Emaillierpinsel. Sie sagte, sie habe ihn
hinter einem Theater in Krakau gefunden, und er habe
einer berühmten Schauspielerin gehört, die auch im Radio
zu hören sei. Aber wer braucht ein Radio, wenn er Eliška
hat?, rief sie.

Sie nahm mich an der Hand und ging mit mir durch
das Lager. Du hast Augen wie ein Teufelchen, sagte sie.

Sie lachte und wirbelte mich herum, und später, als sie
ihre Fingernägel anmalte, sagte sie, ich solle mich zu ihr
setzen. Sie sprach schnell und knapp. Eliška hatte sich in
einen jungen Mann namens Wašengo verliebt und würde
ihn bald heiraten. Sie sagte, sie wolle mir ein altes Lied
beibringen, das ich bei ihrer Hochzeit singen könne. Sie
sang gern die alten Klagelieder, die ich schon kannte, aber
dieses war neu: *Ich werde den leeren Becher füllen, dann ist
er nicht mehr leer, ich fülle ihn mit Wein, den ich von deiner
Hand empfange.* Ich lernte es schnell und ging im Lager
umher und sang es, bis Wašengo sagte: Bitte hör auf, du
treibst mich in den Wahnsinn. Ich sang noch eine Strophe, und er gab mir einen Klaps aufs Ohr. Eliška flüsterte

mir zu, ich solle mir nichts daraus machen, keine Sorge, achte einfach nicht auf die Männer, die würden ein gutes Lied nicht mal erkennen, wenn es sie auf den Mund küsst. Komm, sagte sie, ich flechte dir die Haare, wie es deine Mutter immer getan hat. Woher weißt du, wie meine Mutter mir die Haare geflochten hat?, fragte ich sie. Das ist ein Geheimnis, sagte sie. Ich begann zu weinen, und so fuhr sie fort: Ach, deine Mutter war für vieles berühmt, aber vor allem war sie eine große Sängerin.

Sie beugte sich zu mir und sang, und die Lieder wuchsen und wuchsen. Sie nahm mein Gesicht in die Hände und küsste mich auf die Stirn. Schade, das mit deinem Auge, sagte Eliška, sonst wärst du genauso schön wie sie.

Ich konnte mir Wörter und Redensarten gut merken, darum musste ich abends lange aufbleiben und die Lieder hören. Manchmal kamen sie vom Weg ab, gerieten ins Schlingern und veränderten sich. Wenn die Frauen vom vielen Čuču schwankten, konnten sie sich nicht mehr erinnern, wohin das Lied am Abend zuvor geführt hatte. Sie sagten: Zoli, was hab ich gestern gesungen? Und dann sang ich: *Gebrochen, gebrochen haben sie meinen schlanken braunen Arm, und nun weint mein Vater wie der Regen.* Oder ich sang: *Ich habe zwei Männer, einer ist nüchtern, einer betrunken, aber ich liebe den einen wie den anderen.* Oder ich sang: *Kein Schatten soll auf deinen Schatten fallen, dein Schatten ist mir dunkel genug.* Sie lächelten, wenn mir diese Worte aus dem Mund kamen, und sagten abermals, ich sähe aus wie meine Mutter. Beim Einschlafen dachte ich an sie. Ich sah sie vor mir, sie hatte vollkommene Zähne, nur in der unteren Reihe fehlte einer.

Es ist seltsam, jetzt von solchen Dingen zu sprechen, aber dies sind die Augenblicke, an die ich mich erinnere,

Čhonorroeja, dies war meine Kindheit, ich versuche, sie dir so zu erzählen, wie ich sie damals sah, wie ich sie erlebte, wie sie mir widerfuhr, als ich noch nicht ausgestoßen und alles weit und offen war, es war eine größtenteils glückliche Kindheit. Der Große Krieg hatte noch nicht begonnen, auch wenn uns die Faschisten manchmal jagten, um uns mit ihrem Hass zu überschütten. Für sie waren wir nichts als wilde Tiere, und wir hielten uns so fern wie möglich von ihnen. Wir blieben unter uns und spielten Musik, wo wir nur konnten. Damals war das genug.

In dem neuen Lager gab es ein Mädchen, das wie ich acht Jahre alt war. Conka hatte rotes Haar und einen Streifen Sommersprossen auf der Nase. Ihre Mutter hatte ihr eine Perlenkette ins Haar genäht. Ihre Kleider waren mit Silberfäden durchwirkt, und sie hatte die schönste Stimme von allen – deswegen musste auch sie abends aufbleiben, um zu singen. Man schlug die Segeltuchklappe am Eingang des Musikzelts für uns zurück. Wir standen auf Eimern, damit man uns sehen konnte. Großvater schob den Hut in den Nacken und zündete sich eine Zigarette an. Alle versammelten sich in einem Halbkreis um uns. Die Frauen spielten die Harfen in rasendem Tempo, ein-, zweimal brach sich eine einen Fingernagel ab, doch sie hörten nicht auf zu spielen.

Meine Stimme war nicht so schön wie die von Conka, aber Großvater sagte, das spiele kaum eine Rolle. Das Wichtigste sei das richtige Wort, das ich in die Länge ziehen oder zusammendrücken und mit der Luft meiner Lungen schmücken müsse. Wenn Conka und ich sangen, sagte er, wir seien wie Wasser aus zwei Brunnen, das im selben Topf kochte.

Nachts versuchten wir, am Feuer einzuschlafen, aber unsere Lieblingsgeschichten hielten uns wach, und wenn eine Geschichte wirklich gut war, kicherten wir so sehr, dass wir uns ganz schwach fühlten. Conkas Vater gab jeder von uns einen Klaps und sagte, wir sollten zu Bett gehen, sonst würden wir noch die Toten aufwecken. Großvater trug mich und deckte mich mit dem Federbett zu, auf das meine Mutter mit einem Faden aus Pappelbast eine Harfe gestickt hatte.

Eines Abends brachte Großvater einen Teppich nach Hause, auf dem das Gesicht eines Mannes war. Er hängte ihn an die Wand über der Schublade mit den Messern. Es war das Porträt eines Mannes mit grauem Bart, eigenartigem Blick und hoher Stirn. Das ist Wladimir Lenin, sagte er. Aber du darfst es niemandem erzählen, hast du gehört, vor allem nicht den Milizionären, wenn sie kommen. Ein paar Tage später kaufte er einen zweiten Teppich, und auf dem war die Jungfrau Maria. Er rollte die Jungfrau eng zusammen, band einen Bindfaden um die Rolle und hängte sie über Lenin, sodass er, wenn ein Fremder zu unserem Wohnwagen kam, nur sein Messer zu ziehen und den Bindfaden durchzuschneiden brauchte, damit die Jungfrau sich blitzschnell entrollte und Lenin verdeckte. Großvater fand das sehr komisch und zerschnitt manchmal nur so zum Spaß den Bindfaden, und wenn er betrunken war, redete er mit den beiden und sagte, sie seien ideale Bettgenossen. Wenn sich im Lager Lärm erhob, zerschnitt er die Schnur, steckte das in Leder gebundene Buch in die Geheimtasche im Rückenteil seiner Jacke und baute sich mit verschränkten Armen und finsterem Blick vor dem Wohnwagen auf.

Er hätte lieber den Typhus als einen Milizionär hineingelassen.

Bei Durchsuchungen schoben sie ihn jedoch beiseite, ohne lange zu fragen, und stampften mit ihren Stiefeln im Wagen herum, aber den Lenin oder das Buch entdeckten sie nie. Sie durchwühlten alles und warfen einander Teetassen zu. Wir standen draußen und hörten es klirren, aber was sollten wir tun? Wir warteten einfach, bis sie wieder herauskamen. Sie gingen die Stufen hinunter, ihre Stiefel waren unter den Knien blank und an den Spitzen stumpf.

Wenn sie weg waren, räumten wir auf, und Großvater rollte die Jungfrau zusammen und gab Lenin wieder freie Sicht.

Einmal ging er nach Poprad zum Markt und kam erst vier Tage später zurück. Er hatte für einen Mann eine Mauer gebaut und dafür ein Radio bekommen. Er trug es stolz durch das Lager. Am Feuer schaltete er es ein, und Musik sprang heraus. Wašengos Vater kam herbei, um es sich anzusehen. Die Musik gefiel ihm sehr, und alle versammelten sich um das Radio und drehten an den Knöpfen. Doch am nächsten Morgen kamen ein paar der Ältesten und sagten, sie wollten nicht, dass die Kinder den Gadže zuhörten. Es ist doch nur ein Radio, sagte Großvater. Ja, erwiderten sie, aber was die darin sagen, ist schamlos. Großvater nahm Wašengos Vater am Arm und ging mit ihm zum Fluss, und dort einigten sie sich darauf, dass er nur Musiksendungen hören würde, nichts anderes. Großvater brachte den Apparat in unseren Wohnwagen, stellte ihn ganz leise und hörte alles, was es gab. Es ist meine Pflicht, Bescheid zu wissen, sagte er und ließ den kleinen gelben Zeiger über die Glasskala wandern: Warschau, Kiew, Wien, Prag. Und einen Namen gab es, den er am meisten liebte, auch wenn von dort nie ein Ton durchdrang: Moskau.

Eines Tages hörte ich, wie er die hölzerne Rückwand des Apparats auf den Boden warf und rief: Ist das zu glauben? Dieses verdammte Ding braucht Batterien!

Ein paar Tage später kehrte er mit einem Sack Batterien und grauen Flecken auf den Kleidern zurück. Er sagte, die Gadže wollten jetzt Mauern, die von Zement zusammengehalten wurden. Er hasste Zement – bisher hatte er alle Mauern aus Steinen und Luft gebaut –, aber wenn er mit Zement bauen musste, um an Batterien zu kommen, dann baute er eben mit Zement.

Bald fanden alle Gefallen an dem Radio. Meist hörten wir Musik, aber hin und wieder kamen auch Regierungsstimmen. In unserem Wohnwagen stellte Großvater alle Sender ein, die er finden konnte, in allen möglichen Sprachen. Er selbst beherrschte fünf: Romani, Slowakisch, Tschechisch, Ungarisch und ein bisschen Polnisch. Eliška sagte, er solle dieses rote Geschwätz schleunigst vergessen, was er sage, klinge in jeder Sprache gleich, und im nächsten Leben werde er ein Lautsprecher an einem Laternenpfahl sein. Er sagte, Lautsprecher seien faschistisch, und du wirst schon sehen, was passiert, du schwarzhaarige Hexe, wenn erst die Guten an der Macht sind, die Kommunisten. Sie antwortete, sie habe ihn nicht gehört, wahrscheinlich sei sie eingeschlafen, während er geredet habe. Und er schrie: Und was zum Teufel hast *du* eigentlich gesagt, Frau? Ich dachte, Eliška würde ihren Rock heben, um ihn zu beschämen, doch sie tat es nicht – sie wandte sich nur ab. Er zog noch ein bisschen über sie her und sagte etwas Grobes über ihren Emaillierpinsel und das, was sie damit tun solle, aber schon bald wurden wieder Witze erzählt, man lachte, und alles war vergessen.

Trotzdem hatte Großvater heftige Auseinandersetzungen wegen seines Buches. Er saß mit den Ältesten am Feuer und versuchte, ihnen von der Revolution zu erzählen, doch sie sagten, die Männer der Roma seien für so etwas nicht geschaffen. Petr der Geiger nickte und Wašengos Vater ebenfalls, aber Conkas Vater widersprach ihm heftig.

Hat man je so einen Unsinn gehört? Wenn Marx ein Arbeiter war, warum hat er dann nie gearbeitet? Warum hat er immer nur Bücher über Arbeit geschrieben? Oder wollte er bloß auf einen heißen Ofen pinkeln?

Großvater schnippte mit den Fingern, stand auf und sagte: Wer nicht für uns ist, ist gegen uns.

Er und Conkas Vater stiegen über die Töpfe und prügelten sich.

Am nächsten Morgen tranken sie ihren Kaffee und fingen wieder von vorn an.

Du hast meine Frage nicht beantwortet, sagte Conkas Vater. Wenn Marx die Armen so geliebt hat, wieso hatte er dann so viel Zeit, Bücher zu schreiben?

Großvater ging mit mir zum Fluss. Er schob den Hut in den Nacken, hob mich über einen umgestürzten Baum und nahm meine Hand, als wir am Ufer standen. Hör zu, Zoli, sagte er. Der Fluss hier gehört keinem, aber einige sagen, dass er ihnen gehört, alle sagen, dass er ihnen gehört, sogar wir sagen das. Aber das stimmt nicht, er gehört uns nicht. Siehst du, wie das Wasser da unten strömt? Es wird immer weiterströmen. Ein paar Zentimeter unter der Oberfläche gibt es keinen Besitz mehr, nicht mal für uns, das darfst du nie vergessen, sonst führen sie dich mit ihren Worten an der Nase herum.

Am nächsten Tag brachte er mich zum Schulhaus.

Ich hatte von Schulen gehört und wollte nicht dorthin, doch er zog mich unter das grüne, überhängende Dach. Er packte mich am Ohr, sodass ich nicht weglaufen konnte. Drinnen standen die Pulte in ordentlichen Reihen. An den Wänden hingen seltsame Bilder mit viel Grün und Blau – ich hatte ja noch nie eine Landkarte gesehen. Großvater sprach mit der Lehrerin und sagte, ich sei sechs. Die Lehrerin zog die Augenbrauen hoch und sagte: Sind Sie sicher? Er antwortete: Warum sollte ich nicht sicher sein? Die Hände der Lehrerin zitterten ein wenig. Großvater beugte sich vor und starrte der Lehrerin ins Gesicht. Sie wurde ganz blass. Bringen Sie sie her, sagte sie, ich werde mich gern um sie kümmern.

Ich bekam einen Platz in der Ecke, bei den Jüngsten, denen der Rotz aus der Nase lief. Eines der Kinder trug sogar noch Windeln. Die älteren Kinder kicherten, als ich mich in das winzige Pult zwängte, aber ich starrte sie so lange an, bis sie still waren.

An jenem Abend regnete es, und die Regentropfen klatschten auf die Blätter vor dem Wohnwagen. Im Musikzelt war ein gewaltiger Streit im Gang. Ich durfte nicht zuhören. Bleib, wo du bist, sagte Eliška. Aber ich will singen, sagte ich. Bleib, wo du bist, das ist besser für dich. Also verkroch ich mich unter das Federbett. Rufe und Geschrei erklangen. Dann hörte der Lärm auf, die Musik begann, und Conkas Stimme trieb durch das Rauschen des Regens zu mir. *Gebrochen, gebrochen haben sie meinen schlanken braunen Arm.* Sie sang einen falschen Text, und ich wollte durch das nasse Gras rennen und es ihr sagen, doch da hörte ich erneut Geschrei und dann das Peitschen eines Astes, und so blieb ich unter der Decke und verhielt mich still. Großvater kam herein. Sein Hut war klatschnass. Den Schnitt an seinem Handgelenk schien er gar nicht zu bemerken. Er setzte sich ans Fenster, rauchte sein Kraut und sah hinaus.

Ganz egal, sagte er, es ist meine Entscheidung.

Er gab mir einen Gutenachtkuss auf die Stirn und schaltete den Radioapparat ein. Es wurde eine Polka gespielt. Am nächsten Morgen packte mich eine alte Frau – wir nannten sie Sichel, wegen der Narbe auf ihrer Brust – und schlug mich neunmal. Mit brennendem Gesicht ging ich zum Zaun. Sie steckte ihr Haar mit einer Wäscheklammer auf und rief mir nach: Du wirst lernen, den Metzgerhund zu heiraten, du wirst schon sehen, denk an meine Worte, du wirst den hässlichen Metzgerhund heiraten.

Der Regen tropfte vom schrägen Dach der Schule und rann an den Fenstern hinunter. Die Lehrerin roch nach Seifenlauge. Ihr Hals war so weiß wie der einer Gans, und sie wischte die Kreide mit dem Ellbogen von der Tafel. Meine Knie stießen an die Tischplatte. Ich trug einen blauen Rock mit weißen Pünktchen und Rüschen am Saum. Die älteren Gadžo-Jungen auf der anderen Seite des Klassenzimmers konnten lautlos durch ihre Zahnlücken spucken, und bald war das Haar auf der einen Seite meines Kopfes ganz nass, aber ich drehte mich nicht um. Wahrscheinlich dachten sie, ich würde anfangen herumzuschreien, doch das tat ich nicht. Sie flüsterten mir einen alten Reim zu: *Marienka hat ihr Pferd gegen einen Hund eingetauscht, und den hat sie mit verfaultem Haluški gegessen.* Ich sagte nichts und sah geradeaus. Ich hasste es, wenn die Kreide auf der Tafel quietschte, dann überlief es mich kalt. Die anderen lachten über mich und darüber, wie ich redete, aber die Lehrerin staunte, weil ich das Alphabet schon kannte, und nach ein, zwei Wochen gab sie mir ein Buch über einen Prinzen, der sich in einen Löwen verwandelte.

Die älteren Kinder riefen mir allerlei Sachen nach und bewarfen mich mit Eiern. Ich hob die Schalen auf und steckte sie in die Rocktasche. Das Buch schob ich in eine Hecke nicht weit von der Schule und bedeckte es mit Blättern. Als ich wieder im Lager war, hatte ich eine ganze Handvoll Eierschalen. Die Frauen waren begeistert, und sogar Sichel war entzückt und sagte, vielleicht sei die Schule ja doch nicht so schlecht. Dann ging sie ihre Fingernägel blau anmalen. Sie malte sich auch die Zehennägel an – das war der einzige Unterschied zwischen den Slowaken und den Polen: Wir bemalten uns nicht die Füße und trugen nie Ringe an den Zehen.

Eines Tages vergaß ich den Regen, und das Buch in der Hecke war völlig durchweicht. Die Seiten klebten aneinander und zerrissen, wenn ich sie zu lösen versuchte. Die Lehrerin sagte, ich hätte es wissen sollen, gab mir aber trotzdem ein anderes Buch. Diesmal wickelte sie es in ein Stück Wachstuch.

Sie bestand darauf, dass ich jeden Morgen in ihrem Haus, ganz in der Nähe der Schule, ein Bad nahm, obwohl ich mich täglich mit Conka im Fluss wusch. Ich sagte ihr, dass Vlach-Mädchen nur in fließendem Wasser baden, nie in einer Badewanne, und sie lachte und sagte: Ihr seid schon ein seltsames Volk. Sie zupfte an meinen Kleidern herum und schenkte mir neue – jedenfalls tat sie so, als wären sie neu. Sie waren in braunes Papier gewickelt, aber ich wusste, dass sie getragen waren – ich hatte die Rolle Packpapier und den Bindfaden in der Schublade ihres Schreibtischs gesehen.

Sie fuhr mir mit den Fingern durch das Haar und suchte nach Läusen. Dann kämmte sie es mit Paraffin und schrieb einen langen Brief an meinen Großvater: *Werter*

Herr, Marienka muss mehr auf ihre Sauberkeit achten. Ihre Fertigkeit im Lesen, Schreiben und Rechnen lässt, unter Berücksichtigung der Umstände, nichts zu wünschen übrig, aber es ist äußerst wichtig, dass sie sich um höchste Reinlichkeit bemüht. Bitte sorgen Sie dafür, dass die nötigen Schritte unternommen werden. Hochachtungsvoll, Bronislawa Podrowa. Großvater drehte sich aus dem Brief eine Zigarette und rauchte ihn.

In diesem Brief ist mehr Scheiße als in einem Fabrikklo, sagte er.

Danach ging ich für eine Weile nicht mehr zur Schule. Alle freuten sich, besonders Sichel, die ein Lied über ein schwarzes Mädchen gemacht hatte, das in eine grüne Schule geht und schneeweiß wird, doch auf dem Heimweg färbt es sich wieder schwarz. Ich fand, dass es ein dummes Lied war, und das fanden beinahe alle anderen ebenfalls, aber Sichel sang es jedes Mal, wenn sie in die Flasche gekrochen war.

Noch immer hieß es, Großvater solle bestraft werden, denn er schickte mich nicht nur zur Schule, sondern saß jetzt auch selbst vor aller Augen da und las in seinem Buch. Die Strafe wurde aber nie ausgesprochen. Wašengos Onkel ergriff für ihn Partei und sagte, es sei ganz gut, wenn eines der Kinder zur Schule gehe, denn so wüssten wir wenigstens, was auf der Welt geschehe. Dies sei eine Zeit, in der wir zusammenhalten müssten, und mein Schulbesuch würde uns eines Tages noch von Nutzen sein, das würden wir schon sehen.

Petr, ein alter Mann mit einem gutaussehenden, sanften Gesicht, spielte auf seiner Geige, und Großvater stand mitten im großen Musikzelt und klatschte in die Hände. Es sah so aus, als wäre alles wieder in Ordnung.

Die Lehrerin gab mir noch mehr Bücher. Conka gefielen die Bilder der wilden Tiere, und gemeinsam schlichen wir davon und stellten den Jaguar, den Delphin und den Tiger neben den Dachs, die Henne und das Rad an den Sternenhimmel. Damals hatte ich keine Ahnung, dass andere Menschen den Sternen andere Namen gegeben hatten: der Pflug, Orion, die Sieben Schwestern. Es gab so vieles, was ich noch nicht kannte. Die Sterne legten sich einer nach dem anderen auf die Seite und sanken unter den Horizont.

Schon früh gefiel mir das Gefühl, einen Stift in der Hand zu halten. Ich saß still bei Großvater im Wohnwagen, wenn er die Karten auf dem Tisch auslegte. Draußen hinkte die Rote durch den Matsch. Eines Morgens setzte Großvater sich neben mich an das Facettenfenster, sah hinaus und sagte, das Pferd komme ihm vor wie eine Krankheit, die sich an ihn anschleiche. Er hatte die Rote oft geritten und sagte, das werde er nun vielleicht nicht mehr tun können. Das sei in Ordnung, es sei der Lauf der Welt, und er werde immer die Geräusche hören können, die die Rote machte – dazu brauche er nur die Augen zu schließen und zu lauschen.

Die Rote verschwand zwischen den Bäumen am Wasser. Wir hörten, wie sie die Mähne schüttelte, wie sie wieherte und in den Fluss stieg, bis das Wasser ihre Flanken umspülte. Die Büsche rauschten, und Zweige knackten, als sie durch den Matsch zurückkehrte. Wir schirrten sie an. Wenn wir unterwegs waren, saß ich im Wohnwagen. Ich spitzte den Bleistift und machte aus dem Klang der Hufe auf der nackten Erde – klopp, klopp – das Geräusch der Stille.

Graue Wiesen zogen vorbei. Die dunklen Vierecke ge-
pflügter Äcker. Wenn wir über eine Unebenheit fuhren,
begannen die Harfen leise zu singen. Abends sprangen
wir von den Wagen und öffneten alle Tore, die wir finden
konnten. Alle legten für das Kerosin zusammen, und Conkas Onkel erzählte, oft bis tief in die Nacht, wunderbare
weitschweifige Roma-Geschichten von zwölfbeinigen Pferden, Drachen, Dämonen, Jungfrauen und grausamen Gra-
fen und wie uns die Gadžo-Schmiede mit ihren geschmolzenen Knöpfen betrogen hatten.

Ich sage dir, Čhonorroeja: Es waren warme Nächte,
auch wenn sie kalt waren, und ich denke mit Wehmut an
sie zurück. Vielleicht erscheinen mir diese Nächte auch
nur wärmer wegen denen, die noch vor mir lagen.

Wir zogen mit unserer Kumpanija in die Nähe einer kleinen Stadt namens Bánska Bystrica und durften auf dem
Feld eines Mannes bleiben, den wir den Gelben Bauern
nannten. Er hatte gewaltige gelbe Stiefel, die ihm bis zur
Hüfte reichten. In denen stapfte er herum. Manchmal ging
er zum Angeln an den Fluss. Janko war vier, und eines Tages fand man ihn am Flussufer, wo er sich in einem der
gelben Stiefel versteckt hatte. Er passte fast ganz hinein,
nur sein Grinsen war zu sehen, und von da an nannten wir
ihn Stiefel.

Es waren ruhige Zeiten, die wir auf dem Feld des Gelben Bauern verbrachten, doch nach und nach hörten
wir von den schrecklichen Dingen, die im Land gescha-
hen. Die Deutschen marschierten zwar nicht ein wie in
der Tschechei, aber Großvater sagte, das spiele kaum eine
Rolle, die Hlinkas seien nicht besser als die Gestapo, nur
das Abzeichen sehe anders aus. Der Krieg kam auf uns
zu. Neue Gesetze wurden erlassen. In Dörfern und Städ-

ten durften wir uns nur zwei Stunden täglich aufhalten, von zwölf bis zwei Uhr nachmittags, und manchmal nicht einmal dann. In der übrigen Zeit durfte sich kein Roma in der Öffentlichkeit sehen lassen. Manchmal warf man den reinlichsten Frauen vor, Krankheiten zu verbreiten, und steckte sie ins Gefängnis. Wenn ein Roma-Mann in einem Zug oder Bus erwischt wurde, schlug man ihn, bis er nicht mehr kriechen konnte. Wenn er auf der Straße angetroffen wurde, schickte man ihn in ein Arbeitslager, wo er Holz sägen musste. Wir lernten, Militärfahrzeuge an ihren Motorengeräuschen zu erkennen, wie wir einst gelernt hatten, die Geräusche von Tieren zu unterscheiden: Geländewagen, Panzer, Konvois aus mit Planen gedeckten Lastwagen – wir wussten immer, was gleich um die Kurve biegen würde. Und doch schätzten wir uns glücklich, denn über die Grenze kamen tschechische Brüder und erzählten schreckliche Geschichten und dass viele die lange Straße mit den vielen Ecken hätten entlangmarschieren müssen. Jeder am Feuer hörte Großvater jetzt zu. Durch das Radio wusste er, was vor sich ging, und selbst Conkas Vater ging mit ihm zur Mühle, wo sie Batterien kauften.

Großvater hatte keine Zeit mehr, Mauern zu bauen. Er sagte, heutzutage werde alles von Fabrikzement zusammengehalten, aber sollte er je noch einmal eine Mauer bauen, dann werde er es auf seine Art tun und die Steine mit etwas zusammenfügen, das er Schläue nannte.

Abends stellte er einen Sender ein, der nicht Kriegsnachrichten, sondern Polkas brachte. Ein Mann namens Chamberlain habe sich zum Fußabstreifer machen lassen, sagte er. Großvater saß auf dem Dach unseres Wohnwagens und trank, bis er unter dem Sternenzelt einschlief. Ich stellte wieder Polkas ein und hörte einen Mann, der Nachrichten auf Polnisch und dann auf Slowakisch verlas. Es gab natürlich keine Radiosendungen in Romani, nicht einmal für eine halbe Stunde, und so erfuhren wir nicht, was mit unserem Volk geschah.

Wer braucht schon Nachrichten, wenn sie überall ringsum geschehen?, fragte Großvater. Ein Schwein braucht keinen goldenen Ring in der Nase, um zu wissen, wo sein Stall ist.

Conkas Mutter ging nach Poprad und verirrte sich in den Gassen hinter dem Obstmarkt, nicht weit von der Promenade. Alle suchten sie, aber sie war den Hlinka-Gardisten in die Hände gefallen. Sie schleppten sie in das Hinterzimmer einer Buchhandlung und legten sie auf einen Tisch. Sie lachten über ihre langen Fingernägel und sagten, die seien wirklich was Besonderes. Einer sagte, sie gefielen ihm so gut, dass er am liebsten einen davon nach Hause mitnehmen würde – vielleicht würde seine Frau auch gern mal etwas so Kunstvolles sehen. Sie drückten ihre Schultern auf die Tischplatte. Sie konnte nur ein sehr dunkles Stück Decke sehen, und dann begann sich alles zu drehen. Einer hielt ihren Arm. Ein anderer hielt die Zange. Sie rissen ihr einen Fingernagel nach dem anderen aus, bis auf den am kleinen Finger ihrer linken Hand – damit sie sich kratzen könne, wenn sie dieses Zigeunerjucken verspüre.

Sie zogen ihre Fingernägel auf eine Schnur und hängten sie ihr um den Hals, und dann stießen sie sie aus der Buchhandlung hinaus auf die Straße, wo sie der Länge nach hinfiel. Die Gardisten brachten sie zum Krankenhaus und sagten, sie habe sich das Knie aufgeschlagen. Sie sagten zu den Schwestern: Kümmern Sie sich um das Knie dieser Frau, es ist sehr wichtig, dass Sie ihr Knie behandeln. Sie redeten unentwegt nur von ihrem Knie. Die Schwestern halfen Conkas Mutter auf. Ihre Hände waren blutüberströmt.

Sie versuchten, sie zu heilen, doch sie lief so bald wie möglich fort. Kein Roma bleibt in einem Krankenhaus unter lauter Kranken und Toten – das ist kein guter Ort. Conkas Vater fuhr sie nach Hause. Sie lag weinend auf dem Karren. Ihre Hände waren riesig durch den weißen Verband, der sich bald braun färbte, ganz gleich, wie oft sie ihn auskochte. Sie blieb in ihrem Wohnwagen. Jeden Tag nahm sie den Verband ab und badete ihre Hände in Sauerampfertee, und danach bestrich sie ihre Fingerspitzen mit Baumsaft und Kamillenwasser. Sie starrte ihre Hände an, als wären es nicht ihre. Conka sagte, ihre Mutter heule nicht vor Schmerz, sondern weil sie nie wieder würde Harfe spielen können. Sie versuchte, die Darmsaiten mit den Fingerspitzen zu zupfen, doch ihre Hände begannen wieder zu bluten, und damit war es aus. Die Eulen saßen in den Ahornen, und nichts würde sich je ändern.

Die Buchhandlung brannte aus. Großvater und Conkas Vater kehrten nach Benzin riechend aus der Stadt zurück. Es wurde ein Fest gefeiert. Die Zeltbahnen flatterten im Wind, und Großvater sang die Internationale – es war nicht das erste Mal, dass ich sie hörte, aber nun sang sogar Eliška mit. Sie hatte auch ein Lied gemacht: *Manche Steine kann man gut werfen, manche Dächer brennen gut.* Selbst Großvater gefiel es, und ich weiß noch, dass es in der letzten Strophe hieß, aus den Herzen der Hlinka-Gardisten würden Dornbüsche wachsen.

Nun schlug es über uns zusammen. Wir schmierten die Achsen und bereiteten uns darauf vor, uns von den polnischen Brüdern und Schwestern zu trennen. Eliška blieb bei uns – sie hatte Wašengo geheiratet. Bevor wir auseinandergingen, versammelten wir uns in einem Kreis vor dem Zelt, und Großvater gab die neuesten Nachrichten bekannt: Es war ein Gesetz erlassen worden, nach dem wir für jedes Musikinstrument eine Erlaubnis brauchten, und das bedeutete, dass wir die Harfen vorerst nicht mehr würden spielen können. Wir vergruben sie in riesigen Kisten, die die Männer zimmerten. Das Holz stammte von Ahornen aus dem Wald des Gelben Bauern. Die Männer hoben tiefe Gruben aus und legten die Harfen hinein. Als die Gruben zugeschüttet waren, bepflanzten wir sie und bedeckten die Erde mit Brombeerzweigen, damit niemand die Harfen fand. Conka und ich liefen zu den Gräbern, und sie erfand ein Spiel, bei dem man auf der Stelle springen musste, und wir taten, als könnten wir aus der Erde Musik erklingen hören. Damals machte ich in Gedanken ein Lied darüber, dass tief in der Erde Saiten schwingen. Noch heute erinnere ich mich an jedes Wort: Die Harfen hören über sich das Gras wachsen, und das Gras lauscht auf die Töne, die zwei Meter unter seinen Wurzeln erklingen.

In jener Nacht brachen wir von dem Feld des Gelben Bauern auf und zogen in heftigem Graupelregen auf Waldwegen davon. In dem aufgeweichten Boden blieben die Räder stecken. Wir schoben die Wagen und gingen breitbeinig, um nicht so leicht auszurutschen, folgten eingekerbten Knochen, an Bäumen festgebundenen Stroh- und anderen Zeichen. Neben mir ging Bakro, ein Junge in meinem Alter, einer von Conkas Vettern. Er hatte wohl schon ein Auge auf mich geworfen. Immer wieder sah er in den Spiegel, der am hinteren Ende des Wohnwagens hing, und strich sich über das schwarze Haar. Wir begegneten ein paar Panzerwagen; der letzte hielt an, und die Besatzung durchsuchte uns. Die Männer streiften sich nicht mal auf den Stufen die Stiefel ab. Conka und ich versteckten uns unter dem Federbett, doch der Hlinka-Gardist, der hereinkam, hob es sogleich hoch, stieß uns mit der Stiefelspitze an und spuckte auf uns. Für ein Roma-Mädchen gibt es nichts Schlimmeres. Als sie weg waren, nannten wir sie Schweine, Eidechsen, Schlangen. Sie waren unrein, das Widerwärtigste vom Widerwärtigen.

Immer weiter ging es, im gleichmäßigen Rhythmus des dumpfen Hufschlags. Bakro flüsterte mir zu, er werde mich beschützen, ganz gleich, gegen wen, aber Großvater behielt uns im Auge, und ich spürte in meinem Bauch nicht das Schwingen, das ich bei anderen Jungen fühlte.

Abends schirrte Großvater die Rote aus, nahm die Deichsel und schob sie ein wenig zur Seite, während ich die Räder mit Steinen sicherte, und am nächsten Morgen zogen wir weiter.

Die Radiosender standen in dem Land, das wir nun wieder Slowakei nannten. Es war schon verwirrend: Böhmen, Mähren, Deutschland, Ungarn, Polen, Russland … Eines Abends erhob sich Großvater und sagte, bald schon werde dieses Land Romanistan heißen oder aber zur Sowjetunion gehören, doch jemand anders sagte: Vielleicht auch zu Amerika, wo eine traurig aussehende Frau uns mit einer Fackel leuchte und alle gleich seien. Wir zogen durch das Land und waren jede Woche an einem anderen Ort. Einer von uns – meist war es Stiefels Vater – blieb allerdings im Wald bei den Harfen. Nachts schlief er in ihrer Nähe. Er schwor, es gebe ruhelose Geister, die auf ihnen spielen wollten.

Bald war ich eine Frau und musste den roten Stoff verbrennen. Es geschah in einem Silberpappelwald. Conka wusste, was los war – sie hatte es selbst schon erlebt –, und gab mir einen Stoffstreifen. Ich musste nun achtgeben, denn wenn ich mit meinem Rock einen Mann berührte, würde ich ihn beschmutzen. Conka sagte, es sei nicht so schlimm, doch ich solle nicht mit einem Jungen hinter die Hecke gehen, denn er könnte zudringlich werden. Gemeinsam nähten wir Kieselsteine in die Säume unserer Röcke, damit der Wind sie nicht hochwirbeln konnte. Neun Tage später sagte Großvater, ich müsse mir nun angewöhnen, ihn Stanislaus zu nennen – er wolle nicht der Großvater einer erwachsenen Frau sein. Ich errötete und wusste, dass ich bald mit einem Ehemann unter Lindenblüten gehen würde.

Stanislaus, sagte ich. Na los, Pferd, scheiß!

Es war das erste Mal, dass ich in seiner Gegenwart ein solches Wort benutzte. Er packte mich an der Schulter, drückte mich an die Brust und lachte.

Bakro schenkte mir ein silbernes Kettchen. Ich trug es nicht um den Hals, aber ich hatte es in der Tasche und wickelte es um die Finger. Am nächsten Tag kam er und drückte mir ein Lebkuchenherz in die Hand. Ich war ganz sicher, dass wir verheiratet werden sollten, und bat Stanislaus, das nicht zuzulassen, doch er wandte den Blick ab und sagte, er habe andere Dinge im Kopf, und dann ging er durch den Schlamm davon, um mit Petr zu sprechen.

Großvater zeigte auf mich, und Petr nickte. Ich senkte den Kopf und beachtete sie nicht. In meinem Kopf erklangen die alten Lieder, schlingerten, taumelten, nahmen eine andere Wendung.

Wir zogen weiter in Richtung Osten, und eines Morgens, am Ufer des Hron, war die Rote tot. Sie lag auf der

Erde, ein Auge war geöffnet. Großvater hob sie mit Seilen hoch und brachte sie zum Abdecker. Als der Körper bewegt wurde, schwappte das Blut darin hin und her. Ich werde dieses Geräusch nie vergessen: ein Gluckern wie von Wasser. Es gab einen dumpfen Ton, als sie auf einen Karren gehievt wurde. Das Auge war noch immer geöffnet. Großvater kam mit einer Flasche voll gutem Slivovitz zurück und bot mir davon an, aber ich wandte mich ab und sagte nein. Er sagte: Solche Dinge geschehen, Mädchen, und ich sagte: Nein, tun sie nicht. Er packte meine Zöpfe und sagte: Hast du gehört, Mädchen? Solche Dinge geschehen. Du bist kein Kind mehr. Er ließ mich los, und ich sah ihm nach, als er davonstapfte und im Gebüsch verschwand.

Ein paar Jahre später, Čhonorroeja, als sich ein großer Teil meines Lebens in Bratislava abspielte, in der Druckerei, und ich die Wörter aufschrieb, die aus den Liedern stammten, bat ich Stránský und den Engländer Swann, die Seiten meines ersten Gedichtbandes nicht zu verleimen, sondern mit Fäden zu heften. Ich dachte, der Leim käme vielleicht aus jener Abdeckerei. Sie verstanden nicht, wovon ich redete, und eigentlich weiß ich nicht, wie ich auf den Gedanken kam, sie würden es verstehen. Ich konnte die Vorstellung nicht ertragen, dass der aus der Roten gemachte Leim auf den Buchrücken gestrichen werden würde, sodass sie sich mit Dingen verband, die ihr so fremd waren. Und wer will schon, dass sein Buch von seinem eigenen Pferd zusammengehalten wird?

Ich schrieb alles Mögliche auf, schrieb auf jedes Stück Papier, das ich finden konnte, sogar auf Flaschenetiketten. Ich legte die Flaschen in Wasser, löste die Etiketten ab, trocknete sie und füllte die Leere ihrer Rückseiten mit

Buchstaben. Ich schrieb auf alten Zeitungen. Auf braunem Ölpapier vom Metzger, das ich so lange abwischte, bis die Blutflecken verblassten. Dass ich schrieb, war noch immer ein Geheimnis. Den meisten gegenüber tat ich, als könnte ich nicht lesen, doch insgeheim dachte ich, es könne nichts Schlimmes sein. Schreiben, sagte ich mir, sei nicht besser oder schlechter als Singen. Mein Bleistift hatte viel zu tun und war nur noch ein Stummel.

Wasch deine Kleider in fließendem Wasser. Trockne sie auf der Südseite der Felsen. Lass die Menschen vier verschiedene Meinungen über dich haben und alle falsch sein. Nimm eine Handvoll Schnee mit in die Sommerhitze. Mach Haluški mit warmer, gesüßter Butter. Trink kalte Milch, damit du innerlich rein bleibst. Gib acht, wenn du aufwachst – die Art, wie du atmest, verrät, wie du geschlafen hast. Häng deine Jacke nicht an einen Haken in der Tür. Halte dich nicht an die Ausgangssperre. Erinnere dich an das Wetter anhand der Geräusche, die die Räder gemacht haben. Werde nicht der Dummkopf, zu dem sie dich machen wollen. Ändere deinen Namen. Verliere deine Schuhe. Übe dich im Zweifeln. In Gegenwart von Kranken lege ein Wachstuch um. Verehre die Dunkelheit. Dreh dich seitwärts zum Wind. Es macht Spaß, Geschichten zu verändern. Erwecke den Eindruck, als hättest du nichts gewusst. Hüte dich vor den Hlinka-Garden – die Massaker geschehen immer nachts.

Heute, lange danach, kann man vieles hören, vieles sehen: wie die Gräben ausgehoben wurden, wie der Boden erbebte, dass über Belsen keine Vögel mehr fliegen. Was mit unseren tschechischen Brüdern, unseren polnischen Schwestern, unseren ungarischen Vettern und Cousinen geschehen ist, dass wir in der Slowakei verschont wurden, auch wenn sie uns schlugen und folterten, einsperrten und uns unsere Musik nahmen, dass sie uns in Arbeitslager brachten, nach Hodonin, Lety und Petič, dass sie eine strikte Ausgangssperre verhängten und diese mit einer zweiten, gesonderten Ausgangssperre verschärften, dass sie uns auf der Straße anspuckten. Man kann Geschichten über die Abzeichen hören, die auf Ärmel genäht wurden, über das Z, das die Arme unserer Leute zerschnitt, über die rot-weißen Armbinden und dass es in der Nähe der Lager keine mageren Hunde gab, dass das Zyklon B die Haare der Toten braun färbte, dass am Stacheldraht kleine Hautwimpel flatterten und aus unseren Haaren Stoffe gewebt wurden. Das alles und mehr kann man hören. Was getan wurde einem der Geringsten unserer Brüder, das wurde uns allen getan, aber nur wenige dieser Geschichten beschwören jene Zeit so deutlich herauf wie die Erinnerung an den Tag, an dem mein Großvater Stanislaus auf einer schmalen, grauen Straße in Bratislava von einem hochgewachsenen, blonden Soldaten angehalten wurde.

Auf einem Kohlenzug waren wir um den See herum durch Trnava den ganzen weiten Weg in die Stadt mit ihrer stickigen Luft und den stinkenden Pfützen gefahren. Großvater hatte sechs selbstgemachte Zahnbürsten dabei, die er in einem Haus verkaufen wollte, wo es angeblich Prostituierte gab; es war damals die einzige Möglichkeit, ein bisschen Geld zu verdienen.

Ich war mit Gottes Hilfe dreizehn geworden und sehr neugierig auf das Leben in der großen Welt. Und wie aufregend mir die Stadt erschien – die gewaschenen Hemden an den quer über die Straße gespannten Leinen, die bunten Papierfetzen auf dem Boden, die hohe Kathedrale, die mageren Katzen, die mich aus Fenstern anstarrten. Großvater sagte, ich solle dicht bei ihm bleiben – jetzt, da der Widerstand stärker geworden sei, gebe es hier viel mehr Deutsche als früher; sie unterstützten die Hlinka-Garden, und man ging ihnen lieber aus dem Weg. Wir hatten Gerüchte gehört, was sie mit uns tun würden, wenn wir auch nur eine falsche Bewegung machten. Dennoch blieb ich hinter Großvater zurück. Er rief mir zu: Komm, du dürres Kamel, beweg dich! Ich rannte zu ihm und hakte mich bei ihm unter. Wir kamen zu einer schmalen Gasse in einem Viertel mit hundert schmalen Gassen, oben auf dem Hügel, nicht weit von der Burg. Ich blieb kurz stehen und sah einem Kind zu, das mit einem Papierdrachen spielte. Großvater bog um eine Ecke. Als ich ihn einholte, stand er stocksteif neben einem Kiosk. Ich sagte: Was ist los, Großvater? Kein Wort, sagte er. Seine Augen waren riesig, und er begann, leicht zu zittern. Ein deutscher Soldat kam auf uns zu. Wie viele von ihnen war er blond. Wir hatten gegen keine Bestimmung verstoßen, und ich sagte zu Großvater: Komm, keine Angst.

Die Uniform des Soldaten war grau und makellos. Er hatte uns noch nicht gesehen, aber Großvater musste ihn einfach anstarren und beobachten. Ein Rom erkennt einen anderen Rom jederzeit.

Großvater zog mich heftig am Ellbogen. Ich drehte mich um, aber genau in diesem Augenblick bemerkte der Soldat uns, und seine Gesichtszüge gerieten ins Rutschen wie Schnee von einem Zweig. Er hätte wohl einfach an uns vorbeigehen können, doch er nahm das Gewehr von der Schulter, packte es mit beiden Händen, trat uns in den Weg und ignorierte ohne große Schwierigkeiten das Flehen in meinen Augen. Er starrte Großvater an, zog ihm langsam eine Zahnbürste nach der anderen aus der Tasche und steckte sie ebenso langsam wieder zurück. Ein Hund lief an uns vorbei. Der Soldat trat nach ihm.

Und was hast du zu sagen?, fragte er Großvater.

Was soll ich denn sagen?

Der Soldat stieß ihn so hart vor die Brust, dass Großvater einen Schritt zurücktaumelte.

Wir mussten Staatspräsident Tiso preisen und dann den rechten Arm heben und Heil Hitler sagen. Die Grußformel ging Großvater leicht über die Lippen. Er hatte sie so oft gesagt, dass sie ihm ganz geläufig war. Gut, sagte der Soldat. Er stand da und wartete. Großvaters Adamsapfel trat noch ein wenig mehr vor. Er spitzte die Lippen, beugte sich zu dem deutschen Soldaten und flüsterte auf Romani: Aber du bist einer von uns, du hast dir bloß die Haare gefärbt, das ist alles. Der Soldat verstand jedes Wort, doch er stieß Großvater den Gewehrkolben ins Gesicht. Ich hörte den Kieferknochen brechen, und Großvater ging zu Boden. Er stand auf, schüttelte den Kopf und sagte: Gesegnet sei der Ort, von dem deine Mutter stammt.

Er wurde ein zweites Mal niedergeschlagen.

Beim dritten Mal erhob er sich, sagte Heil Hitler und schlug zackig die Stiefelabsätze zusammen.

Nochmal, sagte der Soldat, und diesmal knallst du die Hacken noch besser zusammen und hebst den Arm.

Das wiederholte sich achtmal. Die Zahnbürsten in Großvaters Jackentasche waren voller Blut.

Schließlich nickte der Soldat und sagte in perfektem Romani: Sei froh, Onkel, dass du und deine Tochter noch leben. Und jetzt geht weiter und seht euch nicht um.

Großvater legte den Kopf an meine Schulter und versuchte, das Blut vom Revers seiner Jacke zu wischen.

Nimm meinen Ellbogen, sagte er, aber sieh nicht in mein Gesicht.

Langsam setzte er in der steilen Gasse mit den schlüpfrigen Pflastersteinen einen Fuß vor den anderen. Als wir an dem Haus, in dem die Prostituierten wohnten, angekommen waren, bückte er sich und begann, die Zahnbürsten in einer Pfütze zu säubern. Eine Fliege setzte sich auf die kleine kahle Stelle inmitten der langen Haare auf seinem Kopf. Er sah auf und sagte etwas Altes, wenn auch auf eine neue, müde Weise: Tja, diesmal hat das Pferd wohl nicht geschissen. Schade.

Ich heiratete mit vierzehn. In einer kleinen Zeremonie reichten Petr und ich einander unter Linden die Hände. Stanislaus hatte ihn für mich ausgesucht. Ich wurde nicht gefragt. Obwohl er älter als ein Stein war, nur noch kleine Schritte machte und schnell einschlief, war er als Geiger im ganzen Land bekannt. Er hatte breite Schultern und noch alle Haare. Auf den Landstraßen war er eine Berühmtheit. Und Conka hatte recht: Er konnte noch sehr gut den Bogen führen und die Saiten erklingen lassen, er hatte noch genug Feuer, und wir lachten darüber, auch wenn ich am Morgen nach der Hochzeitsnacht, als die Laken beschaut wurden, weinte. Die Frauen fragten mich aus, vor allem Eliška, aber es dauerte lange, bis Petrs raue Hände ihren Zauber für mich verloren, und außerdem gab es kaum etwas Erstrebenswerteres, als Großvater glücklich zu sehen. So war es immer gewesen.

Ich will keine Widerworte hören, sagte er am Tag meiner Hochzeit zu mir. Jetzt bist du verheiratet und wirst mich immer, ausnahmslos Stanislaus nennen, hast du verstanden?

Er stapfte davon und setzte sich auf einen roh gezimmerten Stuhl bei den Büschen. Er hatte eine Flasche Beerenwein in der Jackentasche und schlief ein, und als er erwachte, war etwas von dem Wein auf sein Hemd gelaufen und hatte einen blutroten Fleck darauf gemacht. Wie heiße ich?, fragte er. Ich lachte ihn aus. Das ist kein Name, sagte er. Ich knöpfte das Hemd auf und zog es ihm aus. Er schlief wieder ein. Petr kam hinzu und setzte Stanislaus aufrecht hin. Bei den Wohnwagen erklang Hochzeitsmusik. Man rief unsere Namen, und meiner klang so seltsam neben dem von Petr.

Auch der Rest dieses Tages steht mir noch deutlich vor Augen, aber eigentlich ist es nicht meine eigene Hochzeit, an die ich mich heute am besten erinnere, meine Tochter, sondern vielmehr die Hochzeit meiner besten Freundin Conka – während des ganzen Krieges habe ich kein rauschenderes Fest erlebt. Fjodor, ihr junger Ehemann, stammte aus einer reichen Familie. Wenn er vorbeiging, schien er laut zu lächeln. Die Hochzeit wurde überall angekündigt. Niemand hielt sich an die Ausgangssperren – die Leute strömten herbei, manche zu Fuß, manche auf Lastwagen oder zu Pferd. Sie stimmten die Instrumente; die Harfen waren ausgegraben und gereinigt, neue Saiten waren aufgezogen und mit Harz eingerieben worden. Fjodor trug einen Gürtel aus Silbermünzen. Fast jeder war bei dem Schneider in Trnava gewesen, wo ein junger Mann hinter dem Tresen stand, der uns mochte. Er nahm das Risiko auf sich und machte die wunderbarsten Kleider, ohne maßlos überhöhte Preise zu verlangen wie die anderen Schneider, die uns ohnehin nicht in ihren Läden sehen wollten.

Stanislaus band eine schmale Krawatte um und steckte

unten die Marx-Nadel an, sodass sie schwang und hüpfte, wenn er tanzte. Ich trug drei Röcke übereinander, der oberste war aus Seide. Ich war besser gekleidet als nur einen Monat zuvor bei meiner eigenen Hochzeit.

Petr wollte, dass ich während der ganzen Zeremonie zu seiner Rechten saß, und ich verließ den Platz an seiner Seite nur, um zu singen. Mein Lieblingslied war das von dem betrunkenen Mann, der sieben Frauen zu haben glaubt, obwohl er in Wirklichkeit nur eine geheiratet hat, die er allerdings an jedem Tag der Woche bei einem anderen Namen nennt. Es hatte eine lustige Melodie, und mein Mann erhob sich stolz, stellte sich in Hut und Weste neben mich und begleitete mich auf der Geige. Er drückte sie an die Schulter, nahm mit einer Hand den Bogen und legte die andere an das Griffbrett. Ein Freudenschatten glättete seine Stirn.

Unsere Augen waren auf Conka in ihrer Pracht gerichtet, als sie unter unserem Bogen aus neuen Besen hindurchging. Entlang der Hecke standen ein paar Wagen mit eingeschaltetem Licht. Die weißen Blätter der Lindenblüten wirbelten, taumelten duftend zu Boden. Der Mond hing weiß und rund wie ein durchgeschnittener Apfel über uns. Man hatte die besten Tiere geschlachtet und die längsten Tische von einem Ende zum anderen mit Schinken, Rinderbraten, Schweineohren und gebackenen Igeln gedeckt. O Gott, was für ein Fest. Tonkrüge voll Pflaumenschnaps. Wodka. Wein. In ausgehöhlten Kartoffeln brannten so viele Kerzen, dass es nicht genug Insekten gab, sie zu umschwirren. Conka und Fjodor stellten sich einander gegenüber auf. Ein wenig Schnaps wurde auf ihre Handflächen gegossen, und dann trank einer aus der Hand des anderen. Man band ihre Handgelenke mit einem Taschentuch aneinander, und anschließend warfen sie einen Schlüssel in den Fluss und waren getraut. Conka knotete das Taschentuch auf und band es sich ins Haar. Auf dem Boden wurden Federbetten ausgebreitet. Wir saßen unter dem Sternenhimmel und legten ein paar Münzen in einen Eimer, damit das Geld mit dem Mond zunahm. Keine Hlinka-Gardisten ließen sich blicken, keine Bauern mit Mistgabeln. Es war die friedlichste Nacht, die man sich nur vorstellen kann, und es gab kaum ein heftiges Wort über Mitgift, Misstrauen und Sünde.

Die Männer hielten ihre schwarzen Hände hinter dem Rücken, um Conkas Kleid nicht zu beschmutzen, und selbst Jolanas kleiner Wuwudži, der von Geburt an seltsam war, tanzte. Ich glaube, diese Nacht hätte auch länger währen können als die drei Nächte, die sie tatsächlich währte – wir waren blind vor Glück.

Ich war zum ersten Mal betrunken; bei meiner eigenen Hochzeit hatte ich keinen Alkohol trinken dürfen. Ich flüsterte meinem Mann zu: Streich Harz auf deinen Bogen, Petr, und dann machten wir uns davon in die Nacht. Genau so ist es gewesen, und obwohl ich weiß, dass man das Glück aussperrt, wenn man zu viel Glück erwartet, bringt die Erinnerung daran mich noch heute zum Lächeln.

Es gab Zeiten, da ich mich danach sehnte, ein sanfteres Gesicht oder einen Hals ohne Falten zu berühren, doch es war mir nie peinlich, dass ich meinen Kopf zum Schlafen zufrieden in Petrs Armbeuge legte. Ich glaube, ich begann zu denken, dass ich an seiner Seite gealtert war. Von einem Augenblick auf den anderen war ich ein ganzes Leben älter geworden, Čhonorroeja. Die Jungen beobachteten mich und rissen Witze: Ich solle lieber keine grünen

Bananen für Petr kaufen. Allesamt hatten sie Augen wie die von Bakro, meinem Verehrer, doch ich erwiderte ihre Blicke nicht.

Stanislaus hatte Petr ausgewählt, weil er wusste, dass ich als seine Frau weiterhin den Bleistift würde halten dürfen, auch wenn der Krieg einmal vorüber war. Es gab nur wenige, die ihrer Frau erlaubt hätten, Wörter niederzuschreiben. Ich war längst weit über das erste Klopp, klopp hinaus, aber ich schrieb auf Slowakisch, denn auf dem Papier sah Romani, so schön es in meinem Kopf auch klang, immer falsch aus. Ich schrieb nie etwas, wenn Petr dabei war, und ebenso wenig las ich in seiner Gegenwart – warum hätte ich ihn dem Spott preisgeben sollen? Aber ich hatte mich in Bücher verliebt, denn in den stillen Stunden waren sie freundlich zu mir. Ich weiß noch, dass ich lange Zeit nur ein einziges Buch besaß: *Winnetou I,* von einem Deutschen, dessen Namen ich vergessen habe. Es war ein Buch voll schlichter Gedanken. Dennoch nahm ich es mit in den Wald und las es so oft, dass ich es schließlich beinahe auswendig kannte. Es handelte von Apachen und Cowboys und war wohl eher etwas für Jungen. Endlich bekam ich ein anderes Buch: *Die Herrin von Čachtice.* Ich liebte es. Bald war es vom vielen Gebrauch ganz zerlesen und zerfleddert.

Ein paar Männer, die im Salzbergwerk arbeiteten, schenkten Stanislaus ein Buch von Engels. So etwas zu besitzen war gefährlich, daher nähte er die Seiten ins Futter seiner Jacke. Ich las die Geschichte vom Herrn und seinem Knecht, obwohl mir ihr Sinn verborgen blieb. Die anderen Stimmen, die Krankos und Stens, mochte ich lieber. Eines Tages fiel Stanislaus eine Bibel in die Hand. Er sagte, es sei ein Handbuch für Revolutionäre. Ich probierte diesen Gedanken aus, und er begann mir zu gefallen: Dieses Buch enthielt sehr vernünftige Ideen.

Trotzdem waren es letztlich die Lieder, die mich faszinierten, unsere eigenen Lieder, die dafür sorgten, dass ich mit den Füßen auf dem Boden blieb.

Neue Gesetze wurden erlassen, noch härter als zuvor. Wir durften jetzt gar nicht mehr reisen. Auf Umwegen schlichen wir uns zurück nach Trnava und schlugen im Wald, acht Kilometer vor der Stadt, ein verstecktes Lager auf. In der Schokoladenfabrik wurden nun Waffen hergestellt. Der Rauch trieb über uns hinweg. Ein paar sesshafte Roma-Frauen, die aus der Stadt geflüchtet waren, nachdem man ihre Männer zur Vergeltung an Laternenpfählen aufgehängt hatte, stießen zu uns. Das Gesetz besagte, dass für jeden getöteten Deutschen zehn Zivilisten getötet wurden. Der Bürgermeister hatte den Faschisten die billigsten Leben ausgeliefert, und wer konnte billiger sein als Zigeuner und Juden? Acht Roma wurden an einem einzigen Laternenpfahl aufgeknüpft und blieben dort hängen, den Vögeln zum Fraß. Noch Jahre später benutzten kein Mann und keine Frau diese Straße – man nannte sie die Straße des verbogenen Laternenpfahls.

Conka hatte einen blauen Fleck am Hals, denn Fjodor war etwas grob gewesen in der letzten Nacht, bevor er in die Berge gegangen war, um sich den anderen Kämpfern anzuschließen. Etwas in ihr hing durch. Sie wirkte wie ein Laken, das an einer zwischen zwei Bäumen gespannten Leine aufgehängt ist. Sie sang: *Wenn du mich liebst, trink diesen schwarzen Wein.*

Auch Wašengo ging zu den Partisanen, die die Berge unsicher machten, und Stanislaus hätte das Gleiche getan, doch er war älter, und seine Körperkräfte ließen nach.

Aber er gab jedem Unterschlupf, der darum bat: Partisanen aus der Tschechei, Flüchtlingen aus den Arbeitslagern, sogar zwei Priestern, die des Weges kamen. Es gab Gerüchte, in den Bergen seien amerikanische Soldaten. Wir tarnten die Wohnwagen, wurden aber zweimal von Jägern der Luftwaffe entdeckt und beschossen. Danach flickten wir die durchlöcherten Bretter der Wände und kehrten die Scherben der Einmachgläser zusammen. Wir gruben weitere Höhlen am Flussufer, stützten die Decken mit Ziegelsteinen ab und flochten Schilf in die Bäume, damit das Lager aus der Luft nicht zu erkennen war. Auf den Äckern fanden wir gefrorene Kartoffeln. Petr höhlte sie mit einem Löffel aus und füllte sie mit geschmolzenem Hammelfett. Dann rollte er einen schmalen Streifen Stoff zu einem Docht zusammen, stellte ihn in das flüssige Fett und wartete, bis es fest geworden war. Das dauerte nicht lange, und bald hatten wir Kerzen in den Höhlen. Wenn wir hungrig waren, aßen wir die Kartoffeln, obwohl sie verbrannt und ranzig schmeckten. Wir erlegten ein Reh. In seinem Bauch fanden wir ein Junges.

Das Wetter wurde schlechter. Manchmal wurden die Höhlen überflutet, und das Wasser nahm das wenige, das wir besaßen, mit. Wir gruben neue Höhlen. Wir saßen am Flussufer fest, nicht anders als die sesshaften Roma.

Als Wašengo aus den Bergen kam, waren wir nicht überrascht, ihn die Internationale singen zu hören. Großvater ging mit ihm ein Stück am Fluss entlang, und als sie zurückkehrten, hatten sie einander die Arme um die Schultern gelegt. Wašengo brach mit zwei Silbergürteln wieder auf, um Munition zu kaufen. Unsere Lieder wurden immer roter, und wer hätte uns daraus einen Vorwurf machen können? Es war das, was Großvater uns seit Jahren prophezeit hatte. Veränderung schien das einzig Richtige zu sein, und was Veränderungen brachte, war gut und richtig und rot. Wir litten schon so lange unter den Faschisten. Noch mehr sesshafte Roma schlossen sich uns an und lebten mit uns im Wald. Früher hatte es mit ihnen oft Streit und Kämpfe gegeben – sie fanden uns hochnäsig, und wir glaubten, dass sie Möbelpolitur tranken und eine Vorliebe für Hoffmannstropfen hatten. Doch jetzt war es mit dem Streit vorbei. Wir tranken geschmolzenen Schnee und ernährten uns von dem, was wir im Wald fanden. Wir erlegten einen Dachs und verkauften das Fett an eine Apotheke in der Stadt. Wir waren zu stolz, um Pferdefleisch zu essen, niemals hätten wir das getan, aber die Sesshaften aßen, was sie kriegen konnten, und wir wandten den Blick ab und ließen sie.

Das Radio brachte Nachrichten: Die Russen rückten vor, die Amerikaner und Engländer ebenfalls. Uns war jeder recht. Eines Morgens wachte ich auf, als das letzte faschistische Flugzeug durch die Wolken brach. Vom Flussufer aus sahen wir zu, wie unsere Wohnwagen noch einmal von Kugeln durchsiebt wurden.

Als wir hingingen, um die Schäden zu reparieren, fanden wir Großvater. Vor dem Angriff hatte er sich zurückgezogen, um in Ruhe in seinem Buch zu lesen. Es lag aufgeschlagen auf seiner Brust. Ich legte mich neben ihn und las ihm die letzten vierzig Seiten vor. Erst dann legte ich Münzen auf seine Augen, und wir trugen ihn hinaus. Stiefel, der groß geworden und aus dem Krieg heimgekehrt war, sagte etwas darüber, wie leicht mein Großvater geworden sei. Ich legte das Buch von Marx in seinen Sarg, unter die Decke, zusammen mit in Blätter gewickelten Zigaretten, damit er im Jenseits mit beidem versehen war. Ich staunte über seine kniehohen Stiefel: Er hatte die aufgeplatzten Nähte mit Angelschnur zusammengenäht. Ich wollte sie ihm ausziehen und behalten, aber wir verbrannten beinahe alles, was er besessen hatte, um ihn für seine Reise zu wärmen. Die Flammen loderten hoch, und die Erde begann zu dampfen. Ringsum standen ein paar Bäume – sie sahen aus wie dunkle, in die Erde gesteckte Knochen. Petr und ich legten uns mit den Füßen zur Glut schlafen. Drei Tage lang wurde nicht gesungen. Wir ließen entzündete Kerzen den Fluss hinuntertreiben. Nach sechs Wochen wussten wir, dass er für immer fort war; trotzdem trug ich weiter die Trauerfarben.

Gewisse Dinge berauben einen des Lebens.

Einmal ging ich allein zu dem See und sprang hinein. Das Wasser straffte meine Haut, und ich wurde zu einem Teil der Strömung. Ich blieb stundenlang im Wasser, versuchte, weit und weiter hinabzutauchen, bis zur tiefsten Stelle, um zu sehen, ob ich das, was dort versunken war, berühren konnte. Ich streckte die Hände aus, und je tiefer ich tauchte, desto kühler wurde es, der Druck auf meinen Ohren war wie eine tonlose Stimme, und wenn ich die Augen öffnete, brannten sie. Immer länger blieb ich unter Wasser, immer mehr strengte ich mich an, aber dann ging mir die Luft aus, und ich spürte die Geschwindigkeit meines aufsteigenden Gewichts. Ich kam an die Oberfläche. Das Haar klebte mir an den Schultern, meine Halskette schien im Wasser zu schweben. Noch einmal tauchte ich hinab. Ich war ganz sicher, dass ich ertrinken würde. Sie waren alle noch da, ich spürte sie – meine Mutter, meinen Vater, meine Brüder und Schwestern –, aber wer kann einen See verbrennen? Ich setzte mich mit angezogenen Knien ans Ufer, und als ich zwei Tage später zu Petrs gro-

ßer Erleichterung in unseren Wald zurückkehrte, verbrannten wir die letzten Dinge, die Großvater hinterlassen hatte.
Funken tanzten gelb durch die Luft. Ich drückte die
Hände auf die Erde und hinterließ meine Fingerabdrücke
darin. Na los, Pferd, scheiß!

Das war meine eigentliche Geburt und wird es immer
sein.

Ich habe keine Angst mehr, dir diese Dinge zu erzählen,
meine Tochter. Sie sind so geschehen.

Selbst als junges Mädchen wollte ich immer zu viel.

Der Krieg ging zu Ende; ich glaube, ich war beinahe
sechzehn. Die Russen befreiten uns. Laut und rot marschierten sie ein. Wašengo und die anderen Partisanen
kamen aus den Bergen, und man legte ihnen Blumen zu
Füßen. Siegesparaden wurden abgehalten, die hölzernen
Fensterläden der Geschäfte geöffnet. Wir gingen in die
Stadt, um mit Musik ein bisschen Geld zu verdienen. Wir
schliefen auf einem Feld auf der anderen Seite des Flusses. Morgens gingen wir zum Bahnhof. Petr spielte Geige,
Conka und ich sangen. *Schimpf nicht auf die Stiefel, wenn
deine Füße müde sind.* Viele Menschen versammelten sich
um uns, man warf Geld in einen Hut. Manche der russischen Soldaten tanzten sogar, reckten dabei die Beine nach
vorn und klatschten in die Hände. Spätabends, wenn wir
das Geld gezählt hatten, schlenderte ich mit Conka durch
den Bahnhof. Wir liebten die klagenden Pfiffe der Loko-
motiven, das Klappen der Türen, das Gewimmel, die vielen Stimmen, die durcheinander sprachen. Was war das für
eine Zeit! Auf den Straßen drängten sich die Menschen.
Weiße Bettlaken mit aufgemalten Sicheln hingen aus den
Fenstern. Man verbrannte die Uniformen der Hlinka-Gardisten und trampelte auf ihren Mützen herum. Die alten

Machthaber wurden zusammengetrieben und aufgehängt. Diesmal verbogen sich die Laternenpfähle nicht.

Die Gadže zupften uns am Ellbogen und sagten: Kommt, Zigeuner, singt uns was! Erzählt uns vom Wald. Ich hatte nie gefunden, dass der Wald etwas Besonderes war – für mich war er so gewöhnlich wie jeder andere Ort.

Dennoch sangen wir die alten Lieder, die Gadže warfen uns Geld vor die Füße, und wir ließen uns von dieser Flut emporheben. In den Höfen von Häusern, die man den Faschisten wieder abgenommen hatte, wurden riesige Feste veranstaltet, und Musik strömte aus den Lautsprechern. Wir versammelten uns unter Megaphonen, um die neuesten Nachrichten zu hören. In den Kirchen wurden Lebensmittel ausgegeben, und manchmal durften wir ganz vorn in der Schlange stehen; das hatten wir noch nie erlebt, es erschien uns wie ein Wunder. Wir bekamen Ausweise, Dosenfleisch, weißes Mehl und Kondensmilch. Wir verbrannten die Armbinden. Unter den Kolonnaden eines Eckhauses blühte ein Schwarzmarkt. Die Soldaten nannten uns Bürger und schenkten uns Marken für Zigaretten. Filme wurden gezeigt, projiziert auf die Mauern der Kathedrale – wie riesig die Gesichter auf diesen Mauern waren, Čhonorroeja. Für die Faschisten waren wir nichts gewesen, doch jetzt galten unsere Namen etwas.

Transportflugzeuge eines Fallschirmregiments überflogen die Stadt und warfen Flugblätter ab: *Der neue Tag ist angebrochen.*

Auf dem Land verfingen die Flugblätter sich in Zweigen und Hecken und lagen an den Straßenrändern. Manche landeten im Fluss und wurden davongetragen. Ich brachte sie zu den Ältesten und las sie laut vor: *Zigeuner, ihr seid Bürger – reiht euch ein!* Die Bauern behandelten uns nicht mehr wie eine Landplage. Sie sprachen uns mit unseren offiziellen Namen an. Wir hörten eine Radiosendung mit Roma-Musik: unsere eigenen Harfen und Geigen. Wir sangen neue Lieder, Conka und ich, und Hunderte kamen, um sie zu hören. Männer mit Filmkameras stiegen aus Militärwagen und Limousinen. Wir schwenkten die rote Fahne und sahen die Straße entlang in eine neue Zukunft.

Ich hoffte bis zum bitteren Ende. Das Hoffen ist eine alte Gewohnheit der Roma. Vielleicht habe ich sie nie ganz abgelegt.

Viele Jahre später ging ich in neuen Schuhen und einer schwarzen Bluse mit Blattmuster und Spitzenbesatz über Granitstufen und zwischen kannelierten Säulen hindurch in das Nationaltheater, um Martin Stránský mein eigenes Lied lesen zu hören. Wenn man etwas zum ersten Mal hört, weiß man nicht, was man hört, meine Tochter, aber man lauscht, als würde man es nie wieder hören. Das ganze Theater hielt den Atem an. Für einen Dichter hatte Stránský erstaunlich wenig musikalisches Gespür, aber als er geendet hatte, sprangen alle auf und applaudierten, und ein Scheinwerfer wurde auf mich gerichtet. Ich versuchte, mich zu verstecken, und biss auf ein paar verirrte Haarsträhnen, bis Stránský mir schließlich die Hand unter das Kinn legte und mein Gesicht hob und der Applaus lauter wurde: Dichter, Räte, Arbeiter – alle jubelten mir zu und schwenkten die Programmzettel. Swann, der Engländer, stand in den Kulissen und sah mich an mit seinen grünen Augen und seinem hellen Haar.

Man führte mich in den Innenhof, wo auf riesigen Tischen Wein und Wodka, Obst und Käse bereitstanden. Es wurden viele Reden gehalten.

Ein Hoch auf das literarische Proletariat!

Es ist unser revolutionäres Recht, das geschriebene Wort zurückzuerobern!

Bürger, lasst uns dem lauschen, was aus den tiefen Wurzeln unserer Brüder, der Roma, kommt!

Ich wurde durch die Menge geleitet, so viele Menschen drängten sich um mich und streckten die Hände nach mir aus, und ich konnte meine Röcke rascheln hören, ja, es war das lauteste Geräusch, das ich hörte, als ich auf die stille Straße trat: das Geräusch von Stoff auf Stoff. Es war eine der glücklichsten Zeiten, die ich erlebt habe, meine Tochter. Vom Theater her ertönte das Summen der Menge. Diese Menschen standen auf unserer Seite – so etwas kannte ich bis dahin noch nicht mal aus Geschichten. Ich schlenderte durch die kühle Abendluft. Auf den Pfützen lag ein Lichtschimmer, und Nachtvögel querten den Himmel. Ich stand inmitten der Stille, und mir schien, als habe der Frühling meines Lebens begonnen.

Ich war eine Dichterin.

Ich hatte geschrieben.

England — Tschechoslowakei
Dreißiger Jahre bis 1959

Der Raum, in dem ich liege, ist klein, hat aber ein Fenster, durch das ich ein inzwischen intim vertrautes Stück Himmel sehen kann. Das Tagesblau erscheint mir gewöhnlich, aber in klaren Nächten ist es, als würde zum ersten Mal offenbart, dass das Rad der Welt nicht stillsteht: Der Abendstern hängt nur für ein paar quälende Augenblicke in diesem Rahmen. Das schrille Geplapper der Vögel auf den Hausdächern erklingt in eigenartigen Rhythmen, und von der Straße unten kann ich beinahe das Ticken meines Motorrads hören. Ich spüre noch das Schütteln der Straße: die letzte Kurve, und mit einem Mal war das Ding unter mir weg. Seltsam, die Funken vom Asphalt aufstieben zu sehen. Ich rutschte über die Straße und krachte in eine niedrige Mauer. Im Krankenhaus hatten sie nicht genug Binden für einen Gipsverband – sie haben das Bein geschient und mich nach Hause geschickt.

Ich habe die Suche aufgegeben, und doch kann ich nicht fassen, dass sie fort ist, dass ich sie nie mehr sehen, ihre Stimme, die Schattierungen ihrer Stimme nie mehr hören werde.

Kurz vor dem Unfall, bei Piešťany, hat eine heftige Februarbö mein Halstuch davongeweht. Es blieb am Stacheldrahtzaun eines militärischen Sperrgebiets hängen, flatterte einen Augenblick und fiel jenseits des Zauns zu Boden. Zoli hatte mir das Tuch vor Jahren geschenkt, aber ich sah keine Möglichkeit, es zurückzuholen, und hatte zu viel Angst, um über den Zaun zu klettern. Es wirbelte hierhin und dorthin, blieb aber, wie beinahe alles andere, immer knapp außerhalb meiner Reichweite.

Vierunddreißig. Eine zerschmetterte Kniescheibe, ein Haufen Mäntel, auf dem Tisch ein Stapel unfertiger Übersetzungen. Vom Flur her höre ich das Quietschen der Dielen und das leise Klacken von Dominosteinen. Ich höre die Mops, die in Seifenlauge getaucht werden, ich höre die Schlüssel in den Türen, die Feierabendgebete einsamer Männer und Frauen. Herrgott, ich bin nicht besser als diese zahllosen Ave-Maria-Murmler! Wie ich als Kind den Beichtstuhl hasste, wenn diese düsteren Liverpooler Priester den Schieber öffneten: Vergib mir, Vater, denn ich habe gesündigt. Wie viele Jahrzehnte liegt meine letzte Beichte zurück?

Mein Vater hat mal gesagt, man dürfe das Herz eines Menschen nicht nur nach seiner verwerflichsten Tat beurteilen, aber wenn das stimmt, dann darf man es auch nicht ohne sie beurteilen. Meine verwerflichste Tat beging ich an einem klirrend kalten Winternachmittag in der Druckerei in der Godrovastraße, als ich im Summen der großen Maschinen Zoli Novotna verriet. Da ich vorher wie nachher wenig Schlimmeres oder messbar Besseres zustande gebracht habe, muss ich wohl eingestehen, dass mein Vermächtnis an die Welt höchstwahrscheinlich aus dieser einen Sache besteht, die mich seither mit fast jedem Atemzug begleitet.

Es gibt jene unter uns, die ihre Geschichte noch nicht erzählt haben oder sich einfach weigern, sie zu erzählen – so werden sie dann zu ihrer Geschichte: Sie verstecken sich in ihrer Erinnerung, bis sie entweder dieses Behältnis oder das Trauma nicht mehr ertragen können. Vielleicht trifft das auch auf mich zu. Vielleicht muss ich meine Geschichte aber auch nur erzählen, bevor sie in Vergessenheit gerät oder sich, wie alles, in etwas anderes verwandelt.

Die Erinnerung entwickelt immer einen starken Sog, und doch ist es unmöglich, genau da zu landen, wo man begonnen hat. Meine Mutter war eine Krankenschwester aus Irland, mein Vater ein Dockarbeiter aus der Slowakei. Mam stammte aus einem Dorf an der Küste von Donegal. Sie war zutiefst davon überzeugt, dass Schmerz unvermeidlich und jede Veränderung grausam sei und dass alle schöpferische Kraft des Menschen darauf gerichtet sein sollte, eine gute Tasse Tee zu kochen. Mein Vater war kurz nach der Jahrhundertwende nach England ausgewandert und hatte seinen Namen in Swann geändert. An seiner Seele nahm er jedoch keine Veränderungen vor; in späteren Jahren bezeichnete er sich als Kommunisten, Pazifisten und Katholiken – nicht unbedingt in dieser Reihenfolge.

Wenn er von der Arbeit in den Docks nach Hause kam, drückte er seinen schwarzen Daumen auf das Brot, damit ich wusste, woher es kam.

Schon als kleiner Junge war ich den Geschichten meines Vaters über seine Heimat verfallen. Wir saßen im Kohlenschuppen auf Kisten und suchten die ganze Radioskala ab. In der Gasse hinter uns spielten meine Freunde Fußball. Während der Ball an die Mauer knallte, versuchte mein Vater stundenlang, einen Langwellensender aus Bratislava, Košice oder Prag reinzukriegen. Nur manchmal, bei günstigem Wetter, gab das Radio ein leises, weit entferntes Knistern von sich – wir beugten uns vor, unsere Köpfe berührten sich. Er schrieb mit und übersetzte es mir später. Meine Abendgebete sagte ich in seiner Sprache.

Als der Zweite Weltkrieg hereinbrach, war niemand

überrascht, dass mein Vater in die Tschechoslowakei fuhr, um sich den Partisanen in den Bergen anzuschließen. Er sagte, er wolle Sanitäter werden und Verwundete bergen; alle Kriege seien sinnlos, und Gott sei demokratisch, darum werde er bald wieder da sein. Er gab mir seine Armbanduhr und ein Buch von Engels in slowakischer Übersetzung. Jahre später erfuhr ich, dass er zum Sprengstoffexperten geworden war – seine Spezialität waren Brücken. Dass er in einem Hinterhalt getötet worden war, erfuhren wir aus einem zweizeiligen Telegramm. Meine Mutter welkte dahin. Sie fuhr mit mir für eine Woche nach Donegal, aber aus irgendeinem Grund war es nicht der Ort, den sie damals verlassen hatte. «Niemand lebt mehr da, wo er aufgewachsen ist», sagte sie zu mir, kurz bevor sie starb.

Ich war nun ein Mündel des Staates und verbrachte die letzten beiden Schuljahre bei den Jesuiten in Woolton, wo ich in einem grauen Pullover mit V-Ausschnitt an den Außenlinien der Rugbyfelder entlangspazierte.

Woran ich mich aus meiner Jugend erinnere: rote Backsteinhäuser, scharfkantige Steine aus der Zeche, schmale, wie ausrasierte Streifen Sonnenlicht an Straßenecken, Hafenkräne, billige Süßigkeiten, Möwen, Beichten, Raureif auf dem Fahrradsattel. Es war nicht gerade schmelzender Violinenklang, den ich hörte, als ich den Kopf aus dem Zugfenster streckte und Liverpool adieu sagte. Den Krieg hatte ich verpasst – durch Glück, weil ich zu jung war und auch infolge einer gewissen Feigheit. Ich fuhr nach London, wo ich ein Stipendium bekam und zwei Jahre Slowakisch lernte. Ich schloss mich den Marxisten an, stand am Hyde Park auf einer Kiste und schwang Reden, allerdings ohne großen Erfolg. Hin und wieder wurde einer meiner Artikel gedruckt. Die meiste Zeit saß ich an einem kleinen

Fenster mit halbgeöffnetem Rollo und sah auf eine dunkle Mauer und den Rand einer verblassten Ovaltine-Reklame.

Für kurze Zeit war ich in eine schöne, junge Bibliothekarin namens Caitlin verliebt, die aus Cardiff stammte. Ich stieß gegen die Leiter, auf der sie stand, um ein Buch von Gramsci an seinen Platz zu stellen, aber unsere politischen Überzeugungen passten nicht zusammen, und in dem kurzen Brief, mit dem sie die Sache beendete, schrieb sie, ihr Leben sei zu ereignislos für eine Revolution.

In meiner Wohnung war das Bücherregal meine Skyline. Ich schrieb lange Briefe an Roman- und Theaterautoren in der Heimat meines Vaters, doch sie antworteten nur selten. Ich war mir ziemlich sicher, dass die Briefe von britischen Stellen gelesen und zensiert wurden, aber hin und wieder fiel ein Antwortbrief auf meine Fußmatte, und dann ging ich damit in das Teehaus mit den altbackenen Kuchen und fleckigen Tischen und las ihn dort.

Die Antworten waren stets kurz und bündig. Ich setzte sie im Aschenbecher mit der Zigarettenglut in Brand. Doch dann war ich 1948, nach einem heftigen, von vielen Tintenflecken verunzierten Briefwechsel, unterwegs in die Tschechoslowakei, um für eine Literaturzeitschrift als Übersetzer zu arbeiten. Sie wurde von dem gefeierten Dichter Martin Stránský herausgegeben, der mir geschrieben hatte, er habe gute Verwendung für ein Paar neue Beine. Ob ich ihm wohl ein paar Flaschen Scotch mitbringen könne?

Die kleinen Baracken im russischen Sektor von Wien wurden mit winzigen Radiatoren beheizt. Ich trank schwarzen Tee mit den Grenzposten, die mich befragten. Ich wurde von einer Baracke zur nächsten weitergereicht und schließlich in einen Zug gesetzt. An der tschechoslowakischen Grenze nahmen mich ein paar übriggebliebene faschistische Gardisten in die Mangel. Sie durchsuchten mein Gepäck, beschlagnahmten die Flaschen und sperrten mich in eine behelfsmäßige Zelle. Sie fesselten mir die Hände und schlugen mich mit Holzlatten, die mit Zeitungspapier umwickelt waren, auf die Fußsohlen. Man warf mir vor, mit gefälschten Papieren eingereist zu sein, doch nach zwei Wochen öffnete sich die Tür meiner Zelle, und Martin Stránský trat ein. Im ersten Augenblick hielt ich ihn für einen Schatten. Er sprach mich mit meinem Namen an, half mir auf, tauchte den Ärmel in einen Eimer kaltes Wasser und reinigte meine Wunden. Entgegen meinen Erwartungen war er klein und drahtig und hatte eine Halbglatze.

«Hast du den Whisky mitgebracht?», fragte er mich.

Als Junge war er mit meinem Vater in einer verbotenen sozialistischen Jugendorganisation gewesen – jetzt hatte sich der Kreis geschlossen. Bei der Machtübernahme der Kommunisten hatte er eine wichtige Rolle gespielt und sich bei denen, die jetzt am Ruder waren, Ansehen erworben. Er klopfte mir auf den Rücken, legte mir den Arm um die Schultern und führte mich aus der mit Wellblech gedeckten Baracke. Um den Papierkram hatte er sich bereits gekümmert. Die beiden Grenzsoldaten, die mich geschlagen und mir den Whisky abgenommen hatten, saßen in Handschellen auf der Ladefläche eines offenen Lastwagens. Der eine starrte stumpf vor sich hin, der andere sah mit blutunterlaufenen Augen hin und her. «Mach dir um die keine Sorgen, Genosse», sagte Stránský, «man wird sich um sie kümmern.»

Er hielt meinen Arm mit festem Griff und führte mich zu einem Dienstzug. Die weißen Scheinwerfer der Lok leuchteten, und auf dem Kessel flatterte ein nagelneuer

Wimpel in den tschechoslowakischen Farben. Wir setzten uns in ein Abteil. Das schrille Pfeifen und die Dampfwolken wirkten belebend auf mich. Als der Zug sich in Bewegung setzte, erhaschte ich einen letzten Blick auf die beiden Männer in Handschellen. Stránský lachte und schlug mir aufs Knie.

«Nicht so schlimm», sagte er. «Sie werden ein, zwei Tage in der Arrestzelle verbringen und sich von ihrem Kater erholen.»

Der Zug fuhr ruckelnd dahin, durch dichten Wald und weite Kornfelder nach Bratislava. Hochspannungsmasten. Schornsteine. Rot-weiße Schranken.

Vom Bahnhof Hlvaná gingen wir, den Straßenbahnschienen folgend, den Hügel hinunter in die Altstadt. Sie erschien mir wunderlich, verwinkelt, ja geradezu mittelalterlich, doch an den Wänden hingen Spruchbänder mit revolutionären Parolen, und aus Lautsprechern drang Marschmusik. Ich hinkte noch ein wenig von der Sonderbehandlung, ging aber guten Mutes durch den leichten Regen und trug meinen Pappkoffer. Stránský lachte, als der Deckel aufsprang: Ein Nachthemd fiel halb heraus, der lange Ärmel schleifte über das Kopfsteinpflaster.

«Ein Nachthemd? Zwei Wochen Umerziehungslager.»

Er legte mir den Arm um die Schultern. In einem Bierkeller, von dessen Gewölbedecke zahllose Krüge hingen, stießen wir inmitten vieler Betrunkener auf die Revolution an und auf diejenigen, die Stránský mit einem Blick durch das Fenster auf die Straße unsere anderen Väter nannte.

Im Winter des Jahres 1950 war ich recht lange krank. Die Krankenhausärzte entließen mich ohne Diagnose und rieten mir, nach Hause zu gehen und mich ins Bett zu legen.

Ich wohnte in einem Arbeiterhaus in der Altstadt. In der Gemeinschaftsküche im Erdgeschoss wimmelte es von Mäusen. Die Wäsche wurde im Flur aufgehängt: Overalls, Jacken, von Säure durchlöcherte Hemden. Die Treppe schwankte unter meinen Füßen. Als ich in mein winziges Zimmer im dritten Stock trat, lag Schnee auf dem Holzboden. Die Hausmeisterin hatte vergessen, die Scheibe zu ersetzen, die ich eine Woche zuvor bei einem Schwindelanfall zerbrochen hatte, und ein kalter Wind blies durch das Fenster. Ich rückte das Bett in die einzige halbwegs warme Ecke des Zimmers, wo das Schnüffelventil der Heizung zischte. In Mantel und Handschuhen rollte ich mich zusammen und schlief. Am frühen Morgen erwachte ich hustend. In der Nacht hatte es heftig geschneit, der Boden war bereits mit verwehten Flocken bedeckt und unter den Heizungsrohren durchnässt. Die Bücher, mein kostbarster Besitz, standen auf dem Regal. Es waren so viele, dass man die Tapete nicht mehr sehen konnte. Drei Übersetzungen warteten auf mich – einige Kapitel von Theodore Dreiser und Jack Lindsay sowie ein Artikel von Duncan Hallas –, doch der Gedanke, mich damit auseinanderzusetzen, erschien mir grässlich.

Ich hatte mir ein Paar gebrauchte Stiefel gekauft. Sie trugen den Stempel eines russischen Schuhmachers, und obwohl sie nicht ganz dicht waren, gefielen sie mir, denn ich hatte das Gefühl, dass sie eine Geschichte besaßen. Ich trat hinaus auf die kalte, kopfsteingepflasterte Straße, stieg über Rinnsteine, ging an der Kaserne und dem Kontrollposten vorbei.

In der Druckerei hatte Stránský sich einen kleinen Raum eingerichtet, in dem er oft saß und las, wenn keine Maschinen zu bedienen waren. Der Raum hatte keine Decke, sodass man hoch oben das Dach des Gebäudes und die Tauben sehen konnte, die im Gebälk herumflatterten. Ich legte mich auf das grüne Feldbett in der Ecke, und das Geräusch der Maschinen lullte mich ein. Als ich aufwachte, wusste ich nicht, wie lange ich geschlafen hatte – ich war mir nicht einmal sicher, welcher Tag es war.

«Du liebe Zeit, zieh dir doch Strümpfe an», sagte Stránský von der Tür her.

Hinter ihm stand, etwas verwirrt, eine hochgewachsene junge Frau. Sie war Anfang zwanzig und nicht schön, jedenfalls nicht im landläufigen Sinne, und dennoch war sie atemberaubend. Sie hielt sich nervös an der Tür fest, als wäre sie eine Schale Wasser, das nicht verschüttet werden durfte. Ihre Haut war dunkel, und sie hatte die schwärzesten Augen, die ich je gesehen hatte. Sie trug einen dunklen Männermantel und darunter einen weiten Rock mit dreifachem Saum – anscheinend hatte sie zwei oder drei Röcke zusammengenäht und die Säume umgeschlagen. Ihr Haar war mit einem Tuch zurückgebunden, und zu beiden Seiten ihres Gesichts hingen zwei dicke Zöpfe herab. Keine Ohrringe, keine Armreifen, keine klirrenden Halsketten. Ich erhob mich und zog meine nassen Strümpfe an.

«Hast du deine Kinderstube vergessen, mein junger Gelehrter?», sagte Stránský und schob sich an mir vorbei. «Darf ich vorstellen: Zoli Novotna.»

Ich streckte die Hand aus, doch sie ergriff sie nicht. Erst als Stránský ihr winkte, trat sie über die Schwelle und ging zum Tisch, auf dem bereits die Flasche stand, die Stránský aus der Jacke gezogen hatte.

«Genosse», sagte sie und nickte mir zu.

Stránský hatte Zoli zufällig vor dem Gebäude der Musikergewerkschaft kennengelernt und von einem der Ältesten die Erlaubnis erhalten, mit ihr über ihre Lieder zu sprechen. Sie waren verschlossene Menschen, diese Zigeuner, aber Stránský besaß eine besondere Überredungsgabe. Er sprach ein bisschen Romani, kannte ihre Sitten und Gebräuche, wusste, wo und wie er in Erscheinung treten durfte, und war einer der wenigen, denen sie trauten. Sie schuldeten ihm auch ein paar Gefallen: In der Zeit der Nationalen Erhebung hatte er in den Bergen ein Regiment kommandiert und, so war zu hören, mit Hilfe einiger Fläschchen Penicillin etlichen Zigeunern das Leben gerettet.

Der Nachmittag steht mir vor Augen, wenn ich jetzt daran denke, an was wir damals glaubten: die Revolution, Gleichheit, Gedichte. Wir zogen Stühle an den Tisch, die Stunden vertickten. Zoli hielt den Kopf leicht gesenkt und rührte ihr Glas nicht an. Sie sagte ein paar Strophen älterer Lieder auf. Der Text war slowakisch, doch die Worte hatten etwas Wildes: Sie war es nicht gewohnt, sie zu sprechen, sie hatte die Lieder immer gesungen. Ihre Methode bestand darin, langsam und ruhig Schicht um Schicht aufzutragen, bis die Lieder schließlich traurig und pathetisch wurden, Geschichten von Bitterkeit und Verrat, erzählt in ein ums andere Mal wiederholten Versen – fallende, einander überlagernde Blätter. Als sie geendet hatte, faltete sie die Hände und starrte geradeaus.

«Gut», sagte Stránský und klopfte mit der Faust auf den Tisch.

Eine Feder fiel lautlos taumelnd zu Boden, und Zoli blickte auf und lächelte, als sie die Tauben zwischen den Dachbalken umherfliegen sah. Einige der Vögel hatten Flecken von Druckerschwärze.

«Können sie hinaus?»

«Nur zum Scheißen», sagte Stránský, und sie lachte, hob die Feder auf und steckte sie, warum auch immer, in die Manteltasche.

Damals wusste ich es nicht, aber es hatte unter den Zigeunern in Russland und Europa immer nur sehr wenige Schriftsteller gegeben, und keiner von ihnen hatte in tonangebenden Kreisen verkehrt. Ihre Kultur war geprägt vom gesprochenen Wort, sie hatten kaum Bücher oder niedergeschriebene Geschichten und misstrauten der Unveränderlichkeit des Gedruckten. Doch Zoli war bei ihrem Großvater aufgewachsen, der ihr Lesen und Schreiben beigebracht hatte, das war bei diesen Leuten sehr ungewöhnlich.

Stránský gab eine Zeitschrift namens *Credo* heraus, in der er immer versuchte, Grenzen zu überschreiten: Er publizierte junge, sozialistische Dramatiker der Avantgarde, obskure Intellektuelle und überhaupt jeden, der in etwa dieselben Glaubenssätze vertrat wie er. Ich sollte die ausländischen Autoren übersetzen, die er ausgrub: mexikanische Dichter, kubanische Kommunisten, walisische Gewerkschafter – jeden, den Stránský als Weggenossen betrachtete. Viele slowakische Intellektuelle waren bereits nach Prag gezogen, doch Stránský wollte in Bratislava bleiben, wo, wie er sagte, das Herz der Revolution schlug. Er selbst schrieb auf Slowakisch gegen die Behauptung an, kleinere Sprachen seien nutzlos. Und jetzt glaubte er, mit Zoli die vollkommene proletarische Dichterin gefunden zu haben.

Er klatschte in die Hände und schnippte mit den Fingern. «Das ist es, ja, das ist es!» Er lehnte sich zurück und ließ den Finger in der winzigen Halbinsel aus Haar über seiner Stirn kreisen.

Zoli improvisierte beim Vortragen – er bat sie, eine Zeile zu wiederholen, damit er sie aufschreiben konnte, doch die Worte veränderten sich, wechselten die Gestalt. Ich hatte das Gefühl, dass sie schlichte, altmodische Laute enthielten, die andere Menschen vergessen hatten oder nicht mehr zu gebrauchen wussten: Baum, Teich, Wald, Asche, Eiche, Feuer. Stránskýs Hand, die auf seinem Bein lag, hielt ein Glas Wodka. Er wippte mit dem Knie, sodass er, als er schließlich aufstand und zum Fenster ging, dunkle Flecken auf dem Overall hatte. Am späten Nachmittag, als Dunkelheit sich über die Dielen schob, hielt Stránský ihr einen Bleistift hin. Sie nahm ihn linkisch und legte die Spitze an die Zähne, als wollte sie darauf schreiben.

«Gut», sagte Stránský, «schreib es auf.»

«Ich mache sie eigentlich nicht auf Papier», sagte sie.

«Nur die letzte Zeile.»

Stránský klopfte mit den Fingerknöcheln auf die Tischkante. Zoli wickelte ein loses Fadenende um einen Knopf. Sie biss sich auf die Lippe, bis diese ganz weiß war. Dann senkte sie den Blick und begann zu schreiben. Ihre Handschrift war krakelig und ihre Rechtschreibung unsicher, aber Stránský nahm das Blatt und drückte es an die Brust.

«Das ist nicht schlecht, das ist gar nicht schlecht, das kann ich den Leuten zeigen.»

Zoli schob den Stuhl zurück, verbeugte sich leicht vor Stránský, wandte sich dann zu mir und verabschiedete sich förmlich. Ihr Kopftuch war verrutscht, und ich bemerkte, wie schnurgerade und akkurat ihr Scheitel gezogen, wie dunkel und rein die Haut zwischen diesen beiden Dunkelheiten war. Sie schob das Tuch zurecht, das Weiß ihrer Augen blitzte auf. Sie ging zur Tür, und dann war sie fort, auf der Straße im letzten Tageslicht unter den Bäumen. Ein paar junge Männer mit einem Pferdewagen erwarteten sie. Sie legte die Nase an den Hals des Tiers und rieb die Stirn an seiner Mähne.

«Tja, jaja ...», sagte Stránský.

Der Wagen bog um die Ecke und verschwand. Es war, als wäre in meiner Brust eine Stimmgabel angeschlagen worden.

Am nächsten Tag waren Stránský und ich zu einer Veranstaltung für Journalisten eingeladen: Vor der Stadt wurden hochmoderne Flugzeuge präsentiert, drei nagelneue Meta Sokols. Ihre Nasen zeigten nach Westen. Bratislava lag noch immer in einer Flugverbotszone, daher war man gezwungen gewesen, die Maschinen auf riesigen Lastwagen heranzuschaffen. Diese waren in dem weichen Boden eingesunken und mussten freigeschleppt werden. Stránský sollte einen Artikel über slowakische Jägerpiloten schreiben. Wir schlenderten mit einem General um die Flugzeuge herum, der uns einen ernsthaften Vortrag über Landeformationen, Weitbereichsradar und Schleudersitze hielt.

Danach ging eine junge Luftwaffenpilotin auf die Flugzeuge zu. Stránský stieß mich an: Sie hatte eine innere Ruhe, die man als Haltung hätte bezeichnen können, doch es war nicht Haltung, sondern eher eine Art Anspannung, wie man sie von Seiltänzern kennt. Sie war schlank und zierlich, ihr blondes Haar kurz geschnitten. Stránský kletterte zu ihr ins Cockpit, wo sie plauderten und flirteten, bis jemand kam und ihr sagte, sie werde anderswo gebraucht. Die Würdenträger und Journalisten sahen zu, als ihre schmale Gestalt die Leiter hinunterkletterte. Sie hob die Hand und half Stránský beim Aussteigen. «Warten Sie», sagte er. Er küsste ihr die Hand und stellte mich als seinen ungeratenen Sohn vor, doch sie errötete und verließ uns eilig, wobei sie noch einen Blick über die Schulter warf – nicht auf Stránský oder mich, sondern auf das in der Erde eingesunkene Flugzeug.

«So viel also zu den neuen Sowjetfrauen», sagte Stránský leise.

Wir gingen über das Flugfeld und stiegen über die tiefen Furchen, die die Räder der Lastwagen hinterlassen hatten. Am Rand des Feldes blieb Stránský stehen und wischte ein paar Schlammspritzer von den Hosenbeinen. Er drehte sich um, rieb einen Schuh am anderen und sagte unvermittelt und mit gesenktem Kopf, als spräche er zu dem zertrampelten Gras: «Zoli.»

Dann zog er die Hose hoch und machte einen großen Schritt über eine der Reifenspuren. «Komm.»

Hinter Trnava, in Richtung der Berge: eine unasphaltierte Straße, die durch ein Wäldchen führte. Ich klammerte mich an Stránský fest, als er die Maschine schlingernd zum Stehen brachte und auf eine Reihe abgebrochener Zweige zeigte, die einen Weg angaben.

«Irgendwo hier», sagte er.

Der Motor der Jawa erstarb stotternd. Ich stieg ab. Hinter einigen entfernten Bäumen stieg Rauch auf, und wir hörten Rufe. Wir schoben das Motorrad auf eine Lichtung. In einem Halbkreis standen reich mit Schnitzereien verzierte Wohnwagen. Das Sonnenlicht fiel durch die hohen Fichten, die lange Schatten warfen. Junge Männer standen um ein Feuer herum. Einer hielt mit einer langen Zange einen Axtkopf, während ein anderer einen Blasebalg bediente. Ein Rudel Kinder rannte auf uns zu. Sie stiegen auf das Motorrad und schrien, wenn sie mit dem nackten Fuß das heiße Auspuffrohr berührten. Eines kletterte mir auf den Rücken, gab mir einen Klaps und zog mich an den Haaren.

«Sag nichts», ermahnte mich Stránský, «sie sind bloß neugierig.»

Es kamen immer mehr Leute herbei. Die Männer trugen Hemden und zerrissene Hosen, die Frauen lange Kleider und viel Schmuck. Kinder drückten Babys an die Brust, einigen davon hatte man rote Bänder um die Handgelenke gebunden.

«Diese Leute legen Wert auf Schmuck», flüsterte Stránský, «aber du wirst sehen: Unter der Oberfläche ist alles ganz schlicht.»

Wašengo, ein Mann in mittleren Jahren mit langem, in Strähnen ergrauendem Haar, kam durch die Menge auf uns zu und blieb breitbeinig, die Hände in die Hüften gestemmt, vor uns stehen. Er und Stránský umarmten einander, und dann wandte Wašengo sich zu mir und musterte mich. Ein langer Blick. Ein Geruch von Holzrauch und feuchter Erde.

«Wer ist das?»

Stránský klopfte mir auf die Schulter. «Er sieht aus wie ein Slowake, er hört sich an wie ein Slowake, aber wenn es hart auf hart geht, ist er Engländer.»

Wašengo kniff die Augen zusammen, trat auf mich zu und grub die Finger in meine Schulter. Über dem Weiß seiner Augen lag ein grauer, rauchiger Schleier.

«Ein alter Freund von mir», sagte Stránský, als Wašengo uns einen Weg durch die Menge bahnte. «Er schuldet mir den einen oder anderen Gefallen.»

Im Hintergrund stand Zoli mit vier anderen Frauen in bunten Kleidern bei einigen der verzierten Wohnwagen. Sie trug einen Uniformmantel, hohe, bis zu den Waden heruntergerollte Gummistiefel und einen Gürtel aus Weidenrinde. Sie hielt einen Kleiderbügel in der Hand, auf den eine Kartoffel gespießt war. Als sie uns sah, stieg sie in einen der Wohnwagen und schloss hinter sich die Tür.

Der Vorhang teilte sich für den Bruchteil einer Sekunde.

Es gab etwas zu essen: einen Klumpen Fleisch mit Haluški und Fladenbrot. «Wie ist dein Igel?», fragte Stránský. Ich spuckte das Stück, das ich im Mund hatte, aus. Wašengo starrte mich an. Offenbar war Igel eine Delikatesse. Ich hob das Fleisch wieder auf. «Köstlich», sagte ich und spießte den nächsten Bissen auf die Gabel. Wašengo lehnte sich zurück und lachte herzlich und ausgelassen. Die Männer klopften mir auf den Rücken, füllten mein Glas und häuften noch mehr Essen auf meinen Teller. Ich spülte den Igel mit einigen Schlucken Beerenwein hinunter und wollte die Flasche an meine Nachbarn weiterreichen, doch sie wandten sich ab.

«Das kannst du dir sparen», sagte Stránský, «die werden nicht aus deiner Flasche trinken.»

«Warum nicht?»

«Lerne zu schweigen, mein Sohn, das verlängert das Leben.»

Stránský setzte sich ans Feuer und begann, eine alte Ballade zu singen, die er in den Bergen gehört hatte. Der Wind wirbelte Asche auf. Die Männer hörten ernst nickend zu und holten die Geigen und die riesigen Harfen. Die Nacht brach herein. Ein kleines Mädchen kletterte auf meine Schultern und polierte mit dem nackten Fuß Stránskýs Glatze. Nach der zweiten Flasche hatte ich das

Gefühl, dass ich nicht mehr so stark herausstach. Ich öffnete den obersten Hemdknopf und flüsterte Stránský zu, ich sei zu allem bereit.

Am frühen Abend trafen zahlreiche Zigeuner aus der umliegenden Region ein. Sie drängten sich in ein großes weißes Zelt, wo eine Reihe Kerzen eine behelfsmäßige Bühne beleuchtete. Baumstämme dienten als Bänke. Man begann mit rauen Balladen, Spielliedern, Hochzeitsliedern, Liebesliedern, Abendliedern. Zoli erschien in einem langen Kleid mit vielen Mustern und ausgestellten Ärmeln. Winzige Perlen waren auf die Brust genäht, und um ihren langen, grazilen Hals trug sie ein dunkelgraues Halsband. Anfangs war sie nur eine von vielen Sängerinnen. Sie hielt sich ganz gerade, ihr Kopf war beinahe reglos, alle Bewegung in Schultern, Armen und Händen. Erst später, als es dunkel und die Nacht in einen Schleier aus Betrunkenheit gehüllt war, sang sie allein. Ohne Harfen- oder Geigenbegleitung. Rau. Traurig. Es war ein altes, langes Lied, ausufernd und nostalgisch. Ihr Gesicht wurde vom Kerzenschein beleuchtet, sie hielt die Augen mit den bläulich geäderten Lidern geschlossen, und um ihre Lippen spielte ein Lächeln. Nicht nur ihre Stimme packte uns, sondern auch das, was sie sang. Sie hatte das Lied selbst gedichtet, eine Geschichte mit tschechischen, polnischen, slowakischen Ortsnamen, mit Daten und Zeitangaben: Hodonin, Lety, Brno. 1943. Die Schwarze Legion. Kamine. Die verzierten Tore. Die Leichenhäuser. Die Massengräber.

«Siehst du, Junge – ich hab's dir ja gesagt», flüsterte Stránský.

Als Zoli geendet hatte, war es still im Zelt – nur das Rauschen des Windes in den Bäumen war zu hören, ein uraltes, ungezähmtes Geräusch. Sie trat zu einem traurigen Wrack, einem alten Mann, der unter anderen Umständen wohl heruntergekommen und vor sich hin murmelnd in einer Schuhschachtel von einem Zimmer gelebt hätte. Er trug eines der unter Musikern beliebten Halbhemden, das den Rücken frei ließ. Als er die Arme nach ihr ausstreckte, war nackte Haut zu sehen. Sie küsste ihn sanft auf den Kopf und setzte sich neben ihn, während er eine Pfeife rauchte.

«Ihr Mann», flüsterte Stránský.

Ich hatte mich halb erhoben und ließ mich auf den Baumstamm sinken.

«Vorsicht, Swann, dein Mund steht mal wieder offen.»

Zoli beugte sich zu dem alten Mann. Er sah aus, als wäre er einst groß und breitschultrig gewesen, und nahm noch immer so viel Raum ein wie jemand mit einer solchen Statur, obwohl er offenbar krank war. Später in dieser Nacht entlockte er einer Geige Laute, wie ich sie noch nie gehört hatte: schnell, wild, kreischend. Er bekam langen Applaus, und Zoli stützte ihn am Ellbogen und verließ mit ihm das Zelt. Sie kehrte nicht zurück, doch die Nacht kam wieder in Schwung, roh und rein. Mein Hemd stand bis zum Nabel offen. Ich wusste nicht, was ich denken sollte. Jemand warf mir eine Slivovitzflasche zu – ich schraubte sie auf und trank.

Am frühen Morgen stolperten Stránský und ich zum Motorrad. Sattel, Blinker und Griffe waren verschwunden. Stránský lachte leise und sagte, es sei nicht das erste Mal, dass er eine dieser unzuverlässigen tschechischen Maschinen zwischen den Beinen habe. Wir legten unsere Jacken zusammen, setzten uns darauf und fuhren zurück nach Bratislava. Wir näherten uns der Stadt mit ihren hohen, gemauerten Bogen, den Säulen und Simsen. Auf hohen Vorsprüngen saßen Reihen dösender Tauben. Lorbeer-umkränzte Daten, in Stein gehauene Erinnerungen. Es war eine alte Stadt, ein bisschen ungarisch, ein bisschen deutsch, doch an jenem Tag wirkte sie ganz neu und ganz sowjetisch. Arbeitskolonnen setzten die Brücke instand, und dahinter erhoben sich Türme und Fabriken.

Stránskýs Frau erwartete uns im Hof seines Wohnblocks. Er küsste sie, sprang die Treppe hinauf und machte sich so-fort daran, die Bänder zu transkribieren. Er stellte das Ton-bandgerät auf ihre neueste Karikatur. Sie nahm die Zeich-nung und strich sie glatt.

Elena lauschte dem Band. «Das ist ein ungarischer Name», sagte sie. «Zoltan. Woher sie den wohl hat?»

«Wer weiß? Aber es ist ein unglaubliches Lied, nicht?»

«Vielleicht hat es jemand für sie geschrieben.»

«Glaube ich nicht.»

Stránský drückte die Stopptaste.

«Es ist naiv», sagte Elena. «Deine Mutter weint, dein Vater spielt Geige. Aber es hat etwas ... es hat etwas ... Be-bendes, nicht? Und sag mir: Ist sie schön?»

«Sie ist mehr schön als nicht schön», sagte Stránský.

Seine Frau schlug ihm mit einer zusammengerollten Zei-tung auf die Finger. Sie stand auf, das Haar voller Farb-stifte, und sagte, sie werde jetzt zu Bett gehen. Stránský zwinkerte ihr zu und sagte, er werde bald nachkommen, doch er schlief am Schreibtisch ein, zusammengesunken über den transkribierten Seiten.

Eine Woche darauf sah ich Zoli wieder, und zwar auf der Treppe vor dem Gebäude des Musikerverbandes, mit aus-gestreckten Armen und gespreizten Fingern.

Eine Zigeunermenge hatte sich vor dem Verbandshaus versammelt. Es war ein Dekret erlassen worden, demzufolge jeder Musiker eine Lizenz besitzen musste, aber um diese Lizenz zu bekommen, musste man ein Formular ausfüllen, und außer Zoli und Wašengo war keiner imstande, zusammenhängende Worte zu schreiben. Sie hatten Geigen, Bratschen, Oboen, Gitarren, ja sogar eine große Harfe mitgebracht. Wašengo trug ein schwarzes Jackett mit Ärmelknöpfen aus roten Fahrradreflektoren. Als er die Arme bewegte, fingen sie das Sonnenlicht ein. Anscheinend versuchte er mit Zolis Hilfe, die Menge zu beruhigen. Am anderen Ende der Straße stand eine Abteilung Milizionäre, die mit Schlagstöcken an ihre Beine klopften. Nach wenigen Augenblicken wurde ein Fenster geöffnet, und man reichte Wašengo ein Megaphon. Er sagte zunächst etwas auf Romani, und es war, als hätte er unter den Menschen eine Decke ausgebreitet. Er bat um noch mehr Ruhe und wechselte ins Slowakische. Er sagte, es sei eine neue Zeit angebrochen, und wir alle träten jetzt aus einer langen Dunkelheit ans Licht und trügen die rote Fahne. Er werde mit den Verbandsführern sprechen. Seid geduldig, sagte er, jeder bekommt eine Lizenz. Er zeigte auf Zoli und sagte, sie werde ihnen helfen, die Formulare auszufüllen. Zoli senkte den Kopf, und die Menge jubelte. Die Milizionäre am Ende der Straße steckten die Schlagstöcke weg, und die Funktionäre traten aus dem Haus auf die Treppe. Ein kleiner Junge rannte an mir vorbei und stieß mich an. Ein Blinker von Stránskýs Motorrad hing ihm an einer Kette um den Hals.

Zoli beugte sich hinunter und flüsterte ihrem Mann etwas zu.

Ich ließ die Versammlung hinter mir und ging an den

Pferdewagen vorbei, die entlang der Straße standen. Die Haltung ihres Kinns und die beiden Muttermale am Halsansatz hatte ich mir bereits eingeprägt.

In der Nationalbibliothek, inmitten von Staub und leisem Schlurfen, arbeitete ich die wenige vorhandene Literatur durch. Wie es schien, waren die Zigeuner nicht weniger zersplittert als andere Bevölkerungsgruppen – sie bildeten ihr eigenes kleines Europa, und doch machte man es sich leicht und rechnete sie bei Volkszählungen allesamt ein und demselben Segment zu. Die meisten waren bereits sesshaft geworden und lebten in über die ganze Slowakei verteilten Barackensiedlungen. Sie stritten ebenso gern miteinander, wie sie gegen Außenstehende kämpften. Zoli und ihre Sippe gehörten, sofern dieser Begriff zulässig ist, zu den Aristokraten unter den Zigeunern, denn sie zogen noch in ihren reichverzierten Wohnwagen umher. Sie hatten keine Tanzbären, sie bettelten nicht und lasen nicht aus der Hand, doch sie flochten sich noch immer Goldmünzen ins Haar und hatten viele der alten Sitten und Gebräuche beibehalten. Anstandsregeln. Geflüsterte Namen. Runen. In der Slowakei gab es Tausende von ihnen. Sie galten als Kesselflicker und Pferdediebe, und zu einigen Kumpanijas – beispielsweise Zolis – gehörten siebzig bis achtzig Menschen. Sie verdienten ihren Lebensunterhalt beinahe ausschließlich als Musiker, und die Worte, mit denen sie beschrieben wurden, waren sehr farbig und exotisch. Ich fand keine Fotos, nur Zeichnungen.

Ich gab die Bücher zurück und ging hinaus auf die Straße, wo sich Spruchbänder an den Fassaden bauschten und Stare in den Bäumen plapperten. Aus einem offenen Fenster kam das tiefe Stöhnen eines Saxophons. Es war eine Zeit voller Dynamik, die Straßen waren belebt, und noch wartete niemand auf das Klopfen der Geheimpolizei an seiner Tür.

Ich fand Stránský betrunken in einem Bierkeller. «Komm her, mein junger Gelehrter», rief er. Er lud mich ein, mich zu ihm zu setzen, und gab mir ein Bier aus. Ich saugte ihn auf, diesen hochfliegenden Idealismus eines älteren Mannes. Er war überzeugt, dass es ein Coup sein würde, wenn er in *Credo* eine Zigeunerdichterin präsentierte, und dass die Zigeuner als revolutionäre Klasse unter richtiger Anleitung durchaus imstande sein würden, sich des geschriebenen Wortes zu bedienen. «Sieh dich um», sagte er. «Überall sonst werden sie verachtet und verspottet. Man hält sie für Diebe. Für Betrüger. Stell dir vor, es gelingt uns, ihren Status zu verbessern. Ein literarisches Proletariat. Die Menschen werden Zigeunerliteratur lesen. Wir – du, Zoli, ich – werden eine völlig neue Kunstform erschaffen, wir werden diese Lieder aufschreiben. Stell dir das vor, Swann. Das hat noch nie jemand getan. Diese Frau ist perfekt. Weißt du eigentlich, wie perfekt sie ist?»

Er beugte sich vor, das Glas zitterte in seiner Hand.

«Alle haben immer nur auf sie geschissen. Sie mit Feuer vertrieben. Sie verspottet. Gebrandmarkt. Kapitalisten, Faschisten, auch dein altes Empire. Jetzt haben wir die Gelegenheit, das umzukehren. Sie aufzunehmen in unsere Reihen. Wir werden die Ersten sein. Wir werden ihnen einen Wert verleihen. Wir werden das Leben besser und gerechter machen – es ist die uralte Geschichte.»

«Sie ist eine Sängerin», sagte ich.

«Sie ist eine Dichterin», erwiderte er. «Und weißt du auch, warum?» Er hob das Glas und stieß damit an meine Brust. «Weil sie dazu berufen ist. Sie ist eine Stimme aus dem Staub.»

«Du bist betrunken.»

Er stellte einen fabrikneues Tonbandgerät auf den Tisch, dazu zwei Leerspulen, acht Bänder und vier Batterien. «Ich will, dass du sie aufnimmst, mein junger Gelehrter. Erweck sie zum Leben.»

«Ich?»

«Nein, die verdammten Soleier in dem Glas da drüben! Himmelherrgott, Swann, habe ich mich nicht klar ausgedrückt?»

Ich wusste, was er von mir wollte – die Aussicht begeisterte mich und verschlug mir zugleich den Atem.

Er wickelte den Anfang eines Bandes ab. «Erzähl Elena bloß nicht, dass ich unsere letzten Ersparnisse für dieses Ding ausgegeben habe.» Er fädelte das Band ein und drückte auf den Aufnahmeknopf. «Es ist aus Bulgarien. Ich hoffe, es funktioniert.»

Er spulte zurück und drückte die Wiedergabetaste. Seine Stimme ertönte: *Es ist aus Bulgarien. Ich hoffe, es funktioniert.*

Wie unvermeidlich es ist: Wir treten in einen ganz gewöhnlichen Augenblick ein und können ihn nie mehr verlassen. Ich hob mein Glas und war dabei. Ebenso gut hätte ich einen Vertrag mit meinem Blut unterschreiben können.

Das Gerät passte in einen kleinen Rucksack. Ich schwang ihn mir auf den Rücken, setzte mich auf Stránskýs Jawa und fuhr hinaus aufs Land. In dem Wäldchen stellte ich den Motor ab und wartete auf eine Einladung, das Lager zu betreten. Die Kumpanija war verschwunden. Im Gras lag ein verschmorter Reifen. Ein paar Stofffetzen hingen in den Zweigen. Ich versuchte, den Wagenspuren zu folgen, aber es war unmöglich.

Hinter Trnava wandte ich mich in Richtung der niedrigen Hügel, auf deren Flanken sich Weinberge bis in die Täler erstreckten. Ich fuhr schwungvoll und mit Schräglage durch die Kurven und kam schlingernd zum Stehen, als plötzlich ein Posten auftauchte und man mit einem Gewehr auf mich zielte. Der größte Soldat grinste schief, als die anderen zu ihm traten. Ich sagte ihnen, ich sei Übersetzer und Soziologe und studiere die uralte Kultur der Roma. «Der was?», fragten sie. «Der Zigeuner.» Sie brüllten vor Lachen. Ein Unteroffizier beugte sich vor und sagte: «Da oben sind welche, die turnen wie die Affen in den Bäumen herum.» Ich bockte mit einiger Mühe die Maschine auf und zeigte ihm mein Beglaubigungsschreiben. Er ging zum Funkgerät, kehrte nach einer Weile zurück und salutierte. «Genosse», sagte er, «du kannst weiterfahren.» Anscheinend hatte Stránskýs Name einiges Gewicht. Die Soldaten zeigten auf eine mit Gebüsch bewachsene Gegend. Anstelle des Sattels hatte ich ein Kissen auf das Motorrad geschnallt, und einige der Soldaten lachten darüber. Ich wandte mich langsam um, durchbohrte sie mit Blicken und fuhr in einer Staubwolke davon.

Von den Hügeln erklangen seltsame, hohe Tonfolgen. Zolis Kumpanija führte große, beinahe zwei Meter hohe Harfen mit sich, und auf holprigen Wegen waren sie oft weit zu hören. Es war, als klagten sie im Voraus.

Als ich Zoli fand, hing sie in ihrem Armeemantel mit schlaff herabhängenden Armen über dem grünen Tor eines Weidezauns. Sie stieß sich mit einem Fuß ab und schwang in einem kleinen Halbkreis langsam über dem matschigen Weg hin und her. Einer ihrer Zöpfe baumelte herab, das Ende des anderen hielt sie zwischen den Zähnen. An dem Tor war ein Schild mit ungelenker Schrift, das für den Fall unbefugten Betretens strafrechtliche Konsequenzen androhte. Als ich mich näherte, fuhr sie aus ihrer scheinbar kindlich-unschuldigen Pose hoch, doch ich merkte, dass sie dabei gelesen hatte. «Oh», sagte sie und verbarg die losen Buchseiten.

Sie ließ mich stehen und rief über die Schulter, ich solle in ein, zwei Stunden nachkommen – sie müsse den anderen Bescheid sagen, sie bräuchten etwas Zeit für die Vorbereitungen. Ich war überzeugt, dass ich sie an diesem Abend nicht mehr zu sehen bekommen würde, doch als ich auf das Lager stieß, war alles für ein Willkommensfest hergerichtet. Man klopfte mir auf die Schultern und setzte mich ans Kopfende des Tisches.

Zoli erschien in einem gelben Kleid, dessen enges Oberteil mit Dutzenden winziger Spiegel besetzt war. Sie hatte Rouge aus Flusskieseln aufgelegt.

«Wir sind so weit», sagte sie.

Sie nannten mich *Engländer*, als wäre dies das Einzige, was ich je sein könnte. Die Frauen kicherten über meinen Akzent und wickelten sich Strähnen meines Haars um die Finger. Die Kinder saßen dicht – erstaunlich dicht – bei mir, und für einen Augenblick dachte ich, sie wollten mir die Taschen leeren, doch so war es nicht – sie hatten einfach eine andere Vorstellung von Raum. Ich spürte, wie meine Sympathie für sie zunahm. Nur Zoli schien sich zurückzuhalten. Erst später wurde mir bewusst, dass sie eine Distanz zwischen uns schuf, um sich zu schützen. Einmal sagte sie zu mir, manchmal seien meine Augen plötzlich ganz grün, und ich dachte, dass man das als alles Mögliche auffassen konnte: als Neugier, als Verwirrung, als Begehren.

Ich besuchte die Kumpanija ein-, zweimal pro Woche.

Wašengo ließ mich zwischen fünf seiner neun Kinder im hinteren Ende des Wohnwagens schlafen. Als Decke hatte ich nur den winzigen Zipfel eines Lakens, und die Äste im Holz waren wie Augen, die auf mich herabsahen. Ich hatte den weiten Weg von Liverpool gemacht, um mich an meinem vierundzwanzigsten Geburtstag in ein Bett zu legen, in dem ich fünf kleine, zerzauste Köpfe sah. Ich versuchte, draußen einen Platz zum Schlafen zu finden, doch die Finsternis behagte mir nicht, für die Sterne war ich nicht gemacht, und so legte ich mich voll angezogen an den äußersten Rand des Betts. Am Morgen erhitzte ich eine Münze mit einem Streichholz und schmolz ein Guckloch in das Eis auf Wašengos Fenster. Die Kinder neckten mich: Ich hatte keine Frau, ich war bleich und seltsam, ich hatte einen komischen Gang, roch schlecht und fuhr ein halb demontiertes Motorrad. Die Jüngsten zerrten mich an den Ohren aus dem Bett und zogen mir eine Weste und den alten, schwarzen Homburg ihres Vaters an. Ich trat aus dem Wohnwagen in den Nebel, der in Schwaden über den Feldern lag. Das Morgengrauen lag kalt und nass auf dem Gras. Verlegen stand ich da, während die Kinder um mich herumsprangen und bettelten, ich solle mit ihnen «Schubkarre» spielen. Ich fragte Zoli, ob es irgendeinen anderen Platz gebe, wo ich schlafen könne. «Nein», sagte sie, «warum auch?» Sie lächelte, senkte den Kopf und sagte, ich könne natürlich in dem zwanzig Kilometer entfernten Hotel übernachten, doch die Zimmermädchen würden mir wohl kaum Roma-Lieder vorsingen.

Als Sängerin hätte sie auch ein anderes Leben führen können, in dem sie nicht hätte waschen, kochen oder die Kinder beaufsichtigen müssen, doch sie wollte sich nicht absondern, sie konnte es nicht, sie liebte dieses karge Leben. Es war das, was sie kannte, und es gab ihr Energie. Sie wusch Wäsche im Fluss und klopfte Teppiche. Danach steckte sie Spielkarten zwischen die Speichen eines Fahrrads, fuhr darauf herum und rief die Kinder zusammen. Sie nannte jedes ihren Čhonorro, ihren kleinen Mond. «Komm, Čhonorroeja», rief sie. Sie rannten ihr nach und bliesen in Pfeifen, die sie aus Eschenzweigen geschnitzt hatten. Hinter der Reifenfabrik spielte sie mit ihnen an der Mauer, die bei ihnen nur «die hüpfende Mauer» hieß. Wenn ein Kind geboren wurde, warf sie einen Reifen über einen jungen Baum, in dem Wissen, dass er sich eines Tages eng an den Stamm schmiegen würde.

Unter den Angehörigen ihres Volkes, ob umherziehend oder sesshaft, war sie bereits bekannt. Sie schlug irgendeinen uralten Akkord der Zärtlichkeit in ihnen an. Sie liefen zwanzig Kilometer, um sie singen zu hören. Ich wiegte mich nicht in der Illusion, dass ich jemals zu ihnen gehören könnte, doch es gab immer wieder diese stillen Augenblicke, wenn wir, an ein Wagenrad gelehnt, dasaßen und sie ein Lied sang, bis uns Petr oder die Kinder unterbrachen. *Wenn ich braunes Brot schneide, sieh mich nicht zornig an, sieh mich nicht zornig an, denn ich werde es nicht essen.* Anfangs, sagte sie, sei das Schreiben bloß ein Zeitvertreib gewesen. Es sei ihr auf die Lieder angekommen, auf die alten Balladen, die schon seit Jahrzehnten existierten, und sie sei bloß diejenige gewesen, die ihnen eine musikalische Gestalt verliehen habe, damit sie weitergegeben werden könnten. Sie sei verwundert gewesen, dass ihr neue Worte eingefallen seien, und mit einem Mal seien ganz neue Lieder entstanden – sie seien bestimmt schon vorher da gewesen und aus irgendwelchen uralten Quellen zu ihr gekommen. Sie konnte sich nicht vorstellen, dass irgendwelche Gadže ihr würden zuhören wollen, und der Gedanke, dass ihre Worte im Radio oder in Büchern landen könnten, machte ihr zunächst Angst.

Vor ihren Auftritten setzten Zoli und Conka sich auf die Stufen des Wohnwagens und sangen sich ein. Sie wollten ihre Stimmen einander so angleichen, dass kein Grashalm mehr dazwischenpasste. Conka hatte rotes Haar und blaue Augen und trug ein Halsband mit eingeflochtenen Münzen, Glasperlen und Porzellanscherben. Fjodor, ihr Mann, starrte mich feindselig an. Der Gedanke, dass die Stimme seiner Frau aufgenommen werden sollte, gefiel ihm nicht. Ich tat, als wäre ich von der Bedienung des Tonbandgeräts völlig in Anspruch genommen, und wartete nur darauf, dass Zoli allein sang, ihre eigenen Lieder, die neuen, selbsterfundenen Lieder.

Eines Nachmittags im Frühling ging Zoli in einem entlegenen Wald ans Ufer eines Sees und setzte schwimmende Kerzen auf das Wasser – eine Zeremonie für ihre Eltern und Geschwister. Drei Hlinka-Gardisten waren schließlich des Mordes angeklagt worden und hatten lebenslänglich bekommen. Unter den Zigeunern wurde das Urteil nicht gefeiert – sie schienen die Rache nicht zu genießen –, aber die ganze Kumpanija begleitete Zoli zum See und blieb in einigem Abstand stehen, damit es rings um sie her still war, als sie ein altes Lied über den Wind im Kamin sang, der im letzten Augenblick umkehrte und die Asche nicht aufwirbelte.

Am Seeufer zertrampelte ich das Unkraut, fummelte an den Batterien herum und schaltete das Gerät an: Zoli begann die Sprache zu spannen und zu dehnen, und ich war, wie alle anderen, ein Gefangener ihrer Stimme.

Später saß ich neben Stránský, als dieser die Bänder transkribierte. «Perfekt», sagte er, während er mit dem Bleistift einen ihrer Verse festhielt. Er war überzeugt, dass Zolis Gedichte in einer tiefen Erde wurzelten, und dennoch entschlossen, sie zu zivilisieren. Zoli kam in die Stadt, allein, die aufgeweichte Eisenbahnfahrkarte in der verschwitzten Hand. Nervös spielte sie mit einer Strähne, die unter ihrem Kopftuch hervorlugte. Stránský las ihr das Gedicht vor, und sie ging zum Fenster und zog ein Stück des schwarzen Klebebandes vom Glas.

«Der letzte Teil ist falsch», sagte sie.

«Die letzte Strophe?»

«Ja. Die Geschwindigkeit.»

Stránský grinste. «Das Tempo?»

Dreimal stellte er Worte und Zeilen um, bis sie schließlich die Schultern zuckte und sagte: «Vielleicht.» Er legte die Druckplatte ein. Zoli biss sich auf die Lippe, nahm das bedruckte Blatt Papier und presste es an die Brust.

Unter dem billigen weißen Hemd spürte ich mein Herz pochen.

Eine Woche später kam sie und sagte, die Ältesten seien einverstanden, es könne veröffentlicht werden. Für die Zigeuner war es ein genickter Dank für das, was Stránský im Krieg getan hatte, doch wir glaubten fest daran, dass dies etwas Größeres war: Wir schufen eine Avantgarde. Gedichte wie dieses hatte es nie zuvor gegeben. Wir formten und bewahrten die Welt der Zigeuner, während sich rings um sie her alles wandelte.

«Das Unglaubliche geschieht», sagte sie, als Stránský uns in eine Buchhandlung in der Altstadt führte. Sie ging an den Regalen entlang und ließ die Hand über die Buchrücken wandern. «Es ist, als gäbe es keine Wände.» Sie stand neben mir und strich geistesabwesend mit den Fingern über meinen Unterarm, bis ihr Blick auf ihre Hand fiel und sie sie rasch zurückzog. Sie drehte sich um, setzte ihre Wanderung entlang der Regale fort und sagte, sie könne die Wörter spüren: Sie galoppierten dahin. Das erschien mir kindisch und ungebildet, bis Stránský mich darauf hinwies, dass sie vermutlich noch nicht oft in einer Buchhandlung gewesen war. Sie spazierte stundenlang herum und setzte sich dann, um in einem Gedichtband von Majakowski zu lesen. Sie kam gar nicht auf den Gedanken, dieses Buch könne ihr gehören. Ich kaufte es ihr, und sie berührte abermals meinen Arm und steckte es draußen in die Tasche ihres dritten Rocks.

Stránský sah uns forschend von der Seite an und flüsterte mir zu: «Sieh dich vor, Junge – sie ist verheiratet.»

Wir fuhren mit dem Zug aufs Land. Die anderen Passagiere musterten uns, mich in meinem Overall und Zoli in ihren bunten Röcken, die sie, bevor sie sich setzte, seitlich raffte. Gemeinsam lasen wir Majakowski, und unsere Knie berührten sich nur beinahe. Ich wusste, es war kitschig, aber mehr als alles andere wünschte ich mir, sie würde ihr Haar offen tragen. Das konnte sie nicht – verheiratete Frauen mussten ihren Kopf bedecken –, doch ich stellte mir vor, wie sie wohl aussehen würde, wie das befreite Haar fallen und ich hineinfassen und sein Gewicht spüren würde.

Am Bahnhof rannte sie zu Petr, der, den verbeulten Hut auf dem Knie, auf dem Kutschbock saß. Er wirkte ein bisschen verwirrt, doch sie flüsterte ihm etwas ins Ohr, worauf er lachte und mit den Zügeln klatschte. Sie fuhren davon.

Ich sah mich wie aus einiger Entfernung, wie einen

anderen Menschen, der etwas tat, was nur ein anderer Mensch tun würde: Ich wartete darauf, dass sie zurückkehrten. Der Bahnhofsvorsteher zuckte die Schultern und grinste verstohlen. In einem Uhrturm schlug eine Glocke. Ich wartete drei lange Stunden, dann nahm ich meinen Rucksack und wanderte die Straße entlang zum Lager. Mit zerschundenen Füßen traf ich gegen Einbruch der Dunkelheit dort ein. Die Männer erwarteten mich am Feuer und begrüßten mich mit großem Hallo. Man reichte mir ein Marmeladenglas mit Schnaps. Petr schüttelte mir die Hand. «Du siehst aus, als hättest du eine Ohrfeige gekriegt», sagte er.

Zoli hatte ein Lied über einen Engländer auf Wanderschaft gemacht, der an einem Bahnhof auf das Pfeifen der Lokomotive wartete, und Petr stand neben ihr, die Geige an der Schulter, und spielte die Melodie. Die Zuhörer lachten.

Ich grinste und malte mir aus, wie ich Petr zu Boden schlug, wie ich ihn in den Matsch trat.

Er ging keuchend im Lager umher, schien seine Krankheit unter dem Arm mit sich herumzutragen. Nach einiger Zeit war er zu schwach, den Wohnwagen zu verlassen. Wenn sie gesungen hatte, ging Zoli im Dunkeln zu ihm, saß an seinem Bett und wartete darauf, dass der Husten nachließ und Petr einschlief.

«Wie alt sind die Mädchen in England, wenn sie heiraten?», fragte sie mich. Sie saß auf den Stufen ihres Wohnwagens und nähte gedankenverloren den Saum eines Rockes um.

«Achtzehn, neunzehn. Manche auch schon fünfundzwanzig.»

«Oh», sagte sie, «das ist ganz schön alt, nicht?»

Die Wahrheit war: Ich wusste es eigentlich nicht. Seit ein paar Jahren betrachtete ich mich als Slowaken, aber rückblickend muss ich sagen, dass ich dafür viel zu englisch war. Und im Grunde war ich zu irisch, um wirklich englisch zu sein, und zu slowakisch, um wirklich irisch zu sein. Das Übersetzenmüssen hatte dem Selbstverständnis immer im Weg gestanden. In Liverpool hatte ich mit meinem Vater im Kohlenschuppen vor dem Radio gesessen und mich in die Landschaften seiner Heimat geträumt. Sie sahen nicht so aus, wie ich sie mir vorgestellt hatte – endlose Bergketten, reißende Flüsse –, aber das machte nichts, denn ich war nun ein neuer Mensch, und der Gedanke an Zoli gab mir einen Halt. Bei jedem Wort, das sie sprach, durchfuhr es mich – sie nannte mich nicht Štěpán, sondern Stephen, denn ihr gefiel die seltsame Art, wie sie dabei die Unterlippe an die Zähne legen musste. Manchmal kicherte sie, weil ich irgendetwas so überaus englisch gesagt oder getan hatte, obgleich es mir gar nicht so englisch vorgekommen war. Auf dem Markt in der Altstadt kaufte ich ihr einen Füllfederhalter; ich entdeckte Bücher, die ihr gefallen würden, und schenkte ihr Tinte, mit der Conka Flecken auf ihre Kleider machte. Ich lernte so viel Romani wie möglich. Sie berührte meinen Arm, sah mich an. Ich spürte es. Wir hatten begonnen, die Distanz zwischen uns zu überbrücken.

Anfang September, sechs Monate, nachdem Petr gestorben war, fiel der erste Schnee. Ich schlenderte in der Umgebung des Lagers umher. Auf einer Sandbank im Fluss fand ich Wolfsspuren. Sie führten wie Perlenschnüre zu einer Biegung im Fluss und verschwanden dann in einem lichten Wald. Sie stand am Ufer und lauschte den leisen Geräuschen, die der Schnee machte, wenn er von den Zweigen glitt. Ich trat hinter sie und legte die Hände über ihre Augen. Meine Finger strichen über ihren Hals, bis die Daumen in der Höhlung an ihren Schlüsselbeinen lagen. Meine Lippen berührten ihre Wange. Sie wich zurück. Ich sagte ihren Namen. Ein scharfes Einatmen, als sie das rote Kopftuch abstreifte. Nach Petrs Tod hatte sie sich das Haar millimeterkurz geschnitten. Das war gegen die Tradition. Sie wandte sich ab und ging am Ufer entlang. Ich folgte ihr und hielt ihr abermals die Augen zu. Sie stellte sich auf die Zehenspitzen, der Schnee knirschte leise. Ich legte das Kinn auf ihre Schulter und spürte ihren Rücken, der sich an mich drückte. Als meine Hand auf ihrer Taille lag, holte sie wieder tief Luft. Ihr Kopftuch hatte ich um die Faust gewickelt. Sie drehte sich um, zog an meinem Hemdkragen, schmiegte sich in den Schatten meiner Schulter und drückte die kleine Wolke ihres Bauches an meine Hüfte. Wir gingen zu Boden, doch sie wälzte sich von mir weg. Seit sie ein Kind gewesen sei, sagte sie, habe sie keinen Baum mehr von unten betrachtet – wie seltsam die Blätter aussähen. Wir schliefen also nicht miteinander, und dennoch sagte sie, im Schnee könne jeder Idiot sehen, was hier passiert sei, und sie stapfte auf und ab und zertrampelte ihn. Als sie ging, weinte sie. Die schlecht schließende Klappe von Petrs Feuerzeug klirrte im Rhythmus ihrer Schritte. Fünf Stunden saß ich dort, angsterfüllt, doch sie kam zurück, hatte unterwegs dreimal kehrtgemacht, um sicher zu sein, dass niemand ihr folgte, und strahlte vor Eifer. Ich vergaß alles, als wir uns an die kalte Rinde eines Baumes pressten. Ich glaubte beinahe, die Wölfe zurückkehren zu hören. Die Muttermale an ihrem Halsansatz, das kreisrunde Muttermal auf ihrer linken Brust, der geschwungene Bogen ihrer Schlüsselbeine. Mein Finger folgte einem Pfad über ihren Körper, ich zog ihr mit den Zähnen einen Ring vom kleinen Finger. In den vergangenen Monaten hatten mich so viele Phantasien gequält, und es war beinahe irritierend, dass wir an einem Flussufer waren und nicht in der dunklen Gasse, in der ich mir in meiner Furcht vor romantischen Klischees Zoli und mich vorgestellt hatte, in der Druckerei, in einem Korridor, an den Stahl irgendeiner Maschine gedrückt.

Zoli glaubte, es gebe einen Lebensquell, der im Mittelpunkt der Erde entspringe und sich hauptsächlich aus ihrer Kindheit speise. Davon erzählte sie in ihrem harten Dialekt – von der Zeit, als sie mit ihrem Großvater herumgefahren war, von den Straßen, auf denen sie unterwegs gewesen waren, von den Gesprächen und dem Schweigen. Wenn sie von ihrem Großvater sprach, verbarg sie ihr Gesicht hinter dem Kopftuch. Sie glaubte, sie sei nicht wirklich schön, denn ihre Haut sei zu dunkel, zu schwarz, zu zigeunerhaft, und ihr träges rechtes Auge sei eine Verunstaltung, doch mir kam es in jenen Tagen so vor, als rolle der Mond auf der Erde herum. Ich war ganz sicher, dass wir ertappt werden würden – die Kinder würden uns nachspionieren, die Leute würden es erfahren, Conka, Fjodor oder Wašengo würden hinter unser Geheimnis kommen –, und wir wussten, dass die Schneeschmelze die Flussbiegung irgendwann unter Wasser setzen würde, doch das spielte keine Rolle.

Eines Abends hörte sie den Schrei einer Eule und erstarrte vor Schreck, bedeckte ihre Augen und sagte, der entehrte Geist ihres Großvaters kehre zurück.

«Wir dürfen das nicht tun», sagte sie und ging weg. Die kalten Blätter raschelten unter ihren Füßen.

Der Zug, der mich in die Stadt brachte, war ein seltsames Relikt aus einer alten Welt. Die Wandverkleidungen waren braun, und der Wind ließ die gesprungenen Fensterscheiben klirren.

«Sie werden dir die Eier wie eine Knoblauchknolle um den Hals hängen», sagte Stránský.

«Wir haben doch nichts Schlimmes getan. Außerdem würde sie es niemals jemandem erzählen.»

«Du bist ein naiver Dummkopf. Und sie ebenfalls.»

«Es wird nicht mehr vorkommen.»

«Ich warne dich: Rühr sie nicht an. Die machen dich kalt. Sie ist eine Zigeunerin. Sie gehört zu einem Zigeuner.»

«Und deshalb drucken wir ihre Gedichte?»

Er schlug den Kragen hoch und beugte sich über seine Arbeit. Es war beinahe eine Erleichterung, der Druckerei, Stránský und seinen Obsessionen den Rücken zu kehren und im Schein der Straßenlaternen durch die Stadt zu wandern. Er nannte mich nur noch selten «Junge», doch in diesen wenigen Monaten kam ich mir größer vor als sonst – meine Brust weitete sich unter Zolis Atem, sie füllte mich aus, löste meine Fesseln. Im Herbst 1953 veröffentlichten wir ihr erstes schmales Gedichtbändchen, und es wurde von allen Seiten gepriesen: von jüngeren Dichtern, von Akademikern, ja sogar von den Parteibonzen. Aus irgendeinem Grund, den ich nicht verstand – es hatte irgendwas mit einem alten Pferd zu tun –, wollte sie, dass das Buch keine Klebebindung bekam, sondern fadengeheftet wurde.

Sie schrieb jetzt längere, zeitlich weniger gebundene

Gedichtzyklen. Auf dem Bürgersteig vor dem Haus, in dem ich wohnte, saß ich glücklich auf einem umgedrehten Eimer und sah zu, wie die Sonne über den alten Gebäuden aufging.

Irgendwo, inzwischen tief verborgen, gibt es ein Foto, auf dem wir drei – Zoli, Stránský und ich – zu sehen sind. Es ist an einem grauen Nachmittag im Park Kultury am Ufer der Donau aufgenommen worden. Die Wasseroberfläche ist leicht gekräuselt. Zoli trägt einen langen Rock aus einem fließenden Stoff und ein fadenscheiniges Bolero-Jäckchen, ich ein weißes Hemd und eine Baskenmütze, die ich schief aufgesetzt habe, und Stránský – inzwischen beinahe vollkommen kahl – ein dunkelblaues Hemd und eine schwarze Krawatte. Er hat ein Bäuchlein, das Zoli sein «Kesselchen» nennt. Mein Fuß steht auf einer Uferbefestigung. Zoli ist so groß wie ich, doch zwischen uns steht Stránský. Ich habe ihm den Arm um die Schultern gelegt. Im Hintergrund fährt ein Frachtschiff vorbei, auf dessen Seite in riesigen Lettern steht: *Alle Macht den Arbeiterräten!*

Noch heute kann ich mich diesem Foto nähern und hineinsteigen, und dann erinnere ich mich genau, wie erregend es war, gemeinsam mit ihr fotografiert zu werden.

«Bitte seht mich nicht an», sagte sie manchmal, wenn sie im Rampenlicht stand, aber es gab Leute, die meinten, dass sie einen gewissen Gefallen daran gefunden hatte, in ein Mikrofon zu sprechen.

Einmal trat sie in dem Städtchen Priedvidza im Haus der Kultur auf, an dessen Rückseite ein riesiger Hof lag. Dort hatten sich schon Stunden zuvor zahlreiche Zigeuner eingefunden, die auf sie warteten. Die Lesung fand in einem Saal mit stuckverzierter Decke und ordentlich aufgestellten Stuhlreihen im ersten Stock statt. Als die Zuhörer aus dem Ort eintrafen, erhoben sich die anwesenden Zigeuner, machten ihre Plätze für die Gadže frei und setzten sich in die hintersten Reihen. Ganz vorn saßen die örtlichen Parteiführer, dahinter Polizisten der höheren Dienstgrade mit ihren Familien. Ich begriff nicht ganz, was hier vor sich ging. Anscheinend waren Funktionäre und Beamte aufgefordert worden, zu dieser Lesung zu gehen, um die Politik der Integration der Zigeuner zu unterstützen. Der Saal füllte sich, und bald waren nur noch die Ältesten einiger Zigeunersippen anwesend. Ich dachte, sie würden einen Streit beginnen, doch sie gaben ihre Plätze freiwillig auf und gingen hinaus zu den anderen. «Das ist eine Frage des Stolzes», sagte Stránský. Sie waren verwundert, dass die Gadže kamen, um einer Zigeunerin zuzuhören. «Letztlich sind sie nur höflich, Swann.» In mir sackte etwas zusammen – ich hatte angenommen, das alles sei Teil eines komplizierten Rituals. Dass es einen so simplen Grund haben könnte, war mir gar nicht eingefallen.

Zoli bat darum, die Lesung in einen größeren Saal zu verlegen, doch die Organisatoren sagten, das sei unmöglich, und so fügte sie sich. Sie hatte sich noch immer nicht daran gewöhnt, laut und vor Publikum zu lesen, und doch tat sie es an jenem Abend. Sie trug ein Gedicht vor, in dem es um den leichten Regen zu Beginn des Winters ging und um Pferdegespanne, die an Telegrafenmasten festgebunden waren. Es war ein ganz neues Gedicht, das plötzlich die Balance verlor, und es gelang Zoli nicht, sie wiederherzustellen. Sie geriet ins Stottern und versuchte, es zu erklären, brach aber abrupt ab und verließ die Bühne, wobei sie einen ihrer neuen Ohrringe abriss.

Danach öffnete sie eines der Fenster im Erdgeschoss und reichte denen, die auf dem Hof so lange auf sie gewartet hatten, gefüllte Teller hinaus. Stránský und ich fanden sie, eine Pfeife rauchend, in den bläulichen Schatten des Saales. Sie kniff gegen den Rauch ein Auge zu, und ihre Hände zitterten. Es ging das Gerücht, in einer der Kneipen habe es Ärger gegeben.

«Ich will nach Hause», sagte sie. Sie lehnte den Kopf an die Wand, und ich fühlte mich in ihre Traurigkeit einbezogen. Es war natürlich eine uralte Sehnsucht: nach Hause. Für sie war zu Hause gleichbedeutend mit Stille. Ich wollte ihren Arm nehmen, aber sie wandte sich ab.

Zoli verschwand für vier Tage. Später erfuhr ich, dass man sie mit dem Pferdewagen zu allen Siedlungen gefahren hatte; dort hatte sie nicht gelesen, sondern gesungen, was ohnehin das war, was alle wollten. Sie wollten ihre Stimme, das Geheimnis dieser Stimme, das Einzige, was ihnen gehörte.

Ich hatte bei Stránský ein Flugblatt gedruckt, eine neu gestaltete alte Parole, daneben eine Zeichnung von Zolis Gesicht, keine Fotografie, leicht idealisiert, kein träges Auge, sondern der ruhige Blick einer Arbeiterin in einem grauen Kittel. *Zigeuner, ihr seid Bürger – reiht euch ein!* Die Flugblätter gefielen ihr, als sie sie zum ersten Mal sah, nachdem sie zu Hunderten aus Frachtmaschinen abgeworfen worden und auf den Straßen gelandet, über Bauernhöfe gewirbelt, in Zweigen hängengeblieben waren. Auf dem Land klebte ihr Gesicht an allen Strom- und Telegrafenmasten. Bald wurden die Tonbänder im Radio gespielt, und auf den Korridoren der Macht wurde ihr Name genannt. Sie war die neue tschechoslowakische Frau, die man aus ihrem Dasein in der Randgruppe befreit hatte und deren Leben unseren Fortschritt in Richtung Sozialismus illustrierte. Sie erzählte die Geschichte, wie noch nie jemand sie erzählt hatte. Sie wurde ins Kulturministerium eingeladen, ins Nationaltheater, ins Carlton, in die Sozialistische Akademie, es gab Filmaufnahmen im Stalingrad Hotel, man veranstaltete Konferenzen über Literatur, bei denen Stránský aufstand und ihren Namen ins Mikrofon rief. Sie sprach fünf Sprachen, wenn auch unterschiedlich flüssig, und Stránský bezeichnete sie nun als Zigeuner-Intellektuelle. Ein Schatten legte sich über ihr Gesicht, doch sie fiel ihm nicht ins Wort – irgendetwas in ihr fand Gefallen an der Neuheit.

Die Ältesten bemerkten Veränderungen in der Welt da draußen: Lizenzen wurden schneller erteilt, die Milizionäre pickten nicht mehr Zigeuner heraus und fragten sie nach irgendwelchen Genehmigungen, die Metzger bedienten sie mit weniger Widerwillen als zuvor. Man hatte sie sogar eingeladen, innerhalb des Musikerverbandes eine eigene Sparte zu bilden. Wašengo konnte kaum glauben, dass er jetzt in einer Kneipe etwas bestellen und trinken konnte, von deren Hintertür man ihn vor wenigen Jahren noch vertrieben hätte. Manchmal ging er ins Carlton, nur um aus dem Mund des Hotelboys das Wort «Genosse» zu hören. Wenn er herauskam, klopfte er sich mit seiner Mütze auf das Knie.

Eines Abends, in der Garderobe des Nationaltheaters, sagte Zoli zu Stránský, sie könne nicht lesen, sie habe keine Lust. Wo ihr Rücken die Lehne des Ledersessels berührt hatte, war eine feuchte Stelle. Sie gingen in die Kulissen und spähten durch ein Loch im Vorhang: Das Haus war bis auf den letzten Platz gefüllt. Der Lichtreflex auf einem Opernglas. Das langsame Erlöschen der Beleuchtung. Stránský schlug das Publikum mit einem von Zolis Gedichten in Bann, und dann trat sie zu ihm auf die Bühne. Im Scheinwerferlicht wirkte sie ganz gelassen. Im Publikum wurde geflüstert. Sie legte den Mund an das Mikrofon, doch sogleich ertönte das Quietschen einer Rückkopplung, und so trat sie einen Schritt beiseite und las ohne Mikro. Als Applaus aufbrandete, sprangen die Zigeuner, denen man zwei Reihen ganz hinten zugewiesen hatte, auf und klatschten ebenfalls. Auch beim anschließenden Empfang gab es Ovationen für Zoli. Ich sah Wašengo an einem der Büfetts, wo er sich die Taschen mit Brot und Käse füllte.

An Abenden wie diesem war ich nur Hintergrundmusik. Ich konnte mich ihr auf keinen Fall nähern – zwischen uns bestand eine geflüsterte Abmachung, und unsere Abschiede waren kurz und schicksalsschwer. Doch wenn ich am nächsten Morgen erwachte, war der dumpfe Schmerz in meiner Brust verschwunden. In der Ecke meines Spiegels hatte ich mit Klebeband ein Foto von ihr befestigt.

Wenn wir unter den Bäumen am Platz der Nationalen Erhebung schlenderten, gab es immer ein, zwei Leute, die sie erkannten. In den literarischen Cafés drehten die Dichter sich nach ihr um. Politiker ließen sich gern mit ihr fotografieren. Wir marschierten mit hocherhobenen Fäusten in der Maiparade. Wir nahmen an Konferenzen über das sozialistische Theater teil. Jenseits des Flusses, jenseits der Brücken standen die Kräne, wuchsen die Wohnblöcke in den Himmel. Wir fanden Schönheit in den einfachsten Dingen: in einem Straßenkehrer, der Dvořák summte, einem in eine Mauer geritzten Datum, der geplatzten Rückennaht einer Jacke, der Schlagzeile einer Zeitung. Sie trat dem slowakischen Schriftstellerverband bei, und kurz

darauf schrieb sie in einem Gedicht, das in *Rudé právo* veröffentlicht wurde, sie habe den Anfang des Fadens ihres
Liedes gefunden.

Ich las ihr aus der Steinbeck-Übersetzung vor, an der
ich mit Unterbrechungen arbeitete. «Ich will auf die Universität gehen», sagte sie und klopfte sich mit dem Buchrücken auf das Knie. Etwas in mir wusste, dass dieses Vor-
haben zum Scheitern verurteilt war. Ich stotterte. Sie saß
schweigend auf der Fensterbank und kratzte etwas Licht
in das geschwärzte Glas. Ein paar Tage später gelang es
mir, in der Universität einen Zulassungsantrag zu ergat-
tern – die Formulare waren ausgesprochen schwer zu
bekommen. Ich steckte sie ihr eines kühlen Morgens zu,
hörte aber nichts mehr davon. Nach einigen Wochen entdeckte ich sie in einer der Ritzen des Wohnwagens, durch
die der kalte Wind pfiff.

«Tja», sagte sie, «ich hab es mir anders überlegt.»

Die Aussicht, mit ihr zusammen sein zu können, gab mir
Auftrieb, doch es bestand immer die Möglichkeit, dass man
es herausfand und sie für beschmutzt, beschädigt, *marime*
erklärte. Es vergingen Wochen, in denen unsere Ärmel sich
nicht berührten, weil wir fürchteten, gesehen zu werden,
aber zwischen uns war immer eine Spannung. Wir saßen allein in der Druckerei, an das Feldbett gelehnt, das Stránský
in dem Raum im ersten Stock, bei den Zirkon-Schneidema-
schinen, aufgestellt hatte. Sie strich über die weiße Haut
auf meinen Rippen. Fuhr mir durchs Haar. Wir wussten
nicht, wo unsere Körper aufhörten und die Konsequenzen
begannen.

Andere Dinge erregten bei manchen Ältesten Unmut.
In ihren Augen wurde Zoli zu gadžo: Sie war Parteimitglied, sie verkehrte in literarischen Kreisen, sie ging ins

Kino, besuchte das Lenin-Museum und den Botanischen Garten, und einmal hatte sie sogar Logenplätze in der Symphonie. Sie nahm Conka mit. Conka weinte.

Sie versuche, sagten sie, einen halben Meter über der Erde zu leben. Man fand es noch immer unerhört, dass sie Bücher mit sich herumtrug – manche Vorurteile waren wirklich nicht aus der Welt zu schaffen. Wenn sie bei der Kumpanija war, versteckte sie einzelne Seiten im Futter ihres Mantels oder tief in den Taschen ihrer Röcke. Eines ihrer Lieblingsgedichte war ein frühes von Neruda, das ins Slowakische übersetzt worden war. Sie hatte den Band selbst gekauft, in einem Antiquariat. Sie ging dahin, mit Liebesliedern auf den Hüften, und ich lernte ganze Gedichte auswendig, damit ich sie ihr zuflüstern konnte, wenn wir einen Augenblick ungestört waren. In den anderen Geheimtaschen ihres Mantels waren Gedichte von Krasko, Lorca, Whitman, Seifert, ja sogar von Tatarka. Wenn sie in der Druckerei, wo man einander vorlas, den Mantel auszog und auf den Boden fallen ließ, wirkte sie mit einem Mal viel schlanker.

Der Winter brach herein, und die Zigeuner zogen nicht weiter. Es war eine Jahreszeit, die ich nicht begriff, so sehr ich mich auch mühte. Das Tonbandgerät fror ein. Die Spulen bekamen Sprünge. Auf dem Mikrofon war eine Eisschicht. Meine Schuhe füllten sich mit Frost, und das Blut wich aus den Fingerspitzen. Zoli begab sich nur in meine Gesellschaft, wenn andere dabei waren – wir konnten es nicht riskieren, zu oft miteinander gesehen zu werden.

Ich fuhr mit dem Zug zurück nach Bratislava. Im Bahnhof blieb ich unter einem Lautsprecher stehen und lauschte auf den Klang der Stimme. Bei meinem Bücherregal fühlte ich mich wohler als mit den Füßen von Wašengos Kindern in meinen Rippen, doch nach einigen Tagen wurde das Verlangen, Zoli zu sehen, wieder übermächtig, und ich zog los, Tonbandgerät und Mikrofon im Rucksack. Sie lächelte und berührte meine Hand. Ein Kind kam um die Ecke des Wohnwagens, und sie fuhr zurück. Ich schlenderte durch das winterliche Lager. Verrostete Schrottteile. Kabelstücke. Verbeulte Benzinfässer. Abgenagte Knochen. Durchlöcherte Konservendosen. Wagendeichseln. Berge von verlorenen Dingen. Conka fand ein Tuch mit einem Muster aus rosaroten Rosen. In zahlreiche Decken gehüllt saß sie auf den Stufen ihres Wagens, das Gesicht vor Kälte verzerrt. Sie sah schmal und verbittert aus. Die Männer standen herum, als warteten sie darauf, dass ihren Pferden etwas aus dem Maul fiele. Ich wünschte mir nichts sehnlicher, als Zoli in die Stadt mitzunehmen, sie in einer Wohnung unterzubringen, sie schreiben zu lassen, sie zu meiner Frau zu machen, aber es war unmöglich – es gefiel ihr hier am Ufer des Flusses, sie war daran gewöhnt; Licht und Schatten des Lagerlebens liefen für sie auf dasselbe hinaus.

Graco, Wašengos ältester Sohn, rempelte mich an. Er war jünger als ich, noch keine zwanzig.

«Und? Wie geht's dem Engländer? Na, wie geht's ihm, hm?»

Der erste Schlag war ein ungezielter Schwinger. Großes Gelächter. Ich wich zurück. Ein Jab, dann ein Haken. Schließlich stand ich an einem Zaun und spürte den Draht an Beinen und Rücken. Ich deckte mein Gesicht mit den Händen und schloss die Augen. Mein ganzer Körper wurde bearbeitet. Ich sah durch die Finger, ein paar Pünktchen schwebten in der Luft wie Ascheflocken. Ich stieß

mich vom Zaun ab und überraschte Graco mit einem Kinn-
haken, bei dem seine nackten Füße für einen Augenblick
vom Boden abhoben. Meine Fingerknöchel knackten.
Zuschauer umringten uns. Conka stand im Hintergrund,
neben ihrem Mann. Er hob die Hand an den Mund und
schrie. Ein weiterer schneller Schlag von Graco, und es
summte in meinen Ohren – ein hohes, widerwärtiges Sir-
ren. Vage nahm ich all die Männer wahr, die sich um uns
drängten. Meinem zweiten Jab wich Graco aus, und ich
stolperte und fiel. Er lächelte auf mich herab – für ihn
schien dieser Kampf etwas Majestätisches, Intimes zu sein.
Es gefiel ihm, gegen einen Engländer zu kämpfen, für ihn
war es ein reiner Spaß. So klein er auch sein mochte, war
er doch überall zugleich. «Steh auf!» Ein Jab. Ein linker
Haken. Ein weiterer Schrei. «Steh auf, Arschgesicht.» Er
warf mit einer ruckartigen Kopfbewegung die Locken aus
der Stirn. Wieder spürte ich den Zaun im Rücken, lehnte
mich dagegen und hielt die Hände vor das Gesicht. Blut
rann mir über die Finger. Eine Art Melancholie schien sich
über Graco gelegt zu haben – es war, als schlüge er einen
Baum. Er fuhr fort, auf mich einzudreschen, und die Rufe
veränderten sich: Jubelschreie von den Kindern, während
die Erwachsenen nunmehr still waren, wie geistesabwesend. Conka stand noch immer neben ihrem Mann, ein leises Grinsen im Gesicht. Gracos Faust erwischte mich mit
voller Wucht und riss meinen Kopf herum. Aus dem Ring
der Zuschauer schnellte ein Stiefel vor und traf mich am
Kinn. «Du und deine bleichen Eier!» Noch ein Stiefel. Ein
Tritt traf meine Rippen. Und dann merkte ich, dass ich
um mein Leben kämpfte. Ich kroch rückwärts über den
gefrorenen Boden, das Schreien und Rufen verschmolz
zu einem einzigen Ton, doch dann hörte ich ihre Stimme,

leise, aber erregt, und sie schob sich, ein paar Haarsträhnen zwischen den Zähnen, durch den Kreis der Männer und stieß Graco zurück. Ich war erschöpft, ich verspürte kein Verlangen mehr; ich stand da, das Blut lief mir in die Augen, und mir dämmerte, dass auch Zoli die ganze Zeit zugesehen hatte.

Sie beugte sich zu mir herunter, drückte ihr Tuch auf mein Auge, um das Blut zu stillen, und sagte: «Sie wollen sich nur warm halten, Swann, das ist alles.»

Anfangs erschienen die Veränderungen unbedeutend: die ausweichenden Blicke, die eingezogenen Köpfe, die neuen Gucklöcher in den Türen, die verdunkelten Fenster. Es war ein kleiner Preis, den man zu zahlen hatte. Ein paar Vorkommnisse hier und da. Stránský verglich sie mit Regentropfen. Man streckte die Hand aus, und plötzlich waren da Tropfen, beinahe schön zunächst. Doch nach und nach wurde aus den einzelnen Tropfen ein leichter Regen, und dann begannen die Tropfen miteinander zu verschmelzen, und wir sahen schweigend zu, wie das Wasser herabströmte. Wir sprachen nur im Freien darüber, am Flussufer oder in einem geliehenen Wagen. Auf den Straßen sah man immer mehr Gefangenentransporte. Bald hörten wir von Tänzern, die Gräben aushoben, von Professoren, die Kuhställe ausmisteten, von Philosophen, die Pappkartons falteten, von Ladeninhabern, die auf dem Bauch in Straßengräben lagen, von Dichtern, die in Waffenfabriken arbeiteten. Wegweiser wurden entfernt, Straßen umbenannt. Es regnete in Strömen, wir verkrochen uns – und doch war es unser eigener Regen, wir hatten ihn gemacht, und er versprach reiche Ernte, also ließen wir es regnen. So viel war schon für die Revolution geopfert worden. Wir waren nicht bereit, uns der Verzweiflung hinzugeben, weil die Dinge nicht so liefen, wie sie sollten. Es war wie ein Verlangen.

«Gehst du mit ihr ins Bett, Swann?», fragte Stránský mich eines Abends im Café Pelikan. Es roch nach alten Mänteln. Ich sah von einem Tisch zum anderen, sah die grauen Gesichter, die uns, die einander beobachteten. Die Wahrheit war, dass niemand mit ihr ins Bett ging, und Stránský wusste es.

«Das geht dich nichts an», sagte ich.

Er lachte sein müdes Lachen und hob das Glas.

Ich ging hinaus und war überrascht, in die Linse eines Fotoapparats zu sehen, die durch das Fenster eines schwarzen Tatra auf mich gerichtet war.

Die Dunkelheit stieg auf, als entströmte sie dem Kopfsteinpflaster.

In Zolis Kumpanija betrafen die ersten Veränderungen Wuwudžy, einen jungen Mann, der immer wieder seine Hand an einen Baum nagelte. Er war schizophren, ein klinischer Fall. Die Sippen hielten zusammen, und jeder liebte Wuwudžy. Alle paar Stunden wurde sein Verband gewechselt. Zoli brachte ihm Bonbons aus der Stadt mit und flüsterte ihm Gutenachtgeschichten ins Ohr. Beim Klang ihrer Stimme wiegte er sich vor und zurück. Stellte man fest, dass er wieder einmal verschwunden war, wurde auf Kochtöpfen Alarm geschlagen, und die Frauen schwärmten in den Wald aus und suchten ihn. Wenn man ihn fand, war er oft dabei, sich einen Nagel durch die Hand zu schlagen. Er schrie nie, nicht einmal, wenn die Wunde mit heißen Breiumschlägen behandelt wurde.

Während eines herbstlichen Regengusses hielt ein Wagen mit einer hochgewachsenen, blonden Krankenschwester bei den Wohnwagen am Waldrand. Als sie ausstieg, versank sie bis zu den Knöcheln im Schlamm. Sie schrie um Hilfe, und so trug man sie mit viel Aufwand und Palaver zu einem der Wohnwagen. Sie war so verschreckt, dass sie den Tränen nahe schien. Man gab ihr heißen Tee und reinigte ihre Schuhe. Sie klappte ihre Handtasche auf. Eine Blechmarke wies sie als Mitarbeiterin des Gesundheitsamts aus. Sie entfaltete ein Blatt Papier und hielt es jemandem unter die Nase. Man holte Zoli.

«Das ist ein Irrtum», sagte sie. «Das muss ein Irrtum sein.»

«Es ist kein Irrtum, Bürgerin. Können Sie nicht lesen?»

«Ich kann lesen.»

«Dann müssen Sie tun, was da steht.»

Zoli stand auf, zerriss das Papier in kleine Fetzen und drückte sie der Frau in die Hand. Es war eine Anordnung, Wuwudžy in die nächste Irrenanstalt zu bringen.

«Bitte gehen Sie», sagte Zoli.

«Händigen Sie mir den Jungen aus, und es gibt keine Probleme.»

Zoli spuckte der Frau vor die Füße. Geflüster durchlief den Wohnwagen. Die Frau erbleichte, packte Zoli so fest am Arm, dass ihre Nägel sich in die Haut gruben, und sagte: «Das Kind braucht ärztliche Behandlung.»

Zoli schlug sie zweimal ins Gesicht. Beifallsrufe erklangen.

Zwei Stunden später war die Miliz da, doch die Zigeuner waren spurlos verschwunden.

Stránský liebte diese Geschichte – die Milizionäre, die mit einem Haftbefehl gegen Zoli in der Druckerei erschienen, erzählten uns alles –, und ich musste zugeben, dass sie mir ebenfalls gefiel. Doch wir hatten keine Ahnung, wie wir die Kumpanija finden sollten. Wir suchten nach ihr, hörten aber nicht einmal Gerüchte.

Ohne Zoli waren die Tage erfüllt von Düsterkeit und quälender Rastlosigkeit. Über der Donau stritten Möwenschwärme. Ich arbeitete in der Druckerei, nahm an einer Konferenz über russische Typografie teil, saß in meinem Zimmer und las Majakowski, Dreiser, Larkin.

Zwei Monate später, an einem Tag mit schräg einfallendem Sonnenlicht, war Zoli wieder da. Sie hatte sich verändert, wirkte wund – es ging mir zu Herzen. Sie stand in der Druckerei, inmitten des Summens und Klingens der Maschinen, und sog den Geruch von Lagerfett und Druckerschwärze ein. Ich eilte zu ihr und wollte sie begrüßen, doch sie wandte sich ab.

«Wo warst du?», rief Stránský von der Treppe.

«Da und dort», sagte sie.

Er wiederholte es, ging leise lachend die Treppe hinauf und ließ uns allein.

Sie richtete sich hoch auf, trat an die Kiste, in der die zerbrochenen Lettern landeten, suchte die spiegelverkehrten Buchstaben, die sie brauchte, heraus und setzte sie zu einem Gedicht zusammen, das sie sich ausgedacht hatte – *Mein Grab versteckt sich vor mir* –, ein kurzes, hellleuchtendes Gedicht, in dem sie sagte, sie fühle sich wie Holz, das in einem Baum eingesperrt sei. Sie legte das Satzschiff auf den Tresen und presste die Hände auf das harte Metall. Sie sagte, sie könne Wuwudžy noch immer in den Händen spüren; er sei an einer Grippe gestorben, die er an dem Abend bekommen habe, als man das Lager abgebrochen habe.

«Sie haben ihn umgebracht, Stephen.»

«Sei vorsichtig, Zoli», sagte ich und blickte mich um.

«Ich weiß nicht, was vorsichtig sein soll», sagte sie. «Was soll vorsichtig heißen? Warum soll ich vorsichtig sein?»

«Hast du die Zeitungen gelesen?»

In ihrer Abwesenheit war Zoli zu etwas wie einer Kultfigur geworden. Der Kulturminister höchstpersönlich hatte den Haftbefehl zerrissen. Ein neuer Tag breche an, hatte er gesagt, und dieser gehöre auch dem Volk der Roma. Zoli war das Thema einer ganzen Serie von Leitartikeln, in denen stand, sie habe mit Worten die alte Welt gezeichnet, damit diese sich endlich ändern könne. Man sah sie als Heldin, als Vorbotin einer ganzen Welle von Romani-Intellektuellen. Eines ihrer Gedichte war in einem Universitätsjournal aus Prag abgedruckt worden. Die Aufnahmen mit ihren Liedern wurden wieder im Radio gespielt. Je weiter sie sich entfernt hatte, desto größer war sie geworden. In Regierungskreisen wurde darüber gesprochen, dass man den Zigeunern erlauben wolle, ihr rastloses Leben aufzugeben. Sie sollten sich in vom Staat erbauten Häusern niederlassen und vollkommen frei über ihr Leben bestimmen dürfen. Dass sie irgendwo im Wald lebten, erschien den Vertretern der reinen Lehre bizarr und rückständig, ja geradezu bürgerlich. Warum sollten sie weiterhin gezwungen sein, über Land zu ziehen? Die Zeitungen schrieben, die Zigeuner sollten von der Mühsal des primitiven Lebens erlöst werden. Zigeuner am Lagerfeuer werde es nur noch im Theater geben.

«Man will es uns *erlauben*?» Das Lachen blieb ihr im Hals stecken.

Sie hob eine Taubenfeder auf und ließ sie zu Boden taumeln. «Die *Mühsal des primitiven Lebens*?» Mir schoss es heiß durchs Rückgrat. Mit einem Bündel Papier unter dem Arm ging sie hinaus. Ein Stück die Straße hinunter stieg sie auf einen Pferdewagen. Sie ließ die Zügel klatschen, das Pferd bäumte sich auf und setzte sich mit klapperndem Huftritt in Bewegung.

Ich ging allein an der Donau entlang. Ein Soldat mit einem Megafon befahl mir, mich vom Ufer fernzuhalten. Jenseits des Flusses, in der Ferne, war Österreich. Und irgendwo dahinter lagen Frankreich, der Ärmelkanal, England und der Ruß meiner Kindheit. Vor neun Jahren war ich voller Erregung und Erwartung in die Tschechoslowakei gekommen. Inzwischen hatte jemand sich den Schwung meiner Schritte geborgt. Das spürte ich an meinem Gang. Das Vertrauen in die Revolution und der klare, unverstellte Blick auf die Welt schienen mir zu entgleiten, und doch hielt ich es für unmöglich, dass eine Zeit kommen könnte, da sie ganz und gar verschwinden würden.

Am südlichen Stadtrand jenseits des Flusses funkelten die Lichter der Wohnblocks und erloschen. Die Straßen waren kalt und ausgestorben, und rätselhaft war nur, warum ich etwas anderes erwartete.

«Sei nicht eingeschnappt», sagte Stránský, als ich in die Druckerei zurückkehrte. «Sie erwacht gerade erst zum Leben. Du wirst sehen – sie tut noch etwas, was uns alle verblüffen wird.»

In jenem Sommer 1957 war das Haus bei Budermice einer der wenigen Orte, wo wir Zoli sahen. Es war ein ehemaliges Gutshaus, das in einer Parklandschaft am Fuß der Kleinen Karpaten lag und dem slowakischen Schriftstellerverband gehörte. Die Zufahrt war von Kastanien gesäumt und mündete in ein Rondell vor einer imposanten

Marmortreppe. Mehrere Räume im Obergeschoss waren verschlossen, die meisten Zimmer voller Staub. Das alte Mobiliar hatten die Verbandsmitglieder verheizt – zu imperialistisch, zu bürgerlich –, und nun war das Haus mit Plastikstühlen, laminatbeschichteten Tresen und riesigen russischen Drucken eingerichtet. Es war Stránský gelungen, das Anwesen für den ganzen Sommer zu bekommen – er hasste zwar alles, was nach Vetternwirtschaft schmeckte, aber andererseits war dies eine Gelegenheit, ernsthaft kreativ zu sein. Er wollte, dass wir mit Zoli ein ganzes Buch machten – bis jetzt gab es nur dieses schmale Bändchen, und ein richtiger Gedichtband würde ihren Ruf festigen. Stránský war überzeugt, dass sie mit ihrer Vision ihr Volk aus dem Elend führen würde.

Die Rasenfläche neigte sich zu einem Bach, der durch ein Holzrohr mit dem Durchmesser eines riesigen Fasses geleitet wurde. Hier und da waren zur Bewässerung Löcher in die Wände des Rohrs gebohrt. Wasser schoss im Bogen auf den Rasen und die gepflegten Wege. Selbst an klaren Sommerabenden klang es, als regnete es.

Jeden Tag gingen sie spazieren: Zoli in ihren Röcken, dunklen Blusen und dem Kopftuch, Stránský in seinen weißen, kragenlosen Hemden, in denen er ein bisschen schwärmerisch wirkte. Sie schlenderten an den Fontänen entlang und sahen dabei aus, als vertrauten sie einander flüsternd Geheimnisse an. Sie war auf der Höhe ihrer Schaffenskraft, und gemeinsam brachten sie ihre Lieder in eine Form. Oft kam Stránský zu mir, klatschte in die Hände und rezitierte Zolis Gedichte. Ich hatte selten jemanden so engagiert gesehen, er wanderte elektrisiert durch das Haus und rief: «Ja, ja, ja, ja!» Im Speisesaal stand noch ein Steinway, eines der letzten Relikte aus der alten Zeit; nur den Namen hatte man entfernt. Stránský setzte sich auf den Hocker, klappte den lackierten Deckel auf, tippte mit dem Ringfinger auf die elfenbeinernen Tasten und äußerte sich abfällig über die leere Eleganz einer Kunst ohne Ziel. Dann spielte er augenzwinkernd die Internationale.

Eines Abends machte er einen Hechtsprung von der Treppe zum Kronleuchter, der aus der Decke riss und mit ihm zu Boden krachte. Benommen lag Stránský da.

«Verehrung ist weniger belastbar als ein Seil», sagte er und sah sich um, als wäre er überrascht.

Zoli kam und kniete sich neben ihn auf den Marmorboden. Ich beobachtete die beiden von der Galerie aus. Stránský lächelte leicht und musterte einen kleinen Schnitt in seiner Hand: In der Haut steckte ein winziger Glassplitter. Zoli nahm sein Handgelenk und drückte den Splitter ein Stück heraus. Dann sagte sie, er solle mal einen Augenblick still sein, und schob ihm die Hand in den Mund. Er saugte den Splitter aus der Wunde.

Ich ging mit lauten Schritten die Treppe hinunter. Zoli sah auf und lächelte. «Martin ist mal wieder betrunken.»

«Nein, bin ich nicht», widersprach er, griff nach ihrem Ellbogen und fiel abermals zu Boden. Ich half ihm auf und sagte, er brauche ein kaltes Bad. Er legte mir den Arm um die Schultern. Als wir halb die Treppe hinauf waren, schoss mir der Gedanke durch den Kopf, ich könnte ihn loslassen und von oben zusehen, wie er hinunterfiel.

Von unten lächelte Zoli mir zu und ging hinaus, um sich schlafen zu legen. Sie war es nicht gewöhnt, in geschlossenen Räumen zu schlafen; sie fühlte sich dort eingeengt, und darum hatte sie ihr Lager im Rosengarten aufgeschlagen. Eines Morgens ging ich in der Frühe hinaus und fand sie selig schlummernd unter der Hecke. Sie wusch sich im Bach, in einiger Entfernung vom Haus. Es war ihr unbegreiflich, wie man in stehendem Wasser ein Bad nehmen konnte. Auch Stránský ging dazu über, draußen zu baden, allerdings in einem großen Zuber, um sich ein wenig über sie lustig zu machen. Er saß singend darin, seifte sich ein, trank und lachte. Sie machte eine geringschätzige Handbewegung, ging in den Wald und kehrte mit wildem Knoblauch, essbaren Blumen und Nüssen zurück.

«Wo ist sie nur?», fragte ich Stránský eines Nachmittags.

«Zieh dir mal den Stock aus dem Hintern, junger Mann.»

«Was soll das denn heißen?»

«Sie macht einen Spaziergang. Sie braucht einen klaren Kopf. Dich braucht sie jedenfalls nicht und mich auch nicht.»

«Du bist verheiratet, Stránský.»

«Und du bist ein Philister», sagte er.

Es war ein alter Ausdruck, eigenartig und gestelzt, ein Ausdruck, den ich vor vielen Jahren aus dem Mund meines Vaters gehört hatte. Stránský hatte mich kalt erwischt. Ich trat einen Schritt zurück, und er legte mir die Hand auf die Schulter und drückte zu, gerade fest genug, um mir zu zeigen, dass er noch immer die Kraft eines jungen Mannes besaß.

Gegen Ende des Sommers kam Zolis Kumpanija. Zwanzig Wohnwagen standen auf dem Feld hinter dem Haus. Die Rücken der Pferde glänzten vor Schweiß. Ich wachte eines Morgens auf und roch den Rauch eines Lagerfeuers. Conka hatte eine frische Narbe, die vom Augenwinkel bis zum Haaransatz im Nacken reichte, und in ihrer oberen Zahnreihe klaffte eine Lücke. Im Schatten ihres

Mannes Fjodor trat sie aus dem Wohnwagen. Sie trug ein gelbes Kleid mit Federmuster, und als sie die Stufen hinuntergegangen war, bemerkte ich mit einem Mal, dass sie hinkte, und fragte mich, wie man nur den Mut aufbringen konnte, so zu leben. Ihre Brüste waren schlaff geworden, ihr Bauch wölbte sich unter dem Kleid, und für eine Sekunde glich sie einer Frau, die ich in einem anderen melancholisch stimmenden Augenblick gesehen hatte. Kinder sprangen nackt in den Fontänen herum. Die Männer hatten bereits ein paar Plastikstühle aus dem Speisesaal geholt und draußen bei den Wohnwagen aufgestellt. Zoli stand lachend mitten unter ihnen, und auch Stránský hatte sich zu ihnen begeben und trank mit Wašengo, der irgendwo einen Karton Harvey's Bristol Cream aufgetan hatte. Ein außergewöhnlicher Fund, und ich erfuhr nie, woher das Zeug stammte, aber es war Schmuggelware, und wer damit erwischt wurde, landete im Gefängnis. Die beiden tranken es bis auf den letzten Tropfen aus und wandten sich dann dem Slivovitz zu.

Die Nacht senkte sich herab wie etwas, das voll auszukosten war.

In dieser Woche sang Zoli, sie spürte den Stachel in ihrer Haut, und wir bekamen einige ihrer besten Gedichte zu hören. Stránský meinte, in ihr sei eine neue Musik, die ihm anders gegliederte Rhythmen für ihre Gedichte erschließe. Unablässig lauschte und beobachtete er. Für ihn war sie jetzt vollkommen authentisch; sie hatte sich in einer Welt erschaffen, die nicht die unsere war – als eine Dichterin, erfüllt von geheimnisvollen Stimmen, die Dinge sagten, deren Bedeutung selbst ihr manchmal ein Rätsel war. Stránský meinte, sie besitze einen schöpferischen Geist, der ihr unbemerkt wie ein Vogel von einem

Zweig zufliege und sie mit Bildern bombardiere. Bei ihr akzeptierte er Abstraktionen und Romantisierungen, die er bei anderen Dichtern verabscheute; ihr gestattete er Eigenheiten, die in seinen Augen Fehler waren, und beschränkte sich darauf, ihre Zeilen nicht auswuchern zu lassen und das, was sie sang, in Verse zu bringen.

Ich sehe es noch immer so deutlich vor mir, dass ich es malen könnte: Nachdem er den ganzen Nachmittag mit Zoli gearbeitet hat, geht Stránský zu den Wohnwagen, setzt sich zu den anderen, spielt mit Blechkarten Bl'aški und sieht in seinem schmutzigen Hemd aus, als gehöre er dazu. Und ich, ich stehe da und warte auf sie.

Ende der Woche war das Haus geplündert. Die Kumpanija hatte sich praktisch sämtliche Lebensmittel angeeignet. Der abgestürzte Kronleuchter hing in einem der Wohnwagen.

Ich fand Zoli auf einem Stuhl in einem der halb leeren Räume im Obergeschoss, ein zerknülltes Taschentuch in der Hand. Als sie mich in der Tür stehen sah, stand sie auf und sagte, es sei nichts, sie habe nur eine Erkältung, doch als sie an mir vorbeiging, strich sie mir mit den Fingern über den Arm.

«Wašengo sagt, es gibt Gerüchte», sagte sie.

«Was für Gerüchte?»

«Über Umsiedlungen. Sie wollen uns Häuser, Schulen und Krankenhäuser geben.» Sie rieb sich das träge Auge. «Sie sagen, wir seien rückständig gewesen. Jetzt seien wir ... neu. Sie sagen, es sei zu unserem Besten. Sie nennen es Gesetz Nr. 74.»

«Das ist doch bloß Gerede, Zoli.»

«Wie kommt es, dass manche Menschen immer genau wissen, was zum Besten der anderen ist?»

«Stránský?», sagte ich.

«Stránský hat nichts damit zu tun.»

«Liebst du ihn?»

Sie starrte mich an, wurde still und sah durch das Fenster hinunter in den Garten. «Nein», sagte sie dann. «Natürlich nicht.»

Von draußen erklang Gelächter. Abrupt zerriss es die Stille, hielt eine Weile an und erstarb.

Wir trafen uns früh am nächsten Nachmittag, außerhalb von Budermice, am Rad einer alten Mühle. Das Wasser des Bachs wurde durch einen Mühlkanal geleitet. Unterwegs hatte Zoli sich vergewissert, dass ihr niemand folgte. In der Tasche trug sie ein Foto eines splitternden Blitzes, eine leuchtend blaue, gezackte Linie über einer dunklen Landschaft. Sie sagte, es stamme aus einer Illustrierten, die sie gefunden habe, und habe zu einem Artikel über Mexiko gehört, und eines Tages werde sie dorthin fahren, es sei zwar weit, aber das habe sie sich vorgenommen. Wenn schließlich alles gut geworden sei, werde sie vielleicht aufbrechen und dieses Ziel verfolgen. Sie zitierte eine Zeile von Neruda über einen Sturz von einem Baum, den er noch gar nicht erklettert hatte. Sie brachte mich zur Verzweiflung: Immer schlug sie Haken, immer war alles wieder anders, immer gab sie mir das Gefühl, ich müsste nach Luft ringen. In ihrer Gegenwart war es, als wäre ich an der frischen Luft und zugleich unter Wasser.

«Stephen», sagte sie, «wenn wir kämpfen müssen, wirst du auf unserer Seite sein, nicht?»

«Natürlich.»

Sie lächelte und sah wieder wie die ganz junge Zoli aus, damals in der Druckerei: Wärme verströmend, mit entspannten Schultern und strahlendem Gesicht. Sie trat zu mir, legte meine Hände auf die Wölbung ihrer Hüften. Sie lehnte an einem Baum, unsere Füße glitten durch das dürre Laub, das Haar hing ihr ins Gesicht, sie war wie aufgelöst.

Es gibt immer bestimmte Augenblicke, zu denen wir zurückkehren. Wir existieren in ihnen. Wir ruhen uns in ihnen aus, und dann gibt es nichts anderes mehr.

Spät in jener Nacht schliefen wir in einem der hohen, leeren Räume des Hauses noch einmal miteinander. Ein weißes Laken nahm die Abdrücke unserer Körper auf. Ein Schweißtropfen rann von meiner Stirn über ihre Wange. Als sie mich verließ, legte sie den Finger an die Lippen. Am Morgen sehnte ich mich so sehr nach ihr, dass es schmerzte. Ich hatte nicht gewusst, dass es das gab – es war ein Schmerz, der mir die Brust einschnürte. Aber wir durften nicht zusammen gesehen werden – die Kluft musste bestehen bleiben. Ich fühlte mich, als würde ich von einer Klippe stürzen: vollkommene Schwerelosigkeit, und dann der dumpfe Aufschlag.

«Wenn sie uns erwischen», sagte sie, «haben wir mehr Probleme, als wir uns ausmalen können.»

Ein paar Tage später kam ein Beamter vom Ministerium, ein großer, grauhaariger Bürokrat, der einen an Bleistiftspitzer denken ließ. Er saß da und starrte wütend auf die Frauen, die in den Fontänen Wäsche wuschen. Er hatte einen Wortwechsel mit Stránský, sie sprachen mit erhobenen Stimmen. Die Haut spannte sich über den Muskeln am Hals des Beamten. Er wischte sich mit dem Ärmel die Stirn. Stránský beugte sich vor und versprühte Speicheltröpfchen. Der Beamte ging ins Haus und strich mit dem Finger über die Tasten des Flügels. Sämtliche Elfenbeinplättchen waren verschwunden. Er machte auf dem Absatz kehrt und ging.

Einige Stunden später war er wieder da, in Begleitung etlicher Milizionäre. Wašengo sprang mit einer Mistgabel aus seinem Wohnwagen und hielt sechs von ihnen in Schach. «Leg das Ding weg», bat ihn Stránský. Die Milizionäre zogen sich zurück und sahen zu, wie selbst die kleinsten Kinder Steine aufhoben. Stránský trat mit ausgebreiteten Armen zwischen die Fronten. Die Kumpanija versprach, am nächsten Tag aufzubrechen, und die Milizionäre rückten ab.

Am Morgen saß Zoli auf dem Kutschbock. Unter meinen Füßen knirschte der Kies. Sie schüttelte den Kopf, um mir zu bedeuten, ich solle mich fernhalten. In mir brannte es. Ich hätte alles, jedes Wort, jeden Gedanken hergegeben, wenn ich noch einmal mit ihr die Treppe des alten Gutshauses hätte hinaufgehen können, doch sie wandte sich ab, und jemand gab dem Pferd die Peitsche. Hinter ihr grinste Conka hämisch. Wašengo führte die Kumpanija fort.

Ich fand Stránský auf der Freitreppe, wo er saß und die Hände an die Schläfen drückte. Mit einem Mal schien er alt und kummervoll, man sah es ihm an den Augen an. «Wir singen, Swann, aber ihr Grab ist schon geschaufelt.»

Stránský schrieb einmal, dass sich die Lebensmitte eines Menschen bei seinem Tod offenbart – bis dahin ist sein Leben unfertig. Erst das letzte Wort weist den Weg zu dem Wort, das im Zentrum steht, und zwischen den beiden entsteht ein Vers – der Tod erklärt den Menschen. Stránský gehörte zu jenen Menschen, die immer irgendetwas tun, das ihnen den Boden unter den Füßen wegzieht. Er war bereits seit langem dabei, sich unsichtbar zu machen, war unzufrieden mit der Art, wie die Dinge sich entwickelten. Zwar hatte er Stalin nicht gerade verehrt, doch sein Tod setzte ihm zu. Der Parteitag hatte ihm Auftrieb gegeben, aber dann waren die Ereignisse in Ungarn 1956 gekommen: Panzer rollten nach Süden, und in der Tschechoslowakei gab es eine neue Serie von Schauprozessen. Im Tatra Hotel klopfte Stránský mit seinem Ehering an die Kante einer polierten Tischplatte und hielt einen langen Vortrag über das Leben am Rand der Gesellschaft. Eine Prager Literaturzeitschrift druckte ein Gedicht, in dem er schrieb, er habe keine Lust mehr, sich mit rotem Krepppapier über die Lippen zu reiben, und meinte damit wohl: Je mehr Macht die Menschen haben, desto mehr verachten sie jene, die ihnen zu dieser Macht verholfen haben. Das Land hatte sich verändert, es war ins Stocken geraten und hatte den Schwung verloren. Angesichts der Schwere unserer Wunden versagten die Heilmittel.

Stránskýs alte politische Weggefährten besuchten ihn nicht mehr, und im Kulturministerium ließ man ihn in Vorzimmern schmoren. Er hielt keine Vorträge mehr in Hörsälen, Klubs oder ländlichen Kulturhäusern. Er betrank sich in der Druckerei.

«Ich sage dir: Es ist der Wodka, der mich trinkt – aber in meiner Flasche sind noch zwei Fingerbreit.»

Er breitete die Arme aus.

«Alkohol als Biografie.»

Er leerte die Flasche.

Im Frühwinter 1958 verließ Elena ihn. Die Ehe war bereits seit einiger Zeit in der Krise gewesen – er hatte den Verdacht, dass er zu einer Figur in ihren Cartoons geworden war: ein kleiner dicker Mann mit einem tiefen Groll.

Ich fand ihn in einer Ecke der Druckerei, gerahmt von einem Fenster. Noch nie hatte ich ihn so schweigsam erlebt. Er hatte mit der Faust gegen eine Wand geschlagen. Auf dem Verband waren Flecke von Druckerschwärze.

Er drückte seine Zigarette auf dem Stoff aus und zeigte auf zwei Männer, die auf der Straße auf und ab gingen.

In den nächsten Wochen wurde Stránský hager und hohläugig. Er wanderte rastlos durch die Druckerei und schnitt sich an Papierkanten. Die Schnitte hielten ihn so wach, dass er arbeiten konnte. Manchmal schnippte er am Fingernagel ein Streichholz an und atmete die Schwefeldämpfe ein. Seine neuen Gedichte zeigte er niemandem, und wir fragten ihn nicht danach – es war besser so. Ich ging ihm aus dem Weg. Es war nur eine Frage der Zeit. Er ließ mich davontreiben, das war sein Geschenk an mich: Er wollte mich nicht mit sich ins Verderben reißen. Die Stunden vergingen, wie Stunden eben vergehen, und doch erschienen sie mir länger als je zuvor. Ich stürzte mich in die Arbeit und entwarf zusammen mit anderen Künstlern Plakate. Auf der Zephir-Maschine konnte ich sie allein und ohne fremde Hilfe in wenigen Stunden vierfarbig drucken. Manchmal kam Stránský die Treppe herunter und trat auf die frischgedruckten Plakate. Dann kehrte er wieder nach oben zurück und hinterließ farbige Fußspuren.

Er bearbeitete noch immer Zolis Gedichte, fügte Wörter hinzu, schuf Reime, besprach die Änderungen mit ihr. Er griff diejenigen an, die sagten, ihr Werk sei wegen der darin geforderten Achtung vor der Natur bürgerlich und formalistisch, und ihr vorwarfen, sie schlage aus Schmerz Kapital. Er hielt dagegen, diese Gedichte sollten nicht mit erstaunlichen Gedanken brillieren, sondern vielmehr einen einzigen Augenblick im Leben unvergesslich machen.

Eines Donnerstags waren wir drei am Carlton Hotel verabredet. Zoli und ich standen unter der Markise vor dem Eingang, rauchten billigen Tabak und warteten auf Stránský. Zoli sah phantastisch aus: Sie trug ein leuchtend rotes Kleid, mit winzigen Perlen bestickt, die selbst dort, wo sie von ihrem Kopftuch bedeckt waren, bei jeder Bewegung im Sonnenlicht funkelten. Stránský kam nicht. Ein Grau erfüllte die Luft mit Kälte und gab einem das Gefühl, der Winter sei nicht mehr weit. Wir gingen um die Ecke und schlenderten hinunter zur Donau. Der Boden war feucht, aber Zoli schleuderte trotzdem die Schuhe von den Füßen. Sie tat das nicht sehr elegant, doch in dem Augenblick, als die Schuhe durch die Luft flogen, wirkten ihre Beine, als wären sie flüssig. Sie bückte sich, hob die Schuhe auf und hielt sie baumelnd in der rechten Hand.

«Ich bin seit Jahren nicht mehr barfuß gelaufen», sagte sie.

Ein Motorboot tuckerte den Fluss hinauf, ein Suchscheinwerfer erfasste uns. Binnen Sekunden lief Zoli nahe bei der Stelle, wo die neuen Atombunker gebaut wurden, den Uferweg hinauf, bückte sich und zog die Schuhe wieder an. Ein weiterer Scheinwerfer richtete sich auf sie. Ein Soldat erkannte sie und rief ihren Namen. Sie warf einen verzerrten Schatten, und das Kleid funkelte. Da dachte ich, dass wir den Kreisen, in denen wir gefangen waren, nie entkommen würden.

Sie flüsterte mir zu: «Stephen, wir dürfen nicht zusammen gesehen werden, ohne dass jemand dabei ist. Es steht jetzt zu viel auf dem Spiel.»

Ich glaubte ihr nicht. Ich konnte es nicht. Die Aussicht, mit leeren Händen dazustehen, machte mich benommen. Die Dunkelheit erschien mir kilometerdick.

Zu Hause schlief ich ein, zu müde, um zu träumen. Ich war noch nicht einmal dreiunddreißig.

Als über Bratislava der Morgen anbrach und es an der Tür klopfte, wusste ich, wer es war. Sechs Geheimpolizisten stellten mein Zimmer auf den Kopf. Sie kannten bereits alle Antworten auf ihre Fragen, überprüften meine Papiere und legten ein umfangreiches Dossier an. Es schien sie zu verärgern, dass mein Leben so gewöhnlich, so zahm war.

Stránský bekam keinen Schauprozess. Wegen seiner jüngsten Gedichte erklärte man ihn zum Parasiten; sein Geständnis stand in der Zeitung. Ich suchte darin nach Hinweisen auf den Mann, den ich einst verehrt hatte. Ich sah ihn in einer Zelle, wo man ihn an den auf den Rücken gefesselten Händen hochzog, und hörte das schreckliche Knirschen der ausgekugelten Schultergelenke. Gummiknüppel. Elektrobäder. Abends stellte ich mir vor, wie er an der Gefängnismauer entlangging, zitternd unter der gewaltigen Stille dessen, was aus uns allen geworden war.

Man zitierte mich ins Ministerium und zeigte mir die Zellen. Man sagte mir, von nun an würde ich wöchentlich einen Bericht über alles, was ich erfuhr, schreiben, und ich erlernte die Sprache der Uneindeutigkeit.

Zoli wurde nicht verhaftet, sondern zu einem «Gespräch» abgeholt. Ich wartete in der Nähe des Präsidiums. Als sie aus dem Gebäude trat, war ihr Gesicht eine perfekte Maske – nur zwei dunkle, senkrechte Tränenstreifen auf den Wangen verrieten sie. Man führte sie zu einem Wagen. Vor dem Beige der Ledersitze wirkte ihr Haar noch dunkler. Ich sah dem Wagen nach.

Lange Zeit hörte ich nichts von ihr. Ich suchte und konnte sie nirgends finden. Es gab Gerüchte, sie habe jedes Stück Papier in ihrer Nähe verbrannt. Manche sagten, sie sei nach Prešov gegangen und werde nicht zurückkehren. Auf der Donau trieben gelbe Blätter. Ich nahm mir ihre Gedichte vor, aber ohne Zolis Stimme, die den Worten Gestalt verlieh, schienen sie ganz anders. Die Publikation des Buches war zurückgestellt worden – Zoli musste präsent sein, damit es seine volle Wirkung entfaltete. Nach drei Monaten stand eines von Conkas Kindern vor meiner Tür, ein kleines Mädchen, das eine Nachricht für mich hatte. Diese war zuvor allerdings über drei andere Stationen gegangen, und die Kleine konnte sich nicht an den genauen Wortlaut erinnern. Ich fragte sie nach einem Brief, doch sie sah mich nur verständnislos an und fuhr sich mit den Fingern durch das Haar. In einem groben ländlichen Dialekt sagte sie, Zoli müsse mit mir sprechen, und dann rasselte sie die Namen einiger Dörfer herunter, die mich wohl zumindest in die richtige Gegend führen würden.

Ich jagte mit Stránskýs Jawa los, bis der Motor zu stottern begann. Unter einigen Wacholderbüschen hielt ich an. Ich holte ein altes Fernglas hervor und sah Zoli zu, die, umringt von einer Horde Kinder, hinter ihrem Wohnwagen stand und mit einem Violinbogen über den Rand eines Tellers aus Metall strich, sodass der Zucker darauf Muster bildete – ein altes Spiel, das ihr gefiel. Ich sah ihr zu, und es war, als hielte ich ihren Hals in der Hand, als wäre ihr Körper der Korpus, über den die an der Wölbung ihres Bauches befestigten Saiten gespannt waren, als stünde ich brusttief in ihr und wäre verloren.

Immer schneller folgten die Gerüchte aufeinander. Hätte ich alles, was ich besaß, zu Geld gemacht und ihr gegeben, es hätte nicht gereicht. Ihr Volk konnte der Schwerkraft nicht widerstehen, jener Kraft, die es unablässig hinabzog, selbst wenn man bestrebt war, es emporzuheben. Der Umschwung kam nicht mit einem Schlag, sondern nach und nach: Immer öfter hörte man von diesem Gesetz Nr. 74, vom Ende des Nomadenlebens, vom Bleiben. Manche ignorierten diese Worte. Andere begrüßten sie und sahen darin eine Gelegenheit, ihre Taschen zu füllen und sich als Zigeunerkönige titulieren zu lassen – ein Gedanke, der Zolis Leuten vollkommen fremd war.

Die entscheidenden Punkte waren Assimilation, Zugehörigkeit, ethnische Identität. Wir wollten sie einbeziehen, sie aber wollten in Ruhe gelassen werden, und die einzige Möglichkeit, uns dazu zu bewegen, bestand darin, uns ihr Leben zu zeigen. Zolis Lieder führten es uns vor Augen.

Mit dem Motorrad fuhren wir nach Osten und trafen in Žilina, Poprad, Prešov Martin, Spišská Nová Ves mit Parteifunktionären zusammen. Auf Gemeindeversammlungen sprach sie von Nation und Tradition, vom Leben nach alter Sitte, und wandte sich gegen die Assimilation. Sie habe diese Lieder nur aufgeschrieben, sagte sie, weil sie darin das alte Leben besinge. Ihre Politik war die der Straße, des Grases. Sie beugte sich über die Mikrofone. Versucht nicht, uns zu ändern. Wir sind reif genug, Bürger unseres eigenen Lebensraums. Die Parteibonzen starrten und nickten verständnislos. Indem sie schlicht sie selbst war, weckte sie in ihnen eine Erwartung: Sie sollte dem Zigeunerklischee entsprechen. Nickend begleiteten sie uns zur Tür und versicherten uns, sie stünden auf unserer Seite, aber jeder sah, dass zwischen ihnen und der Aufrichtigkeit die Angst stand. Und auch die Schönheit half uns nicht: Über mit Schlaglöchern übersäte Landstraßen knatterten

wir, durch Täler zwischen schneegekrönten Bergen, früh-
morgens, wenn in den Häusern an den Flussufern noch
kleine Lichter brannten und Schwaden von Eintagsfliegen
in der Luft tanzten. Wenn ich den Mund aufmachte, füllte
er sich mit Insekten.

Die Fahrt nahm mich mit. Eine Taubheit in den Fingern. Wenn ich auf das Motorrad stieg, schien sich der
Tag endlos vor mir zu erstrecken. Zoli packte ihre Kleider
in eine Zajdadecke, die sie auf dem Rücken trug und mit
zwei Knoten über der Brust verschnürte. Sie hatte sich
die linke Wade am Auspuffrohr verbrannt, ließ sich davon
aber nicht aufhalten. Sie legte Sauerampferblätter auf die
Wunde, und wir fuhren weiter, von Stadt zu Stadt, von
Bürgerhaus zu Bürgerhaus. Wir übernachteten bei Gadže-
Aktivisten. Sogar sie waren verstummt. Ich hatte ein flaues
Gefühl im Magen. Wir sahen Marschkapellen aus Kindern
und Jugendlichen durch die Straßen ziehen, sie trugen
rote Halstücher und riefen Parolen. Die Lautsprecher
schienen noch etwas lauter zu brüllen als sonst. Auf den
Fluren der Gemeindeverwaltungen riss Zoli ihr Gesicht
von den Wänden und steckte die Fetzen in die Tasche:
Zigeuner, ihr seid Bürger – reiht euch ein!

Einmal übernachteten wir in einem Kloster, das zu
einem Hotel umgebaut worden war. Es war heruntergen-
kommen und verwahrlost, voller Plastikblumen und billiger Drucke. Ich erwachte von den Bissen der Wanzen,
die sich in einem Winkel versteckten, wo die Tapete sich
von der Wand gelöst hatte. Am frühen Morgen läuteten
die Glocken zum Arbeitsbeginn des Personals. Ich stand
auf, wusch mir am Waschbecken im Korridor Gesicht und
Arme und bezahlte bei der dicken Frau hinter dem Tresen.
Sie saß auf einem bunten Plastikstuhl und musterte mich

mit geflissentlicher Gleichgültigkeit, setzte sich aber auf, als Zoli erschien, deren Gesicht sie in der Zeitung gesehen hatte.

Als wir das Kloster hinter uns ließen, spiegelten die Regenpfützen kleine, zitternde Bilder wider: Füße, Fenster, einen schmalen Streifen stahlgrauen Himmels. Ich hatte den sehr gewöhnlichen Gedanken, anderswo müsse es ein leichteres Leben geben. Einmal warteten wir eine ganze Stunde, bis man uns den Tank füllte. Für die Kinder auf dem Weg zur Schule war die Jawa eine Attraktion. Vor allem der Tachometer faszinierte sie. Zoli hob eins nach dem anderen auf den Sattel, damit sie so tun konnten, als führen sie Motorrad. Mit auf den Rücken geschnallten Schulranzen lachten und klatschten sie, als Zoli das Motorrad herumschob, bis der Tankwart sie schließlich verscheuchte.

Am Abend kamen wir nach Martin, einem kleinen grauen Städtchen am Fluss Vah. Man wollte uns kein Hotelzimmer geben, bis Zoli ihren Parteiausweis hervorholte, und selbst dann hieß es, es sei nur ein einziges Zimmer mit vier Betten im obersten Stockwerk frei. Zoli betrat ein Zimmer in einer oberen Etage nur dann, wenn sie ganz sicher war, dass sich in den Räumen unter ihr kein Roma-Mann befand – in manchen Dingen hielt sie sich an die alten Gesetze, nach denen es möglich war, dass eine Frau einen Mann beschmutzte, wenn sie über ihn hinwegging. Mit der Andeutung, sie könne den Mann am Empfang mit einem Fluch belegen, gelang es ihr schließlich, ein Zimmer im Erdgeschoss zu bekommen: Er erbleichte, schlurfte eilig davon und kehrte Sekunden später mit dem Schlüssel zurück. Es war ein Trick, den Zoli nur im äußersten Notfall anwendete. Sie warf ihr Bündel auf die weiche

Matratze, und dann gingen wir zu unserem Treffen mit den örtlichen Funktionären: drei Kulturinspektoren, die früher Priester gewesen waren.

Zoli wollte sich gegen die Flut stemmen, die sie und ihr Volk zu überrollen drohte, aber das Gesetz Nr. 74 war jetzt in aller Munde, und allgemein fand man, dass auch die Zigeuner staatlicher Verwaltung unterstanden. Zoli bat und flehte, doch die Funktionäre lächelten nur nervös und malten auf ihren Notizblöcken herum.

«Ich scheiße auf euch», sagte sie zu ihnen, dann ging sie hinaus auf den Hof, setzte sich und stützte den Kopf in die Hände. «Soll ich ihnen vielleicht ein Lied singen, Swann?» Sie spuckte aus. «Soll ich meine Armreifen klirren lassen?»

Auf dem Markt stieß sie auf eine Roma-Familie, der man die Sägemühle, in der sie untergekommen war, über dem Kopf angezündet hatte. Zoli nahm sie mit ins Hotel – es waren elf oder zwölf Personen, die Kinder nicht gerechnet – und versprach dem Mann am Empfang, sie würden morgen in aller Frühe wieder aufbrechen. Ihm klappte zwar die Kinnlade herunter, aber er ließ sie bleiben. Im Zimmer spannte ich neben einem der Betten eine Schnur und hängte ein Laken darüber. Ich wollte meine Sachen nehmen und gehen, damit sie das Zimmer für sich allein hatten, aber davon wollten weder Zoli noch die anderen etwas wissen. Die Frauen und Kinder kicherten, als ich mich auszog.

Der behelfsmäßige Vorhang verrutschte ein wenig, und ich sah, wie sie sich in der Mitte des Raums zusammensetzten und in einem Dialekt unterhielten, den ich nicht verstand. Wie es schien, sprachen sie über Brandstiftung.

Ich erwachte vor dem Morgengrauen und sah Zoli aus dem Fenster klettern. Die anderen waren bereits verschwunden. Als sie zurückkehrte, hielt sie ein Tuch in der Hand, das sie anscheinend durch das taufeuchte Gras gezogen hatte. Sie entzündete eine Kerze, stellte sie in den Aschenbecher und legte die Hand um die Flamme, damit das Licht mich nicht weckte. Dann beugte sie sich vor, ließ ihr Haar über den Kopf nach vorn fallen und wickelte es fest in das nasse Tuch. Anschließend kämmte sie es sorgfältig mit einem Holzkamm und flocht es zu Zöpfen, die sie aufsteckte. Schatten sprangen über die Zimmerdecke. Zoli schlüpfte in das Bett, das am weitesten von meinem entfernt stand.

Als ich zu ihr ging, rührte sie sich nicht. Sie kehrte mir den Rücken zu, ihr Nacken war entblößt. Die Kerze flackerte in der Zugluft. Ich durfte den Arm um ihre Taille legen. Sie sagte, es gebe viele Dinge, die ihr fehlten, nicht zuletzt eine dünne Stimme aus der Tiefe unter dem Eis. Ich schmiegte mich an sie und küsste ihren Nacken. Ihr Haar roch nach Gras.

«Heirate mich», sagte ich.

«Was?», sagte sie in Richtung Fenster, und es war keine Frage, kein Ausruf, sondern nur ein weiteres unergründliches Wort.

«Du hast mich verstanden.»

Sie drehte sich um und blickte an mir vorbei ins Leere.

«Haben wir denn nicht schon genug verloren?», sagte sie.

Sie drehte sich um und küsste mich sanft, während sie das Fallbeil ein letztes Mal herabsausen ließ, und ich war ihr dankbar, dass sie so lange damit gewartet hatte. Es war ein einziger Satz, aber er traf mich wie ein Hammerschlag.

Sie hatte zwischen uns eine Linie gezogen, die ich niemals würde überschreiten können.

Sie stand auf und sammelte ihre Sachen zusammen. Als sie hinausgegangen war, schlug ich mit der Faust gegen die Wand und hörte einen Knöchel knacken.

Sie wartete draußen. Ich musste sie in eine weitere Stadt fahren. Sie lächelte, als sie das Tuch sah, mit dem ich meine Hand umwickelt hatte, und für einen kurzen Augenblick hasste ich sie und die Kargheit, die sie in ihr Leben hatte Einzug halten lassen.

«Nimm die Straße über die Berge», bat sie, «ich kann diese Tunnel nicht ertragen.»

Und doch waren wir bereits in einem Tunnel, das wussten wir, und vielleicht waren wir schon immer darin gewesen. Wir waren mit voller Geschwindigkeit in die schwarze Öffnung gefahren, hatten in der plötzlichen Kälte kurz das Gas weggenommen, dann aber wieder beschleunigt und uns gegen den Fahrtwind gestemmt. Wir hatten einen Funken gesehen, ein größer werdendes Lichtpünktchen, und je länger wir durch die Finsternis fuhren, desto heller, leuchtender, blendender wurde das Licht, und wir duckten uns über den Lenker, bis wir schließlich das Ende des Tunnels erreicht hatten. Wir jagten auf dem Motorrad ins Licht der Sonne, waren geblendet und wie betäubt und blieben es für eine Weile, bis unsere Augen sich an das Licht gewöhnt hatten und wir die Dinge erkennen konnten: Ringsum lagen kleine Steine und zwischen den kleinen Steinen große, und zwischen den großen lag Abfall, und in dem Abfall standen kleine graue Häuser und dazwischen Gruppen grauer Männer und Frauen, eine große Wüstenei, bevölkert von grauen Menschen – von uns. Doch anstatt den Mut sinken zu lassen, schlossen wir erneut die Augen und fuhren in eine weitere Finsternis, einen weiteren Tunnel, in dem Glauben, dass uns ein noch helleres Licht erwartete und dass uns nichts von unserem Weg abbringen würde, und mit diesem Glauben verhielt es sich wie mit beinahe jedem anderen: Er war uns kostbarer als die Wahrheit.

Was soll man dazu sagen?

Stránskýs letzte Worte vor dem Erschießungskommando: «Kommt näher, dann ist es leichter.»

Die Naben bestanden aus Ulmenholz, die Speichen hauptsächlich aus Eiche. Die Felgen waren aus gebogenen Eschenholzstücken zusammengesetzt, mit starken Stiften verbunden und mit Eisenreifen eingefasst. Viele waren bemalt, manche sehr mitgenommen und verschrammt. Einige wurden von Draht zusammengehalten. Da und dort hatte sich das Holz durch Feuchtigkeit geworfen. Andere waren nach Jahrzehnten noch wie neu. Sie wurden von Flussufern herbeigeholt, aus tiefen Wäldern, von Feldern, Dorfrändern, langen, menschenleeren Alleen. Es waren Tausende. Man zertrümmerte sie mit Vorschlaghämmern, mit Baumsägen, Brech- und Montiereisen, Schlegeln, Pressluftbohrern, Messern, Schneidbrennern, ja sogar mit Gewehrkugeln, wenn der Ärger sich Bahn brach. Man fuhr sie zu Güterbahnhöfen, volkseigenen Fabriken, Müllplätzen und Zuckerfabriken, meist aber auf irgendein unkrautüberwuchertes Feld hinter irgendeiner Polizeiwache, wo sie ein letztes Mal registriert und nach gewissenhafter Dokumentation in Brand gesteckt wurden. Die Milizionäre arbeiteten in Schichten. Schaulustige fanden sich ein, manche brachten Stühle mit. An den bitterkalten Nachmittagen machten Arbeiter vorzeitig Feierabend, um die zischenden, wispernden Feuer zu sehen. Manchmal platzten knallend und in rascher Folge irgendwelche Blasen. Funken stoben auf. Gummi fing Feuer und ließ die Flammen auflodern. Die eisernen Reifen glühten, die Nägel schmolzen. Wenn das Feuer herunterbrannte, goss man Paraffin hinein. Manche jubelten und tranken Wodka aus Flaschen und Čuču aus Einmachgläsern. Polizisten sahen schweigend zu, wie Ascheflöckchen sich in die Luft erhoben. Milizoffiziere beugten sich vor und entzündeten ihre Zigaretten an der Glut. Lehrer führten ihre Klassen zu den Feuern. Einige Kinder weinten. In den Tagen darauf brachen Horden von Beamten in Personen- und Geländewagen aus Košice, Bratislava, Brno, Trnava, Šariš, Pobedim auf, um den Vollzug des Gesetzes Nr. 74 zu überprüfen. Das Ganze hatte nur drei Tage gedauert – ein unglaublicher Erfolg, hieß es in den Zeitungen und im Radio. Wir waren großzügig, anständig, sozialistisch. Wir hatten ihre Fortbewegungsmittel zerstört.

Die Pferde wurden natürlich beschlagnahmt und zu volkseigenen Landwirtschaftsbetrieben gebracht. Viele waren allerdings zu alt und schwach und taugten nur noch für den Abdecker.

Ich wankte durch die Nebenstraßen und Gassen von Bratislava. In meiner hinteren Hosentasche steckte eine zusammengefaltete Ausgabe der *Rudé právo*. Ich wusste, dass es eine Syntax der Körperhaltung gab, und hütete mich, den Milizionären zu viel über mich zu verraten. Ich blieb zu Hause und verhängte das Fenster mit Hemden.

Zolis Kumpanija hatte sich in einem Wald unweit von Bratislava versteckt und versuchte zu fliehen, wurde aber gestellt und in die Stadt gebracht. Es hieß, dies sei das

Ende des Nomadenlebens. Die Straßen waren voller Sippen, die in die Stadt ziehen mussten. Die Frauen gingen in der Mitte, die Männer rechts und links. Lange Kolonnen von Wagen. Knurrende Hunde sorgten dafür, dass niemand floh. Man trieb die Zigeuner auf die Felder bei den neuen Wohnblocks. Die Milizionäre zogen ab, und an ihrer Stelle erschienen mit Papieren wedelnde Beamte. Man entlauste die Kinder in der Badeanstalt, ließ sie in einer Reihe antreten und impfte sie. Reden wurden gehalten. Unsere Brüder und Schwestern. Das wahre Proletariat. Historische Notwendigkeit. Der Sieg ist unser. Anbruch eines neuen Zeitalters.

Fahnen wurden aufgezogen. Musikkapellen spielten Märsche, als die Männer und Frauen von Zolis Kumpanija zum Gemeindezentrum geführt wurden. Von nun an würden sie in den Wohnblocks leben. Sie waren das triumphale Sinnbild für das, was wir geworden waren. Sie waren zu beneiden.

Ich saß allein in meinem Zimmer und hörte die Berichte im Radio: Ernst und pathetisch sprach man von der Rettung der Zigeuner, vom großen Schritt nach vorn. Man hatte sie für immer von den Fesseln der Rückständigkeit befreit. Im Nachtprogramm wurde eines von Zolis Gedichten vorgelesen. Mir fehlte der Mut, den Apparat auszuschalten.

Ich ging hinaus, riss den Bremszug des Motorrads ab, öffnete die Kette und warf sie auf die Straße. Ich ging durch die Gassen, durch den marmornen, mit Sowjetsternen verzierten Triumphbogen, strich mit den Fingern über die Flechten auf den Mauern. An den Straßenecken hingen blaue Plakate mit langen Listen der Namen derer, die Verbrechen gegen die Volksdemokratie begangen hatten. Ich starrte auf das trübe Grau der Donau. Menschen spazierten ziellos, lustlos am Ufer umher. Es war, als sähe ich einen Stummfilm: Sie bewegten die Lippen, aber man hörte nichts.

Kysely, der neue Betriebsleiter der Druckerei, war ein bösartiger kleiner Prolet. Er erwartete mich mit einem Klemmbrett in der Hand.

In einem Hemd mit schwarzem Gürtel und dem Abzeichen des slowakischen Schriftstellerverbandes ging ich die Galandrovastraße hinunter, als ich Zoli im Schatten der Druckerei hocken sah. Sie trug einen Mantel, das Kopftuch war ihr tief in die Stirn gerutscht. Ich blieb vor ihr stehen und hob mit einem Finger ihr Kinn. Sie drehte den Kopf zur Seite. Hinter uns war das mechanische Summen der Druckmaschinen.

«Wo warst du, Stephen?»

«Das Motorrad.»

«Was ist damit?»

«Es ist kaputt.»

Sie trat einen Schritt zurück, streckte die Hand aus und riss mir das Abzeichen vom Hemd.

«Ich habe versucht, zu kommen und euch zu helfen», sagte ich. «Sie haben mich angehalten, Zoli. Ich musste umkehren. Ich habe dich gesucht.»

Sie stieß die Tür zur Druckerei auf und ging hinein. Kyselys gelbliches Gesicht war schmutzig. Er trug eins von Stránskýs Hemden und starrte Zoli über die Maschinen hinweg an. «Papiere?», sagte er. Sie beachtete ihn nicht und ging zu dem Regal, in dem die Druckplatten standen, unter anderem die, mit der das Flugblatt gedruckt worden war. Zoli zog sie heraus und schmetterte sie an die Wand. Die Platte prallte zurück und blieb bei der Kiste mit den zerbrochenen Lettern liegen. Zoli hob das Abbild ihres Gesichtes auf und schlug es auf den Boden.

Kysely begann zu lachen.

Zoli sah zu ihm auf und spuckte ihm vor die Füße. Er musterte mich mit einem Lächeln, das mich vor Kälte erstarren ließ. Ich nahm ihn beiseite und sagte bittend: «Lassen Sie mich das regeln.» Er zuckte die Schultern, sagte, das werde ein Nachspiel haben, und ging auf Stránskýs farbigen Fußspuren die Treppe hinauf. Zoli stand mitten in der Druckerei. Ihre Brust hob und senkte sich.

«Die halten uns hier fest.»

«Wovon redest du?»

«Von den Wohnblocks», sagte sie.

«Das ist doch nur für kurze Zeit. Eine kurzfristige Beschränkung –»

«Was wollen sie beschränken, Stephen?»

«Es ist nur für kurze Zeit.»

«Man hat eine von deinen Aufnahmen im Radio gespielt», sagte sie. «Meine Leute haben sie gehört.»

«Ja.»

«Sie haben gehört, dass ein Buch erscheinen soll.»

«Ja.»

«Und weißt du, was sie davon halten?»

Ich spürte etwas Scharfes, Schneidendes unter dem Herzen. Ich hatte von den Gerichten und den Strafen, die sie verhängen konnten, gehört. Das Gesetz galt für alle. Und wer ausgestoßen war, blieb für immer ausgestoßen.

«Wenn ihr dieses Buch druckt, werden sie mir die Schuld geben.»

«Das können sie nicht.»

«Es wird ein Kris geben. Das Kris wird ein Urteil sprechen. Wašengo und die Ältesten. Die Schuld wird auf meinen Schultern landen. Verstehst du? Man wird alle Schuld mir geben. Und vielleicht zu Recht.»

Die Fäuste unter das Kinn gedrückt, kam sie auf mich zu und blieb stehen. Zwischen uns lagen knapp zwei Bodendielen. Sie war blass, beinahe durchscheinend.

«Druckt diese Bücher nicht.»

«Sie sind schon gedruckt.»

«Dann verbrenn sie. Bitte.»

«Das kann ich nicht.»

«Und wer soll es tun, wenn nicht du?»

Ihre Stimme schnitt mir wie ein Messer in die Haut. Ich zitterte und stammelte Erklärungen: Wir konnten das Buch nicht zurückhalten, der slowakische Schriftstellerverband würde es nicht zulassen. Kysely und ich hätten strikte Anweisungen. Man würde uns verhaften, es seien starke Kräfte am Werk. Man brauche die Gedichte, um die Kampagne zur Sesshaftmachung voranzutreiben. Zoli sei die Galionsfigur. Man brauche sie. Man brauche sie zur Rechtfertigung. Wir könnten nichts tun. Man werde die Beschlüsse bald revidieren. Es sei nur für kurze Zeit. Bald werde der Wind wieder aus einer anderen Richtung wehen. Sie solle nur abwarten.

Ich war mit meinen Argumenten am Ende und stand da, als hätte ich rings um mich einen tiefen Graben ausgehoben.

Für einen Augenblick sah Zoli so benommen aus wie ein Vogel, der gegen ein Fenster geflogen ist. Sie musterte mich von Kopf bis Fuß. Sie zupfte an ihrem langen, weiten Rock und drehte die Fußspitzen hin und her. Dann schlug sie mir einmal ins Gesicht und ging zur Tür. Als sie sie öffnete, schwang ein Käfig voll Licht über den Boden und verschwand wieder, während ihre Schritte sich entfernten. Sie hatte kein Wort mehr gesagt. In diesem Augenblick war sie vollkommen wirklich für mich – nicht mehr die Zigeunerdichterin, die ideale Staatsbürgerin, die neue Sowjetfrau, irgendein exotisches Wesen, in das man sich verlieben konnte.

Da begriff ich, was auch Stránský zu spät begriffen hatte: Wir hatten sie aus ihrer Einsamkeit gerissen, um unsere eigene nicht spüren zu müssen.

An jenem Nachmittag stand ich an der neuen Romayon-Maschine. Zolis Gedichte waren gesetzt, aber noch nicht gedruckt. Ich strich mit den Fingerspitzen über die Lettern. Spannte die Zylinder ein. Legte den Schalter um. Die Maschine lief an, spulte ihren dunklen, unablässigen Reim ab. Selbst wenn ich wollte, könnte ich heute nicht sagen, warum ich es getan habe, aber die Zapfen rasteten ein, die Walzen begannen sich zu drehen, und ich verriet Zoli.

Unter dem komplizenhaften Summen der Maschine redete ich mir ein, dass es ihr mit einem Buch, einem richtigen, gebundenen Buch vielleicht gelingen würde, ihr Volk zu retten – ihre Leute würden ihr nicht die Schuld geben und sie nicht ausstoßen; sie würde ihre Fürsprecherin sein, und wir anderen würden ihr zuhören und verstehen. Man würde ihre Gedichte in den Schulen lesen, sie würde durch das ganze Land fahren, ihre Worte würden es ihrem Volk ermöglichen, wieder über die Straßen zu ziehen, diejenigen, die sesshaft geworden waren, würden erhobenen Hauptes durch die Stadt gehen und nicht angespuckt werden, Zoli würde ihnen ihre angestammte Würde zurückgeben, alles würde sich auf schlichte, elegante Weise fügen, und uns würde man rote Bänder mit schimmernden Orden an die Brust heften.

Es ist erstaunlich, wie schrecklich Worte sein können. Keine Tat ist zu gemein, wenn sie nur einen hehren Namen hat.

Ich arbeitete, schwitzend und wie besessen. Eine Erinnerung ließ mich nicht los. Ich sah die beiden jungen Grenzsoldaten vor mir, die mich bei der Einreise festgenommen und auf die Fußsohlen geschlagen hatten. Sie saßen wartend auf einem Lastwagen. Ich war mit Stránský im Zug, und kurz bevor er sich in Bewegung setzte, hörte ich zwei Pistolenschüsse.

Am frühen Morgen waren die ersten Bogen fertig. Ich sah zu Kyselys beleuchtetem Büro hinauf. Er spähte durch die Jalousie, nickte, hob die Hand, lächelte.

Das Gewicht ihrer Gedichte in den Händen, stieg ich die Treppe hinauf zu den Schneidemaschinen.

Das alte Mobiliar des Herzens – sieh zu, wie es verbrennt. Nun liege ich hier, und mein Bein ist so weit verheilt, dass ich weiß: Es wird nie ganz verheilen. Vor ein paar Tagen, kurz nachdem man sie ausgestoßen hatte, begann ich sie zu suchen. An einem Feld bei Trnava fragte ich zwei Bauern. Sie sagten, sie hätten sie gesehen, sie sei nach Osten gegangen. Ich hatte keinen Grund, ihnen zu glauben: Der Boden, den sie bearbeiteten, gehörte nicht mehr ihnen, und meine Gegenwart machte sie nervös. Der Jüngere sprach artikuliert wie einer, der eine höhere Schulbildung genossen hat. Er murmelte etwas von «Sibirien» und dass man es vom Wipfel hoher Bäume sehen könne – ich solle nur hinaufklettern und mich überzeugen. Er stieß die Schaufel in die Erde und warf einen Klumpen über die Schulter.

Als ich weiterfuhr, dachte ich, dass ich ohne Zögern

seine Arbeit übernehmen würde: Ich würde auf einem Feld stehen, das mir nicht gehörte, und meine Schaufel tief hineinstoßen.

Ich wollte, ich könnte mit einem Gnadenakt in letzter Minute verblüffen. Aber was soll ich tun? Hier bleiben und mein Lebensmittelmarkenheft vorlesen? Eine Revolutionsoper schreiben?

Einmal fragte ich Stránský, ob es in dunklen Zeiten Musik gebe, und er antwortete, in dunklen Zeiten habe es immer Musik gegeben, denn dunkel seien die Zeiten ja meistens. Er hatte Berge verwesender Leichen gesehen, und sie hatten nicht zu ihm gesprochen.

Und doch gibt es Augenblicke, die ich benennen kann und nach denen ich mich zurücksehne. Ich sehne mich nach den hohen Bäumen, die rings um das Lager standen, nach den Tönen, die die Harfen während der Fahrt machten, nach dem Anblick der Falken über dem See, als die Kumpanija sich in Bewegung setzte. Ich sehne mich nach ihrem Anblick: Zoli in der Druckerei, wie sie zwischen den Maschinen umhergeht, mit den Fingern über einen Fleck Druckerschwärze streicht, die älteren Lieder singt, sie verändert, sie wiederherstellt. Wie sie mit zwei Fingern ihre Röcke rafft, wenn sie an einem Mann vorbeigeht, den sie nicht kennt. Ich sehne mich nach dem federnden Gang, den sie als junge Frau hatte, nach dem leisen Beben der beiden Muttermale an ihrem Halsansatz, wenn sie sang. Ich sehne mich nach dem Klang ihres drängenden, treibenden Romani, nach dem Klang des Wortes «Genosse», so voll und lebendig aus ihrem Mund, und ich sehne mich nach den Gedichten, obwohl ich sie allesamt in mir trage.

Doch nun geht es nur noch darum, zu sein, wo ich jetzt

bin. Die Zukunft wird nicht schöner werden. Ich versuche nicht, mir vorzustellen, welches Echo meine Worte finden mögen. Gestern war Kysely da, weil ich fünf Tage nicht zur Arbeit erschienen bin. Er musterte mich von oben bis unten und lächelte schmal wie immer. «Tja, Junge, das Leben ist hart, und auf dich wartet Arbeit.»

Und so nehme ich also meine Krücken und mache mich auf den Weg zur Druckerei.

Tschechoslowakei — Ungarn — Österreich
1959 bis 1960

1

Seit langem ist sie auf diesem Weg niemandem begegnet. Weingärten und endlose Kiefernwälder. Sie geht auf dem Grasstreifen zwischen den ausgefahrenen Furchen, ihre Sandalen sind durchnässt, die Füße wund. An einer leichten Biegung bleibt sie überrascht stehen. Da ist eine niedrige Mauer, und jenseits davon steht, hinter einigen jungen Bäumen, eine kleine Holzhütte. Kein Pferd. Keine Wagenspuren. Kein Rauch. Sie geht zwischen den Bäumen hindurch zur Hütte, stößt die Tür auf und späht hinein. In den Ritzen zwischen den Bodenbrettern ist dürres Wintergras. Zerbrochene Weinkisten, leere Eimer, welkes Laub. Die Tür hängt schief an hölzernen Angeln, aber das Dach ist gewölbt und wirkt solide. Es wird den schlimmsten Regen abhalten.

Auf der Schwelle, eingerahmt von Licht und Schatten, zögert Zoli einen Augenblick.

In der Ecke steht ein gesprungenes Waschbecken, darüber ist ein tropfender Wasserhahn. Sie dreht ihn auf, und aus dem Rohr dringt ein Gurgeln und Stöhnen. Sie fängt die Tropfen in der Hand auf, bis sich eine kleine Pfütze gebildet hat, und trinkt, so durstig, dass sie spürt, wie das Wasser in ihren Körper rinnt.

Sie bückt sich und zieht die Sandalen aus. Die Blasen sind geplatzt, und am meisten schmerzt es an der Grenze zwischen toter und lebender Haut. Sie stellt einen Fuß in das Waschbecken, aber das spärliche Getröpfel spült nur den Staub auf die wunden Stellen. Zoli streicht die Hautfetzen über das gerötete Fleisch, lehnt sich an die Wand und sinkt seitlich auf den kalten Boden, der ihre schmerzende Wange kühlt.

Sie schläft unruhig. Immer wieder wacht sie vom Rauschen des Regens und Brausen des Windes auf, der die Bäume schwanken, sich aufbäumen, galoppieren lässt. Das Prasseln auf dem Dach klingt wie die Trommel, die sie als Kind geschenkt bekommen hat – es ist, als läge sie jetzt darin.

Aus dem dunkelsten Winkel der Hütte hört sie etwas huschen. Eine braune Ratte mustert sie neugierig von der anderen Seite des kleinen Raums her. Zoli zischt, und die Ratte verschwindet, kehrt aber gleich darauf in Begleitung einer anderen zurück. Sie hockt sich hin und leckt ihre Vorderpfoten. Die zweite rennt los, bleibt stehen, streicht mit dem langen Schwanz über das Gesicht der ersten und beschreibt mit dem Körper einen trägen Kreisbogen. Zoli hämmert mit einer Sandale auf den Boden. Die Ratten zucken zusammen, huschen davon, sind aber gleich wieder da, und sie schlägt mit dem Schuh an den metallenen Fensterrahmen, worauf sie in der dunklen Ecke verschwinden. Zoli sammelt dürre Blätter, Stöckchen und Kistenteile, schichtet sie zeltförmig auf, lässt den Deckel ihres Feuerzeugs aufschnappen und legt die Hand um die Flamme. Vorsichtig blasend erweckt sie das Feuer zum Leben. Als die Ratten sich wieder sehen lassen, stößt sie ein paar brennende Zweige über den Boden, einen nach dem anderen – hüpfende Lichtscherben. Die Enden der Zweige verbrennen langsam und versengen die Bretter.

Sie wartet, den Kopf an die Wand gelehnt. Wie seltsam, denkt sie, dieses Verlangen, am Leben zu bleiben, ob unrein und versehrt, einfach nur aus Gewohnheit.

Am Morgen erwacht sie in Panik. Die Ratten sind nirgends zu sehen, doch zu ihren Füßen liegt frischer Kot.

Ein graues Riff aus Licht wächst rings um das Fenster. Sie sieht zu, wie ein Regentropfen vom oberen zum unteren Rand der Scheibe rinnt. Heftige Übelkeit überkommt sie. Sie drückt den Daumen an den Unterkiefer. Ihr Mund fühlt sich an, als wäre er gespalten, ihre Wange ist geschwollen. Der Schmerz schießt durch den Knochen zum Hals, zu den Schulterblättern, in ihre Arme und Finger. Sie tastet mit der Zungenspitze nach dem Zahn, schiebt und rüttelt, wartet darauf, dass die Wurzel sich löst. Der Zahn bewegt sich ein wenig, aber der Kiefer gibt ihn nicht frei. Wieder hebt sich ihr Magen, doch es kommt nichts, er ist leer. Seit drei Tagen bin ich unterwegs, denkt sie, und habe keinen Bissen gegessen.

Bei der Versammlung vor drei Tagen kam das Kris zu dem Urteil, sie sei schwach, sie habe nicht die nötige körperliche und seelische Kraft und sei für den Rest des Lebens beschmutzt durch ihre Niedertracht, durch den Verrat von Roma-Angelegenheiten an Außenstehende.

Sie fragt sich, ob sie jetzt entdeckt hat, was es bedeutet, blind zu sein: Sie sieht vor sich nichts, was sie erleben möchte, und hinter sich wenig, was das Erinnern lohnt.

Es kam so rasch, und sie nahm es ohne Widerspruch hin. Man führte sie in die Mitte des Zeltes und durchsuchte ihr Haar nach metallenen Gegenständen, die den Richterspruch unwirksam gemacht hätten. Die Richter saßen in einem Halbkreis auf Kisten und Stühlen. Fünf Petroleumlampen wurden hinter ihnen aufgehängt. Sie erhoben sich und riefen die Seelen der Ahnen an, und die Lichter flackerten, als sie, einer nach dem anderen, sprachen. Die monoton vorgetragene Anklage. Das Scharren der Füße. Das blaue Kräuseln von Tabakrauch.

Wašengo stand auf und fragte sie, ob sie verstanden habe, was man ihr zur Last lege. Er sagte, sie habe ihr Volk verraten, sie habe zu Außenstehenden über die Angelegenheiten der Roma gesprochen und Unruhe über sie gebracht. Er spuckte aus. Er wirkte wie ein Mann, der dem langsamen Verfall preisgegeben ist, wie Wasser in einer Pfütze. Zoli raffte mit zwei Fingern ihren Rock und spürte das Gewicht der in den Saum eingenähten Kieselsteine. Sie sprach von Sesshaftigkeit und Veränderung und den vertrackten Nöten der alten Zeiten, von denen sie so oft gesungen hatte, von Kesselflickern und Brunnengräbern, von Malen aus Feuer und Rauch, die die Haut spannten, von Mustern und gebrochenen Zweigen, vom Rumpeln hölzerner Räder, von Straßen und Wegweisern, von Nächten in den Bergen, von zerbrochenen Dingen, aus denen man Neues machte, von den Gadže und ihren Worten, Delegationen, Institutionen, Regeln, und sie sagte, dass sie sie missverstanden habe und dass sie die Ausbreitung der Dunkelheit beschleunigt hätten, sie sprach von Brüderlichkeit und Anstand, von Wohnblocks und dem Leben auf der Landstraße, sie sprach davon, dass die Seelen der Verstorbenen all das aufnahmen, von der Weisheit, von geflüsterten Namen und von Dingen, die nicht ausgesprochen werden durften, von ihrem Großvater, der zusah und wartete, stumm, tot, von dem, an was er geglaubt hatte, und von dem, was daraus geworden war, von Wasser, das bergauf floss, vom Lehm an den Ufern, von Schnee und spitzen Steinen und davon, dass man sie noch immer als schwarz bezeichnete, obwohl sie durch und durch weiß war.

Es war die längste Rede, die sie je gehalten hatte.

Ein Flüstern durchlief das Zelt. Während die Richter sich berieten, steckte Wašengo mit braunen Händen eine Zigarette an und betrachtete eingehend die Glut. Noch ein Husten, dann Stille. Er war derjenige, der das Urteil zu verkünden hatte. An seinen Ärmeln waren noch immer die Knöpfe aus roten Fahrradreflektoren. Er schnippte am Fingernagel ein Streichholz an, sodass es aussah, als spränge die Flamme aus seiner Hand. Eine Weile saß er da, kratzte mit einem Stock den Matsch von den Stiefeln, griff sich mit Daumen und Zeigefinger an die Nase und schnäuzte sich, dann wischte er die Hand an der Hose ab, deren Säume mit ovalen Silberknöpfen verziert waren. Schließlich erhob er sich mit angespannten Halsmuskeln und ging auf sie zu. Was er sagte, war überflüssig – sie kannte das Urteil bereits. Wašengo schlug ihr mit dem Handrücken ins Gesicht. Es war etwas Sanftes in diesem Schlag, auch wenn die Ringe ihr das Kinn zerkratzten. Sie ließ den Kopf herumfahren und legte ihn auf die Schulter.

Niemand würde je wieder mit ihr das Essen teilen. Niemand würde denselben Weg nehmen wie sie. Sollte sie irgendetwas, das ihrem Volk gehörte, berühren, so wäre es für immer verdorben und zerstört, ganz gleich, wie viel es wert war, sei es ein Pferd, ein Tisch oder ein Teller. Wenn sie starb, würde niemand sie begraben. Es würde keine Trauerfeier geben. Sie würde niemals zurückkehren können, auch nicht als Geist. Sie würde sie nicht heimsuchen können. Sie würden nicht mehr von ihr sprechen, ja, nicht einmal erwähnen, dass es sie je gegeben hatte: Sie hatte ihrer aller Leben verraten und war toter als tot. Sie war nicht Roma und nicht Gadže, sie war gar nichts.

Sie musste die Augen schließen, als Wašengo mit ihr

zum Rand des Lagers ging. Hinter sich hörte sie den Atem ihres Großvaters und all die Jahre darin. Die anderen Ältesten vermieden jede Berührung und führten sie mit dem Geräusch ihrer Stiefel. Man hatte alle Kinder hereingeholt. Sie sah kurz zu Conkas Wagen, der schief auf zerstörten Rädern stand. Der Rand eines Vorhangs bewegte sich, eine schemenhafte Gestalt fuhr zurück. Wenn ich all meine Dummheit in deine Hände legen könnte, Piramnijo, würdest du für den Rest deines Lebens gebeugt gehen wie eine alte Frau. Keine der anderen Frauen sah hinaus; man hatte es ihnen verboten und gedroht, andernfalls würden sie die Hand ihrer Männer zu spüren bekommen.

Der Morgen war nicht mehr fern, und über dem östlichen Horizont zeigte sich ein schmaler Wolkenstreifen. In der Ferne ein paar Lagerhäuser, noch mehr verstreute Wohnblocks und dahinter die weiten, leeren Berge. Sie begann, einen Fuß vor den anderen zu setzen.

Am Morgen steht sie in der Tür, stützt sich mit beiden Händen am Rahmen ab, starrt hinaus auf die Pfützen im Weingarten, die terrassierten Hänge und den Nebel, der in grauen Schwaden über den niedrigen Ausläufern der Karpaten liegt. Sie ist, denkt sie, eine solche reine Stille nicht mehr gewöhnt: Hier gibt es nur Wind und Regen und ihren eigenen Atem. Sie wartet eine Stunde, dass der Regen nachlässt, aber er lässt nicht nach, und so nimmt sie ihre Sachen, bindet das Tuch um den Kopf und tritt hinaus.

Sie bleibt stehen, reibt sich den Schlaf aus den Augen und leckt das gelbe Körnchen von ihrer Fingerspitze.

An der Straße steigt sie an einem Übergang über die

Mauer und geht auf den Kiefernwald zu. Regentropfen fallen von Zweig zu Zweig und schließlich auf den Boden. Sie bückt sich und füllt ihre Taschen mit trockenen Kiefernnadeln, sammelt Zapfen und Zweige, die sie, in ihr Kopftuch gewickelt, zur Hütte trägt.

An der Tür bleibt sie stehen und wirft alles in einem Haufen auf den Boden. Sie schüttelt das Feuerzeug, damit die Flamme schneller zündet – das Benzin wird noch ein, zwei Wochen reichen –, und baut mit den Brettern der Weinkisten ein Feuer. Als es brennt, legt sie die Kiefernzapfen hinein und wartet darauf, dass sie sich öffnen. Sie legt die Hand an die geschwollene Wange und ist sicher, dass die Kerne den schmerzenden Zahn herausbrechen werden, aber als sie auf einen davon beißt, wackelt einer ihrer Schneidezähne.

Diese Zähne werde ich nicht verlieren. Alles andere vielleicht, aber nicht die Schneidezähne.

Sie hockt sich hin und isst. Wie wäre es wohl, fragt sie sich, wenn es immer so bliebe, wenn sie immer nur zwischen Hütte und Wald hin und her gehen würde, über das leere Feld, durch den farblosen Regen? Wenn sie immer nur Kiefernsamen essen und in das knisternde Feuer starren würde? Wenn sie sich auf den Boden legen und in die Bretter sickern würde, um irgendwann stumm zu erwachen, ohne ein Wort, ohne Erinnerung, ohne irgendein menschliches Wesen, und ihr Name würde lautlos in die Wände dieser Hütte eingehen?

In ihrem Bauch rumort es. Sie zerrt die Tür auf, rennt zur Mauer und zieht die Unterhose hinunter. Das kalte Gras streicht über ihre Haut. Sie stützt sich an der Mauer ab, legt den Arm um einen Stein. Sie entleert sich. Der Gestank. Sie wendet den Kopf von diesem Schmutz.

Ein riesiger brauner Hund mit Augen wie Laternen steht am anderen Ende der Mauer. Er hebt den Kopf und heult, die Falten über den wässrigen Augen beben.

Zoli rafft die Röcke. Beim Überklettern der Mauer rutscht ihr Fuß ab, und sie schürft sich das Knie an den Steinen auf. Ihre Füße sinken im Matsch ein. Als sie den Weg erreicht hat, schnüffelt der Hund bereits in Schmutz und unverdauten Kiefernsamen.

Sie zieht den Mantel fest um sich und eilt mit klatschenden Sandalen den Weg entlang, fort von der Hütte. Sie steigt über eine zweite Mauer und lehnt sich, tief atmend, dagegen. Schwalben fliegen lautlos im Zickzack zwischen den Bäumen umher. Weit und breit kein Haus, kein Pferdewagen. Sie ruht eine Weile aus, säubert sich nochmals mit nassem Gras, wischt sich die Hände ab, geht zum anderen Ende des Feldes und klettert über die nächste Mauer.

Dahinter ist eine breitere, asphaltierte Straße, lang und schnurgerade.

Es hört auf zu regnen, und sie geht im kurz aufleuchtenden, hellen Licht der Wintersonne über den schimmernden Asphalt. Die Sandalen reiben und scheuern an ihren wunden Füßen. Ich bin eine neunundzwanzigjährige Frau mit dem Gang eines uralten Mütterchens, denkt sie. Sie legt die rechte Hand an die Brust und richtet sich hoch auf. Der Mantel fühlt sich nass und schwer an, und Zoli kommt der in seiner Schlichtheit beinahe tröstliche Gedanke, ihn über den Arm zu hängen.

Leicht benommen geht sie mitten auf der Straße. Ringsum lange Reihen von Weinstöcken, die Geräteschuppen des volkseigenen Betriebs. In der Ferne die schlichten Silhouetten der Berge.

An einer Biegung blickt sie zurück und sieht etwas

Schwarzes auf der Straße liegen – ein Ding, einen Menschen, einen Leichnam. Eilig versteckt sie sich tief im Gebüsch. Wie kann es sein, dass ich an einer Leiche vorbeigegangen bin? Wie kann ich die übersehen haben? Sie duckt sich tiefer ins Gebüsch, hinter die Zweige. Wie konnte ich nur einen Toten übersehen? Sie wartet auf ein Geräusch, irgendein Geräusch – ein Fahrzeug, einen Schuss, ein Stöhnen –, aber es ist nichts zu hören. Sie schiebt die Zweige auseinander und sieht noch einmal hin: Der Leichnam liegt hingestreckt und schwarz auf der Straße.

«Idiotin», sagt sie laut zu sich selbst.

Sie kriecht aus dem Gebüsch, geht mit müden Schritten zurück und hebt den Mantel auf. Er liegt ausgebreitet da, und einer der Ärmel scheint in eine andere Richtung zu zeigen.

Als sie am Tor der Kolchose vorbeigeht, hört sie Motorenlärm. Sie verbirgt sich im langen Gras des Straßengrabens. Das Geräusch wird lauter, bis es beinahe über ihr zusammenschlägt, und sie ist überrascht, Lastwagen voller junger tschechoslowakischer Soldaten vorbeifahren zu sehen. Sie halten ihr Gewehr vor der Brust, ihre Gesichter sind dunkel überschattet, die Wangen so hohl, als hätte man mit winzigen Explosionsladungen etwas herausgesprengt. Keiner spricht ein Wort. Alle starren in der Kälte vor sich hin. Diese jungen Männer, hart geworden durch einen langen Krieg und ein kurzes Gedächtnis, denkt sie. Dieselben, die uns auf der Straße bewacht haben, die das Benzin über die Räder gegossen und die Pferde weggeführt haben, die an dem Abend, als Stránský meine Gedichte vorgelesen hat, vor dem Nationaltheater aufgezogen sind. Dieselben, die mich im Winter aus den Häuschen gegrüßt haben, wenn ich an ihren Kontrollposten kam. Einer hatte eine Ausgabe von *Credo* in der Tasche seiner Uniformjacke.

Sie erschauert, als der Konvoi, einen Sprühregen über sie werfend, vorbeifährt und nur die Reifenspuren auf der nassen Straße zurückbleiben.

Ein unvermitteltes Geräusch lässt sie zusammenzucken. Es klingt wie Gewehrfeuer, doch dann sieht sie hunderte Gänse von den Feldern auffliegen. Sie malen ein schwarzes V in den Himmel.

Für den Rest des Lebens beschmutzt. Durch ihre Niedertracht.

Es scheint ihr möglich, dass sie in einer schrecklichen Parallelwelt umherwandert, dass sie in Wirklichkeit nicht ausgestoßen über nasse Winterfelder geht, sondern sich an einem Punkt befindet, an dem sie vor langer Zeit war, vor den Gedichten, vor dem bedruckten Papier, vor Swann, vor Stránský, und für einen Augenblick ist sie wie jemand, der glaubt, er könne einen schönen Traum weiterträumen, wenn er sich nur wieder an derselben Stelle schlafen legt, und so denkt sie, sie könne irgendwie den Weg in jene Zeit finden, als es noch keine Gedichte gab, sondern nur Lieder, sie denkt, sie könne in die vertraute Landschaft der Vergangenheit zurückkehren, als es noch keine Besprechungen, Versammlungen, Konferenzen und Direktiven gab, keine Blitzlichter und Mikrofone, keine Premieren und Ovationen. Um einfach zu nichts zu werden, denkt sie, zu einem Geist, der nichts kann, einem Körper, der nichts kann, um rückwärts in eine Zeit zu fliehen, als alles nur halb erwogen und unwichtig war.

Es hatte etwas Gutes sein sollen, es hatte den Unterschied zwischen Sternenhimmel und Zimmerdecken aufheben sollen, doch der bestand weiter, und nun waren die

Worte geformt, gesetzt, gedruckt – sie waren Tatsachen geworden.

Ich habe meine Stimme an die Argumente der Macht verkauft.

Zutritt verboten. Sie zieht eines der Bretter beiseite und späht hinein. Eine winzige Kapelle, gerade groß genug, um darin zu knien. Alle religiösen Symbole sind sorgfältig entfernt worden, selbst den Altar hat man mit einem Presslufthammer beseitigt. Sie sucht nach einem Kerzenstummel, den irgendein Bürger vielleicht zurückgelassen hat. Ein paar graue Federn liegen im Schmutz, und im Gebälk krabbelt eine Spinne zu einem winzigen Blattstück, das sich am Rand ihres Netzes verfangen hat.

Die Krampe am oberen Ende des Brettes knirscht, als Zoli sich in die Kapelle zwängt.

Sie setzt sich in die trockenste Ecke. Jemand hat ein Kreuz in die Stirnwand geritzt, und sie legt den Finger an die Lippen und dann an das Kreuz, lässt den Kopf auf ihr Bündel sinken und döst in der Geborgenheit der Kapelle ein. Wie viele Wanderer haben auf diesem kalten Boden gesessen? Wie viele Anrufungen haben diese Wände gehört? Wie viele Menschen haben Gott hier angefleht, er möge machen, dass zwei plus zwei nicht vier ist? Ein wenig später schreckt das Geräusch eines Flugzeugs sie auf.

Draußen ist stechende Helligkeit. Am Himmel der Streifen eines Düsenjägers.

Am frühen Nachmittag stehen Schweißtropfen auf ihrer Stirn, ein Schwindelgefühl treibt sie weiter. Ich muss einen Bach finden, in den ich den Kopf stecken kann, fließendes Wasser, um das Fieber wegzuspülen. Doch sie hört kein

Gluckern und Murmeln entlang der Straße, nur Vögel und den Wind in den Bäumen. Sie kommt an einen schmalen, asphaltierten Weg, neben dem gefällte Bäume wie Leichen übereinandergestapelt sind. Sie fährt herum, als sich ein großer Lastwagen nähert. Matsch wirbelt von den Rädern auf, die Hupe ertönt, lange und laut. Zoli bleibt reglos stehen, als der Lastwagen sich nähert. Das Summen der Reifen. Der Kühlergrill, der auf sie zukommt, silbern, horizontal unterteilt, hell und dunkel. Wieder die Hupe. Sie schließt die Augen. Der Sog zerrt an ihr, Wasser sprüht von den Reifen auf ihr Gesicht, und der Fahrer schreit sie durch das Fenster an, als der Wagen keinen halben Meter vor ihr vorbeifährt. Sie sieht ihm nach. Er wird kleiner, ein letzter Lichtreflex auf dem Dach, als er um eine Kurve verschwindet.

Es wäre ganz leicht gewesen, einen Schritt nach vorn zu tun, denkt sie.

Sie geht den Weg zurück, den sie gekommen ist, und setzt sich unter einen großen Ahorn. Sie nimmt eine Handvoll gelbes Gras und stopft es in den Mund, legt es an den schmerzenden Zahn. Dann zieht sie den Mantel aus und bindet sich die Ärmel um die Taille. Swann hat ihn ihr vor einem Jahr geschenkt. Er war in Brno gewesen und hatte einen ganzen Pappkarton voller Mäntel mitgebracht, der auf dem Gepäckträger des Motorrads gefährlich hin und her schwankte. Er hatte die Mäntel für die Kumpanija gekauft, es waren sogar Kindergrößen dabei. Er verstand nicht, warum sie sagte, sie wolle keinen Mantel – lieber werde sie mit einer gelben Armbinde oder einem Gummiknüppel im Hintern herumlaufen. Perplex ließ er sich auf den Stuhl am Fenster sinken. «Aber das sind keine Almosen, Zoli. Es sind bloß ein paar Mäntel, das ist alles.» Er schwieg und tippte an die Fensterscheibe. Das blonde Haar rahmte sein Gesicht. Sie ging durch das Zimmer und sagte: «Na gut, ich nehme welche für Conkas Kinder mit.» Sein Gesicht hellte sich auf, und er wühlte in dem Karton, um die richtigen Größen zu finden. «Und einen für dich», sagte er und legte ihr einen der Mäntel um, und als er ihre Schultern berührte, sagte er, er könne auch eine Partie rote Hemden bekommen. In was für ein seltsames Lachen sie da ausbrach: der Gedanke, dass die ganze Kumpanija in den gleichen billigen Hemden über die Landstraßen ziehen würde.

Doch was einst komisch war, erweist sich nun als unausweichlich; was einst seltsam war, erweist sich nun als wahr.

Zoli fühlt sich, als trüge sie den blonden Engländer auf dem Rücken. Er lässt sich nicht abschütteln. Sie fragt sich, wie lange sie noch gehen kann, bevor sein Gewicht sie gänzlich zu Boden drückt. Eines Morgens in der Druckerei hat er ihr erzählt, dass sie ihn an eine russische Dichterin erinnert, deren Foto er einmal gesehen hat: die dunklen Augen, die hohe Stirn, das zurückgekämmte Haar, die aufrechte Haltung, der vielsagende Blick. Er ist mit ihr in die Nationalbibliothek gegangen und hat ihr das Foto von Anna Achmatowa gezeigt. Zoli konnte keine Ähnlichkeit feststellen. Sie fand sich stets unscheinbar, dunkel, schwarz, doch die Russin auf dem Foto war schön und weiß und hatte schwere Augen. Swann las ihr eine Zeile aus einem ihrer Gedichte vor – davon, wie es ist, Zeugnis von einem gemeinsamen Schicksal abzulegen. Er fragte sie auch, ob sie seine Frau werden wolle, und sie war verblüfft über die Schlichtheit dieser Frage. Damals liebte sie ihn, doch er erkannte nicht, wie unmöglich das war. Am Ende, in der Druckerei, konnte er ihrem Blick nicht standhalten. Er hatte ihre Gedichte noch nicht gedruckt, aber sie wusste, dass er es tun würde. Was hatte sie denn erwartet? Wo es kein Glück gab, war die Illusion von Glück umso wichtiger. Hatte Swann ihr nicht erzählt, der Auerhahn sei an einer bestimmten Stelle seines Balzgesangs taub? Wir haben beide dieses unbezähmbare Verlangen, Geräusche zu machen, denkt sie. Wenn ich es nur gewusst hätte. Wenn ich es nur gesehen hätte.

Zoli fragt sich, ob Swann jetzt nach ihr sucht. Wenn er es tut, denkt sie, wird er mich nicht finden. Er wird suchen und suchen. Er wird die ganze Welt absuchen und nichts finden, nicht mal einen Namen.

Sie klettert über ein Zauntor und geht den Hügel hinunter über ein schlammiges Feld, auf dem Bewässerungsrohre ausgelegt sind. Sie versucht, mit den Augen einen Weg über das Feld zu finden: Es ist ein Irrgarten aus Rohren und Schlamm, und am anderen Ende steht ein Stacheldrahtzaun. Die dicken Betonrohre sind ein bisschen im weichen Boden eingesunken, und die einzige Möglichkeit, das Feld zu überqueren, besteht darin, mit ausgestreckten Armen auf den Rohren zu balancieren. Sie rutscht aus und versinkt knöcheltief in der Erde, zieht den Fuß aus dem schmatzenden Schlamm und wischt die Sandale an der rauen Kante des Rohrs ab. Sie hockt sich vor die Öffnung, späht in die Schwärze und stellt sich vor, dass ihr Atem das ganze Feld umkreist und zu ihr zurückkehrt.

«Zigeunerin.»

Ein halblauter Ruf. Er klingt, als käme er aus einiger Entfernung, aber da ertönt er schon wieder. Erschrocken fährt sie herum. Hinter einer niedrigen Hecke hocken vier Kinder und starren sie an. Drei drehen sich um und laufen davon, doch der älteste Junge steht da und erwidert ihren Blick. «Zigeunerin», sagt er wieder. Braunes Haar und auf der Nase ein Streifen Sommersprossen. Matschflecken auf der Hose. Ein Blick, ganz ähnlich wie der von Conkas Jüngstem. Seine Jacke ist so groß, dass noch zwei Jungen von seiner Größe hineinpassen würden.

Die anderen Kinder sind auf den Hügel gelaufen und rufen ihn. Er spuckt in einem hohen Bogen aus – die Spucke landet einen Meter vor Zolis Füßen –, dann dreht er sich um und rennt den Hügel hinauf.

Sie werden die Erwachsenen holen, denkt Zoli. Weil ich mich unerlaubt auf ihrem Grund aufhalte. Sie werden den Gendarmen holen, damit er mich verhaftet. Damit er meine Fingerabdrücke nimmt und herausfindet, wer ich bin. Sie werden mich zurück in die Stadt bringen, zu meinen Leuten. Mich beschämen und demütigen. Ich werde ein zweites Mal ausgestoßen werden.

Sie klettert über die Rohre und den Hügel hinauf und rutscht bei jedem Schritt einen halben zurück.

Ein Stock zerkratzt ihren Knöchel, und sie bleibt mitten auf dem Acker stehen, blickt hoch und sieht ein schindelgedecktes Dach. Da bin ich also wieder. Ich bin den ganzen Tag im Kreis gelaufen, und jetzt stehe ich wieder hier, bei der Hütte im Weingarten. Ich könnte ebenso gut irgendwo anders sein. Ich bin den ganzen Tag gelaufen. Was sollte ich sonst tun? Nichts. Wenn ich einen Bleistift hinter mir herziehen würde, hätte er einen großen, sinnlosen Kreis gezeichnet.

Sie stolpert an den jungen Bäumen vorbei und stößt die Tür der Hütte auf. Auf dem Boden ist die kleine runde Spur des Feuers von gestern Nacht. Sie schiebt ein schmales Stück Holz von einer Weinkiste in die Ritze zwischen den Bodenbrettern und drückt es mit der weichen Sohle ihrer blutverschmierten Sandale fest. Auf dem Boden blinkt ein kleines Licht, eine Spiegelscherbe, nicht größer als ihre Handfläche. Zoli fragt sich, wie sie die gestern nur übersehen konnte. Sie hebt sie auf, blickt hinein und sieht sofort, dass ihre ganze rechte Wange ausgebeult ist. Der Hals ist dick, das rechte Auge beinahe zugeschwollen. Ich muss etwas unternehmen. Ich muss den Zahn loswerden. Ihn herausreißen.

In einer Ecke liegt ein Stiefel, der Schnürsenkel ist noch heil. Es ist gegen jeden Brauch, den Stiefel zu berühren, ein weiterer kleiner Verrat – unrein, ein Tabu –, aber sie zerrt den Senkel heraus, wobei getrockneter Matsch in kleinen Flocken zu Boden fällt. Sie zieht den Senkel durch die Finger, um ihn anzuwärmen, und hält ihn unter den tropfenden Wasserhahn. Dann knüpft sie eine Schlaufe, legt sie um den Zahn, holt tief Luft und reißt den Senkel nach oben. Sie unterdrückt ein Würgen und spürt, wie die Wurzeln sich vom Kieferknochen lösen. In ihren Augen stehen Tränen, Blut rinnt über ihr Kinn. Sie dreht den Kopf zur Seite und wischt es mit der Schulter weg. Sie schließt die Augen und reißt noch einmal am Schnürsenkel. Finsternis – als würde sie durch ein endloses Nichts geworfen.

Der Zahn ist jetzt gelockert, und für einen Augenblick sieht sie Wuwudży: Er steht fiebernd an einem Baum, in den, an den Handknochen vorbei, der Nagel getrieben ist. Er verschwindet, und dann ist er wieder da, fiebrig, und sie zieht mit aller Kraft, ihr schmales Gesicht verzerrt sich.

Sie hört ein Geräusch wie zerreißendes Papier, und der Zahn ist heraus.

Am Morgen betastet sie die Lücke mit der Zungenspitze. Die Wunde ist groß, und sie überlegt, ob sie versuchen soll, sie zu sterilisieren, mit ihrem Feuerzeug auszubrennen. Sie erhebt sich, um den Mund mit Wasser aus dem tropfenden Hahn auszuspülen. Sie nimmt den Zahn aus dem Waschbecken: Der Hals ist dunkel und verfault, an den Wurzeln haften Faserklumpen.

Die aufgehende Sonne wirft ein regelmäßiges Lichttrapez an die Wand über dem Becken. Sie sieht zu, wie es dahinkriecht, als wäre es lebendig, bis ein langer Schatten hindurchgleitet. Zoli lässt den Zahn klirrend ins Waschbecken fallen.

Auf dem Feld steht ein Bauer, neben ihm sitzt der Hund mit den wässrigen Augen. Der Mann hat ein Gesicht wie ein Hlinka-Gardist: buschige Brauen, kleine Augen, Speckfalten im Nacken. Zu seinen Füßen liegt ein langer Sack, und er hält eine Schrotflinte in der Hand. Er schlägt mit dem Lauf gegen den Gummistiefel, legt das Gewehr in die Armbeuge und geht weiter, sodass er durch das Fenster nicht mehr zu sehen ist.

Zoli hört das Klicken von Hundekrallen, einen Stiefeltritt vor der Tür. Sie wartet darauf, dass er hereinkommt, die Tür aufstößt, ihr die Flinte an den Hals hält und sie nimmt, während der Hund zusieht. Derselbe Hund, denkt sie, der seine Nase in meinen Schmutz gesteckt hat. Sie lässt sich zu Boden sinken, zieht die Knie an die Brust und versucht, den Atem anzuhalten. Keine Bewegung, kein Laut. Sie schleicht zur Tür. Ihre Finger legen sich um den Rahmen, sie zieht an der Tür und wartet auf das Klicken des Hahns oder die Faust, die sie ins Gesicht trifft. Die Tür schwingt auf, und Zoli späht hinaus.

Kleine Zeichen menschlicher Güte, denkt sie.

Der Bauer hat zwei kleine Brote und einen Blechbecher, halb gefüllt mit schwarzem Tee, zurückgelassen. Was macht es schon, dass andere ihn benutzt haben? Ich werde trotzdem daraus trinken. Sie ergreift den Becher, nimmt einen Schluck und fragt sich für einen Augenblick, ob der Tee wohl vergiftet ist.

Sie trinkt rasch aus, steckt den Becher in die Rocktasche, hebt ein Brot an die Lippen und atmet tief dessen Frische ein.

Durch das Fenster sind der Bauer und sein Hund nirgends zu sehen. Zoli reißt ein Stück von dem Brot ab, steckt es in den Mund und schiebt es mit der Zunge in das Loch in ihrem Kiefer, damit es das Blut aufsaugt. Vor dem Fenster nur die Bäume und der leere Weingarten. Sie fährt sich mit dem Mantelärmel über die trockene Stirn. Das Fieber hat nachgelassen, und ein Blick in die Spiegelscherbe zeigt, dass auch die Schwellung zurückgegangen ist. Bin ich gestern den ganzen Tag gelaufen, oder habe ich das nur geträumt? Sie greift tief in die Tasche, findet einen Kiefernsamen und lässt ihn auf der Handfläche hin und her rollen. In was für einer Zufallswelt lebe ich, dass ich zurückgeführt werde an einen Ort, wo es einen Wasserhahn und Brot gibt? Welch seltsame Zusammenarbeit von Fieber und Straße hat mir diese Wohltat beschert?

Sie isst ein Brot auf und steckt das andere in ihr Bündel. Plötzlich fallen ihr die Ratten ein: Sie werden sich durch den Stoff nagen und alles bis auf den letzten Krümel auffressen. Sie stellt einen Fuß auf das Fensterbrett, schiebt sich hinauf und legt das Brot auf einen Dachbalken. Mit einem Zweig schiebt sie es noch ein Stückchen weiter. Das hat keinen Zweck, denkt sie, die Ratten klettern von einem Balken zum anderen – das hat sie schon einmal gesehen. Sie stellt sich auf die Zehenspitzen, stößt das Brot herunter, wickelt es in ihr Kopftuch und hängt das eigenartig aussehende Bündel an einen Nagel, der in einem Balken steckt.

Noch lange gleicht die Erinnerung an diese Dinge der Erinnerung an sie selbst: ein Brot, ein sehr altes Kopftuch, und beide drehen sich in der Luft.

Vor Jahren hatte Conka mal ein Radio, eins, an dem man kurbeln musste. Es spielte immer nur eine halbe Minute, dann wurde der Empfang schwächer. An einem regnerischen Nachmittag, als die Kumpanija in der Nähe von Jarmociek war, kam eine Sendung aus Prag. An einem Bach wurden die Pferde angehalten und zum Wasser geführt, und alle saßen vor dem Radio und jubelten, während Conkas Mann die Kurbel drehte und Zolis Stimme aus dem Apparat kam.

Später, als die Pferde ihre Mähnen schüttelten, kletterte Bora, die Jüngste, auf Zolis Schoß und fragte sie, wie sie denn an zwei Orten zugleich sein könne – auf der Landstraße und im Radio. Damals lachte sie, alle lachten, und Conka strich mit den Fingern durch Boras Haar. Aber es war etwas dran, das dachte Zoli damals schon: auf der Landstraße und im Radio, an zwei Orten zugleich, und beide unvereinbar.

Sie erwacht davon, dass die Kleinere mit scharrenden Krallen und zuckender Nase herumfährt. Die andere folgt ihr, fließend, wie Wasser. Die Nase am Boden, rennt sie über die Bretter zu ihrem Artgenossen. Beide sind ausgewachsen. Zoli weicht in die Ecke zurück und wirft einen Zweig in ihre Richtung. Dann macht sie in einem Viertelkreis drei kleine Feuer und steckt glimmende Kiefernnadeln in das Rattenloch.

Sie fragt sich, wie es wohl von draußen aussieht: die kleine Hütte, aus der ein sanfter Lichtschimmer die Dunkelheit durchdringt, die winzigen Lichtspeere, die unter der Tür hervorschießen.

Über dem Fensterbrett bricht der Morgen an. Ein Ast schwingt im Wind und zerschneidet eine lange Wolkenbank. Sie sieht an sich hinunter: Ihre Röcke sind zerrissen, und an den Knien hat sie getrockneten Schlamm. Ihre Füße sind schmutzig und zerschunden. Sie steht auf und hebt die Röcke. Das ist nicht recht, denkt sie, das ist schamlos, aber das spielt jetzt keine Rolle. Ich bin nicht mehr, was ich mal war. Sie reißt einen Streifen Stoff von ihrem weißen Unterrock, faltet ihn zusammen, steckt ihn zwischen Ferse und Sandalenriemen, macht ein paar Probeschritte. *Marime,* unrein, aber es funktioniert, die wunde Stelle ist gepolstert. Sie beugt sich hinunter und hebt abermals langsam die Röcke, als sie ein Klopfen hört. Es ist ein leises Klopfen, doch es verschlägt ihr den Atem.

Nur Gadže klopfen.

Sie kauert sich in die Ecke, sieht die Brandspuren der Feuer und breitet die Röcke darüber. Das dreifache Klopfen wird noch zweimal wiederholt. Ein Grunzen, ein Flüstern, dann ein Schuss, da ist sie sicher, doch dann merkt sie, dass es das hohe Bellen eines Hundes war. Die Tür wird langsam geöffnet, und der Hund schiebt sich herein. Er stemmt sich gegen den Zug des Seils um seinen Hals, schnappt und fletscht die Zähne. Licht fällt in die Hütte. In der Tür stehen der Bauer und eine Frau und sehen aus wie ein Schattenriss.

Die Frau hält das Gewehr in den Händen, der Bauer

steht hinter ihr. Zoli fragt sich, wie sie es geschafft haben, sich so leise anzuschleichen, doch dann sieht sie, dass der Hund bis eben noch einen Maulkorb trug – jetzt baumelt er in der Hand des Bauern.

Die Frau ist grauhaarig, stämmig und viel älter als der Bauer. Sie trägt ein Hauskleid, das ihr mehrere Nummern zu klein ist. Ihre Brüste hängen bis auf den Bauch. Sie schreit den Hund an, er soll still sein. Er winselt und legt für einen Augenblick die Nackenhaare an. Die Frau sieht sich um, den Finger weiter am Abzug. Ihr Blick fällt auf die angebrannten Zweige, die Aschenhäufchen, die leere Sandale in der Mitte des Raums.

Sie schiebt Zolis Röcke mit dem Fuß ein Stück zurück, beugt sich hinunter und mustert ihr Gesicht.

Die langen Haare am Kinn der Frau, die breiten Nasenflügel, das leise Zucken der Mundwinkel, das blasse Grau ihres Halses, das leuchtende Grün ihrer Augen, die schmal sind wie der Dochtschlitz einer Petroleumlampe.

Sie legt die Gewehrmündung unter Zolis Kinn. «Wir haben Gesetze», sagt sie. «Wir haben Ausgangssperre.» Der Lauf an Zolis Hals ist kalt.

«Hast du's noch weit? He, Zigeunerin, ich spreche mit dir. Hörst du nicht?»

«Doch.»

«Hast du's noch weit?»

«Ja.»

«Wohin?»

«Ich weiß es noch nicht, Genossin.»

«Sind da noch mehr von deiner Sorte?»

«Nur ich.»

«Ein Schneesturm beginnt mit einer Flocke», sagt die Frau.

«Ich bin allein.»

«Wenn das gelogen ist, werde ich es den Soldaten sagen.»

«Es ist die Wahrheit.»

«Ich schlucke lieber heiße Steine als das Wort einer Zigeunerin.»

Sie dreht sich mit einer stummen Gebärde zu dem Bauern um. Er grinst Zoli an und schlurft hinaus. Es wird für kurze Zeit dunkler, dann geht die Tür wieder auf. Der Mann steht im Türrahmen und hält einen mit einem Tuch abgedeckten Teller in der Hand. Wieder grinst er. Dann beugt er sich vor, reicht der Frau den Teller und nimmt die Flinte entgegen. Die Frau seufzt, nimmt das Tuch fort und stellt das Essen vor Zoli auf den Boden: Käse, Brot, Salz, fünf Pfannkuchen. Auf dem Tellerrand ein Stück Butter und ein Klecks gelbe Marmelade. Die Frau zögert einen Augenblick, zieht dann ein Messer aus der Tasche und legt es auf den Teller.

«Du kannst hier nicht bleiben», sagt sie und streicht die Kanten des mit dem Bild einer Kathedrale bedruckten Tuchs glatt. «Hast du gehört? Du kannst hier nicht bleiben.»

Der Bauer geht abermals hinaus und bringt einen bauchigen, umflochtenen Weinkrug. Er stellt ihn auf den Boden, stampft mit dem Fuß auf und reißt den Hund an der Leine zurück.

«Es ist nicht viel», sagt die Frau. «Iss nur. Trink. Die Milch ist frisch.»

Der Bauer greift nach dem spitzenbesetzten Tuch mit dem Brot, das von dem Balken hängt, und sieht in das Waschbecken, in dessen metallenem Abfluss noch immer Zolis Zahn liegt.

«Mein Sohn spricht nicht», sagt die Frau. «Er ist stumm. Verstehst du?»

Der Bauer sieht Zoli an. Das Grinsen reicht von einem Ohr zum anderen.

«Gestern ist er nach Hause gekommen und hat mit den Armen gefuchtelt. Eine Frau, die ganz allein durch den Regen geht – ich hab ihm nicht geglaubt. Aber heute Morgen ist er früh aufgestanden und hat gekocht. Eigentlich sollte er Gänse schießen, aber er hat Frühstück gemacht. Die ersten vier hat er anbrennen lassen. Jesus, Maria und Josef – er hat noch nie im Leben was gekocht, nicht mal für seine Mutter. Und jetzt kocht er für eine Zigeunerin. Ich hab ihm eins hinter die Ohren gegeben, so groß, wie er ist. Ich hab ihm eins hinter die Ohren gegeben. Aber eine Sache gibt es bei euch, die mir gefällt: Wenn ihr ein Huhn stehlt, stehlt ihr ein Huhn. Die anderen kommen, stehlen alle Hühner und sagen, sie sind gar nicht gestohlen. Bestimmt weißt du, was ich meine. Ich bin zu alt für schöne Worte. Das wird mich wohl noch unter die Erde bringen. Aber nun iss. Das Brot da steht nicht im Fünfjahresplan.»

Zoli zieht den Teller heran. Die Kante des Tuchs verrutscht.

«Bist du nicht hungrig?»

Die Frau erhebt sich und nimmt ihren Sohn am Arm. «Lass die Frau in Gottes Frieden essen. Sieh sie dir an. Sie will in Ruhe essen.»

«Ich verneige mich vor dir, Genossin», sagt Zoli.

Die Frau erbleicht. «Ich schätze, du bist nicht mehr da, wenn wir zurückkommen.»

«Nein.»

«Und du kommst auch nicht wieder.»

«Nein.»

«Ich wünsche dir eine gute Reise. Du kannst das Messer und den Krug behalten. Das Tuch auch, wenn du willst.»

«Ich küsse deine gütigen Hände.»

«Ich hätte sie nicht gerührt», sagt die Frau.

Sie führt ihren Sohn hinaus. Der Hund folgt ihnen mit hängendem Kopf. Sie lassen die Tür offen, und der Bauer dreht sich langsam noch einmal um. Sein gebeugter Gang, der Gewehrlauf, der an seinen Gummistiefel schlägt. Welches eigenartige Schicksal hat ihn, groß und ungeschlacht und stumm, auf diesen Weg geführt, denkt Zoli, und zwar nicht nur einmal, sondern zweimal?

Sie gehen unter den Bäumen hindurch zu einer Lücke in der Mauer. Der Bauer sieht immer wieder liebevoll über die Schulter. Er grinst und öffnet die Faust: Auf seiner Handfläche liegt weiß und dunkel Zolis Zahn.

Zoli sieht der Mutter und ihrem Sohn nach, während sie als bleiche Schemen in der Landschaft aufgehen. Sie greift nach einem Pfannkuchen. In der Mitte ist er noch ein wenig warm. Sie streicht mit dem Finger Marmelade daran. Die Milch rinnt kühl durch ihre Kehle. Die Butter isst sie auf einmal, in einem Stück. Sie wickelt die Spiegelscherbe sorgfältig ein und steckt sie in die Tasche. Das Messer schiebt sie schräg hinter das Seil, das ihr als Gürtel dient. Sie faltet das Tuch mit der Kathedrale zusammen, die in den falschen blauen Himmel sticht. Den Teller lässt sie stehen.

Sie sieht sich noch einmal in der kleinen Hütte um – der senkellose Stiefel, das flachgedrückte Gras zwischen den Bodenbrettern, die Brandspuren – und legt die Hand auf die linke Brust. Zum ersten Mal seit dem Urteilsspruch spürt Zoli in sich eine Kraft pulsieren: Sie wird in die Stadt zurückkehren und nichts hinterlassen, nicht einmal die kleinste Spur.

Sie geht hinaus, steigt über die Mauer, steht auf dem Asphalt und weiß unvermittelt: Wenn jetzt ein Lastwagen dröhnend auf sie zukäme, wäre sie ohne Zweifel imstande, beiseite zu gehen.

2

Auf wunden Füßen folgt Zoli dem Weg im Schatten der Kiefern, unter ihrem hohen, trauernden Winken. Sie geht gegen die Strömung des Flusses, bis sie die Brücke der Roten Armee erreicht, die jetzt, am frühen Morgen, blass und windumweht ist. Über den Fabriken in den Außenbezirken hinter ihr steigt Rauch auf, und dahinter liegen in weitem Bogen die fernen Berge. Die Donau schimmert, Ölflecken treiben auf ihr dahin. Ein mit Weizen beladener Lastkahn müht sich stromauf und stößt ein hohes Pfeifen aus.

Jenseits des Flusses liegt die Altstadt: die Burg auf dem Hügel, die Kathedrale, die Kamine.

Im Schatten der Stahlträger steigt Zoli über das Unkraut, das aus Schotter und Erde sprießt, die steile Böschung hinauf. Oben weht der Wind kalt und heftig. Frühmorgendlicher Verkehr summt vorbei – die Brücke erbebt. Zwei Männer schieben ein defektes Auto, einer von hinten, der andere an der Fahrertür, durch deren Seitenfenster er das Lenkrad hält.

Zoli zieht ihr Kopftuch tief ins Gesicht.

Am anderen Ende der Brücke angekommen, benetzt sie die Hände in einer Pfütze und wischt sie an einem Plakat ab, das an einem Laternenpfahl klebt: die Ankündigung eines russischen Zirkus, rot und gelb, mit verschnörkelten kyrillischen Buchstaben. Über die obere Hälfte schwingen zwei Trapezartisten, blonde Frauen, die einander hoch in der Luft die Arme entgegenrecken. Im Regen hat das Papier Blasen geworfen, sodass die Frauen aufgequollen sind. Unten sieht man den Zirkusdirektor, einen brennenden Reifen und einen Tanzbären. Wie ich sie früher geliebt habe, diese Tanzbären in ihrem vom Seil diktierten Kreis, majestätisch, mit schweren Tatzen, von weit hergebracht. Sie tappten über den großen Platz in Trnava, im Schatten der Kirchen, kotverschmiert, mit roten Hüten. Die Musik kam aus dem roten Leierkasten, das Tamburin wurde geschlagen, und wir riefen nach unseren Lieblingsliedern: *Ich habe zwei Frauen, eine ist nüchtern, eine betrunken, aber ich liebe die eine wie die andere.* Alte Eckensteher kamen herbei, Ladenbesitzer schlossen ihre Geschäfte, Frauen ließen ihre Putzeimer stehen. Rings um den Platz ein Summen, eine Geschäftigkeit: Händler, Polizisten, Schulkinder, Marktschreier.

Zoli fährt mit dem Finger über das Plakat. Es wellt sich unter der Berührung.

Sie dreht sich um und überquert die Straße, an der ein schmaler Trampelpfad entlangführt. Bremsen quietschen, als ein Wagen auf sie zuschlingert. Sie fährt herum. Das Wasser einer tiefen Pfütze spritzt auf. Die Hupe plärrt, und aus dem Fenster des Wagens, der bereits über die Brücke davonfährt, beugt sich ein Mann und macht eine obszöne Gebärde.

«Scheiß auf euch!», sagt sie leise, als sie weit genug entfernt sind. Sie wischt sich den Schmutz von der Wange.

An der Unterführung trifft sie auf Schwärme von Männern und Frauen, die unterwegs zur Frühschicht sind. Ihre Schuhsohlen klatschen auf dem Pflaster. Die meisten tragen die blauen Mützen der Waffenfabrik, und wo sie sich drängen, verschmelzen sie zu einem einzigen Farbstrom.

Jenseits des Platzes geht sie an den kahlen Winterbäumen

vor dem Carlton Hotel vorbei, wo Männer in den dunklen Mänteln der Geheimpolizei auf und ab gehen. Sie erschauert bei dem Gedanken daran hineinzugehen: silberne Türgriffe, riesige Bilder, vergoldete Rahmen, facettierte Spiegel, eine geschwungene Treppe. Wie fremd es ihr jetzt ist mit seinen Pfeilern und Säulen und den Plastikpflanzen in den Fenstern. Früher brandete Applaus auf, wenn sie durch die Tür trat. Die Männer hielten die Zigaretten zwischen den Lippen und blinzelten, und die Frauen mit den weichen Gesichtern nickten und flüsterten. Immer das Gefühl, als würden sie einfach durch mich hindurchsehen, an mir vorbeisehen, als wären sie ängstlich darauf bedacht, unter ihresgleichen zu bleiben. Wie sie rauchten – als würde das Rauchen nie zu ihnen gehören. Wie laut die Schritte waren, wenn man vom Teppich auf den gefliesten Boden trat. In meiner Brust galoppierte etwas. Ich suchte nach Swann, nach seinem vertrauten Gesicht. Er kam immer Stunden zu früh, damit ich nicht nervös wurde, er wartete auf mich und klopfte mit dem Hut an sein Bein, in der Jackentasche eine zusammengerollte *Rudé právo*.

Zoli spürt das langsame Pulsieren der Traurigkeit in ihrem Bauch. Sie kehrt dem Hotel den Rücken und geht den Hügel hinauf in das Gewirr der schmalen, teils überbauten Gassen. Zwischen zwei Laternenpfählen ist ein Spruchband gespannt: *Bürger! Verschwendet kein Brot!* Es bauscht sich schwankend im Wind, und als sie sich nähert, reißt die Schnur an einem Ende des Banners – es macht einen Knicks, sinkt zu Boden und hängt in eine Pfütze. Sie steigt darüber hinweg und streicht mit den Fingern über die Flechten auf den Mauern.

Es ist stiller hier, dunkler, das Licht ist aus den Dingen geschwunden.

Sie geht über das gefurchte Pflaster, hält sich in den Schatten, will vor allem den Soldaten nicht auffallen. Wenn sie sich nicht zielstrebig bewegt, werden sie sie anhalten, ihre Gewehre durchladen, ihr Fragen stellen nach den Matschflecken auf dem Mantel, dem dunklen, geronnenen Blut an den Knöcheln, und dann werden sie sie zum nächsten Kontrollposten bringen. Sie werden das graue Parteibuch aufschlagen und den Stempel begutachten, den Daumenabdruck, die persönlichen Kennzeichen: 169,5 cm, Augen schwarz, Haar schwarz, besondere Kennzeichen ein träges rechtes Auge, eine zwei Zentimeter lange Narbe rechts unterhalb des Mundes, Grübchen am Kinn, Dichterin. Sie unterschrieb immer mit drei Kreuzen, und der aufmerksamste von ihnen fragte dann, warum. Wenn sie überhaupt darauf antwortete, dann mit einem Schulterzucken, worauf sie schwieriger, drängender, beharrlicher wurden: «Wie kannst du eine Dichterin sein, wenn du mit drei Kreuzen unterschreibst?» Oft musste sie dann warten, bis über Funk die Bestätigung kam: «Das ist Genossin Novotna, ihr Idioten – lasst sie sofort laufen.»

Mit klatschenden Sandalen an der Außenmauer eines ehemaligen Klosters entlang. Es ist längst ausgeräumt worden. Was ist geblieben von den Weihrauchschwaden, dem bunten Glas, den Wachskerzen? Welche hellroten Flämmchen brennen heute noch hinter den Bleifenstern? Sie legt den Kopf in den Nacken und sieht weit oben, unterhalb des Dachgebälks, eine Reihe schmaler Fenster. Vögel fliegen mit angelegten Flügeln hinein, um Sekunden später wieder zu erscheinen.

Im Nieselregen sieht sie vor sich eine Gruppe Jungen. Ihre Ungezwungenheit, ihre Nonchalance. Der letzte stößt mit der Fußspitze eine tote Taube an. Er hat eine weiße Haut. Das Haar ist kurz geschoren. Ein rotes Hemd. Er schlenzt die Taube mit dem Fuß, sie fliegt ein paar Meter durch die Luft und landet in einem Wirbel winziger Federn auf dem Kopfsteinpflaster. Zoli rafft ihre Röcke und steigt über sie hinweg. Ihr Herz pocht. Sie hört einen Pfiff und Schritte.

Sie dreht sich nicht um, als der tote Vogel ihren Hinterkopf trifft.

Vorbei an den Granitstufen und den kannelierten Säulen des Nationaltheaters. Dicke Regentropfen klatschen jetzt auf das Pflaster. Sie kann beinahe Stránskýs Stimme hören: Er liest ihre Gedichte vor großem Publikum. Die grauen Anzüge, die weißen Hemdbrüste, die abgesetzten Mützen. Und dann all der Applaus. Man rief ihren Namen – es war geradezu unwirklich, als wäre dieser Jubel zuvor auf Tonband aufgenommen worden und würde nun auf Knopfdruck wiedergegeben, als gehörten diese Rufe irgendwie dazu. Dennoch hatte sie sich vor ihnen verbeugt und den Beifall entgegengenommen, hatte mit ihnen gegessen und getrunken, hatte Hände geschüttelt und ihrem Erstaunen nicht widersprochen. Wie lange, fragt sie sich, kann ich in dieser Stadt bleiben, bevor mich jemand erkennt und noch einmal versucht, mich zu einem Triumph zu führen? Bevor sie mich vor ihre Fotoapparate stellen? Bevor sie mich zu irgendetwas befragen? Aber Hölle und Verdammnis – sie werden kein Wort von mir zu hören bekommen, und wenn sie ihre Flöten ins Feuer werfen. Ich werde mich nicht noch einmal vor ihnen verbeugen.

Sie biegt um die Ecke, geht vorbei an schmiedeeisernen Zäunen und winterlich toten Gärten. Abgearbeitete

Frauen starren ihr aus den hohen Fenstern der Mietshäuser nach, ihre Körper sind hinter dem Mauerwerk verborgen. Sie stößt auf einen Kontrollposten und hält wie angewurzelt inne: Da stehen vier Milizionäre, die Gummiknüppel in den Händen, und beobachten die Straße. Der Verkehr ist ein gedämpftes Murmeln. Manche Passanten werden durchgewunken, erschöpft wirkende junge Frauen mit Kopftüchern und schmutzigen weißen Uniformen. Zoli bleibt stehen und rückt die Riemen ihrer Sandalen zurecht, sie hat sich daran gewöhnt, dass ihre Füße wund sind. Sie wartet, bis die Milizionäre einen dunklen Wagen anhalten und sich zu den Fenstern hinunterbeugen. Atme leise. Ganz ruhig. Keine schnelle Bewegung. Als sie vorbei ist, geht sie langsam weiter und dreht sich nicht um.

Eine Stimme: «He, du.»

Ein junger Milizionär klopft mit dem Gewehrkolben auf das Pflaster und knurrt: «Wo willst du hin, Tantchen?»

«Nirgends.»

«Nirgends?»

«Nur zum Markt, Genosse.»

«Ist das nirgends?»

«Nur ein Stück die Straße hinunter.»

«Papiere.»

Sie öffnet den Knoten, nimmt das Bündel vom Rücken und kramt darin. «Scheiße», sagt er und hält sich die Nase zu. Er tritt mit der Stiefelspitze gegen den Stoff. «Na los, Frau, mach, dass du wegkommst.»

Der Blechbecher drückt sich in ihren Rücken. Scheiß auf dich, denkt sie. Wer bist du denn, dass du mich schmutzig nennst? Wer bist du, dass du mich fragst, wohin ich will? Sie biegt um eine Ecke und spuckt aus. Paris, du Idiot, ich gehe nach Paris. Hast du gehört? Paris. Sie hat keine Ahnung, warum ihr der Name dieser Stadt in den Sinn kommt, aber sie klopft mit der Faust auf ihre linke Brust. Paris. Dorthin werde ich gehen. Paris.

Am Ende der Straße bleibt sie stehen. Sie spürt ein Stechen in der Brust. An einer quer über die Galandrovastraße gespannten Leine hängt vergessene Wäsche, die feuchten Hemden bauschen sich im Wind, als warteten sie auf Männer, die sie ausfüllen. Sie geht unter Bäumen, vorbei an Lagerhäusern, vorbei an der Druckerei, sie hält sich in den Schatten. Sie glaubt, die Druckerschwärze zu riechen, das Summen der Walzen zu hören, und für einen Augenblick ist ihr schwindlig.

Swann wird dort sein, denkt sie, hinter den geschwärzten Fenstern, und Flugblätter und Plakate drucken. Er hat schwarze Finger, das Hemd hängt ihm aus der Hose, und ringsum dröhnen die Maschinen. *Wir grüßen unsere unterdrückten schwarzen Brüder in Amerika. Solidarität mit Ägypten. Tschechoslowaken für die afrikanische Einheit. Genossen – wir müssen Analphabetentum und Unwissen bekämpfen.*

Und das Flugblatt mit dem Bild ihres Gesichts, leicht verändert und ohne das träge Auge: *Zigeuner, ihr seid Bürger – reiht euch ein!*

Oben an der Treppe packt sie das Geländer, hält kurz inne und geht dann mit raschen Schritten durch den Korridor. Die Dielen haben sich geworfen, der Putz blättert von den Wänden. Es riecht nach Staub und Schimmel. Sie geht auf Zehenspitzen, um das Knarzen der Sandalen zu dämpfen, dreht den Türgriff und tritt vorsichtig zurück, als die Tür aufschwingt.

Es ist ein Raum, der zu Swann passt: An den Wänden ist das dunkle Linoleum aufgebogen, auf dem Nachttisch steht ein halbleerer Krug Čuču, das Fenster klappert im Wind, im Regal Marx-Engels-Ausgaben in verschiedenen Sprachen. Gramsci, Radek, Wygodzki. Manche der Bücher haben keinen Rücken mehr, andere sind neu gebunden. An einem einzelnen Haken hängt ein verwaschenes Hemd, fadenscheinig und anonym. Auf dem Boden gekrümmte, dunkel verfärbte Orangenschalen. Drei Schürhaken, aber kein Ofen. In einer Ecke der Berg von Mänteln aus Brno. Swann hat einen Stuhl an das kleine Fenster gestellt, damit er von hier, im vierten Stock, auf die Straße sehen kann.

Von oben sickert gedämpft und abgenutzt Radiomusik herein, durchsetzt mit dem Klopfen der Dampfheizung.

Sie blättert in den Büchern, die aufgeschlagen auf dem Tisch liegen – Dreiser, Steinbeck, Lindsay –, und den slowakischen Übersetzungen: Die Handschrift ist krakelig, die Seiten haben Tintenflecken. Mit einer raschen Armbewegung wischt sie alles auf den Boden. Unter dem Tisch stehen vier Kästen aus der Druckerei. Sie zerrt einen hervor und leert ihn aus: stapelweise Übersetzungen, dutzende Ausgaben von *Credo,* ein paar obskure Prager Journale, einige Briefe, ein Buch über Jack London, eine Sammlung von Gedichten von Majakowski. Wie oft habe ich diesen Namen gehört, spät in der Nacht, wenn die beiden in der Druckerei arbeiteten, inmitten von verstreuten Lettern? Ihr Lachen, wenn sie einander Zitate zuriefen. Dieses Loch des Verlangens in meinem Bauch – und jenes andere Loch dort, das der Scham. Damals sah ich ihm gern zu, es gefiel mir, es schien so leicht. Wie er sich hielt, wie seine Schultern sich bewegten, der Klang seiner

Stimme. Die Zeilen flogen zwischen ihm und Stránský hin und her wie ein Satzschiff, und später war es das Gleiche mit meinen Liedern: Sie sagten sie einander vor, sie warfen einander Zitate zu, sie nahmen sie und bogen sie zurecht, sie priesen sie und machten sie sich zu eigen.

Sie zieht einen zweiten Kasten hervor und stößt dabei an das Tischbein. Glas klirrt. Zoli fährt herum, aber das Fenster ist unversehrt, an der Tür ist niemand, vom Korridor ist kein Laut zu hören. Sie spürt etwas Kaltes an der Hand. Verblüfft sieht sie, dass ihre ausgestreckten Finger blau sind, und für einen Augenblick ist es, als wäre diese Hand gar nicht ihre. «Mist», sagt sie. Sie stellt das zu Boden gefallene Tintenfass wieder auf und sammelt die Splitter unter dem Heizkörper ein. Die dunkle Flüssigkeit rinnt in den Spalt zwischen den Bodendielen und dem zischenden Heizungsrohr.

Zoli wischt die Hand am Boden ab. Das Holz bekommt blaue Tintenstreifen. Ihre Fingerabdrücke sind auf dem Kasten, dem Tisch, den Büchern. Sie leert die anderen beiden Kästen mitten im Raum aus: noch mehr Journale und Übersetzungen. Sie sieht auf zu der traurigen, wie ein verwelktes Blütenblatt herabhängenden Tapetenkante unter der Decke und spürt einen großen Schmerz in den Augen, als würde sie tief, tief tauchen. Als sie sich mit der Hand aufstützt, um aufzustehen, stößt sie sich einen Glassplitter in den Finger. Sie saugt ihn heraus und schmeckt Tinte auf der Zunge. Stránský, erinnert sie sich. Budermice. Ein kalter Faden zieht sich durch ihr Rückgrat.

Sie wirft den Tisch um, und da erst entdeckt sie an der Wand einen schwarzen Pappkoffer mit metallenen Schlössern. Darin sind die Gedichte, ordentliche, von dicken

Gummibändern zusammengehaltene Stapel, auf Slowakisch und in phonetischem Romani. Das Papier der neueren ist weiß und hat gerade Kanten, während die älteren schon ein wenig vergilbt sind. Macht nichts. Bald wird es sie nicht mehr geben.

Sie hockt vor dem offenen Koffer. Bei jedem Gedicht ist gewissenhaft notiert, wann und in welcher Stadt, auf welchem Feld, in welchem Lager es aufgenommen worden ist. *Aus dem Gesprungenen und Zerbrochenen mache ich, was gebraucht wird. Wenn die Axt in den Wald kommt, sagt der Stiel nicht: Ich bin zu Hause. Die Straße ist lang vor Kummer und überall doppelt so breit. Gebrochen, gebrochen haben sie meinen schlanken braunen Arm, und nun weint mein Vater wie der Regen.* Es ist seit dem Urteilsspruch das Erste, was sie liest.

Sie geht zum Waschbecken, wirft die Gedichte hinein und reibt mit dem Daumen über das Zündrad von Petrs altem Feuerzeug. Petrs breiter Daumen, der langsam darüber fährt und die Flamme weckt. Pfeifenrauch. Sein Blick, der auf Swann ruht. Die langsam entgleitenden Tage. Der Husten. Der Gedanke, dass er bald fort sein wird, ein Geist. Das rastlose Herumlaufen, das Verstecken, das Warten auf Swann, die Gedanken an ihn, seine Finger auf meinen Augenlidern.

Die hohe Flamme versengt ihr die Brauen, und sie tritt zurück, nimmt ein paar Seiten aus dem Waschbecken und beginnt noch einmal mit einer kleineren Auswahl von Gedichten. Sie fangen leichter Feuer. Mit einer Gabel hebt sie den Stapel ein wenig an, damit das Feuer von unten Luft bekommt. Sie atmet tief ein, während das Papier sich einrollt und die Gedichte verbrennen. Ascheflöckchen schweben und sinken auf den Boden. Sie reibt sie mit der Fußspitze ins Linoleum, wo sie zu schwarzen Flecken werden.

Draußen geht die Stadt in der Kälte ihren Geschäften nach: Straßenbahnen kreischen, Busbremsen quietschen, Regentropfen rinnen stetig an der Fensterscheibe hinab. Zoli späht auf die Straße. Plötzlich durchfährt sie eine seltsame Erregung: Die Besprechungen, die Reden, die Fabrikbesuche, die Züge, die Paraden und Feiern, das alles ist vorbei, und nur dies ist meins, nur dies, dieses Feuer. Sie wendet sich vom Fenster ab, und der Rauch steigt ihr in die Nase, duftend, streng, süß. Sie nimmt noch mehr Gedichte aus dem Koffer und verbrennt sie in immer größeren Portionen – Flammen füttern andere Flammen, gelb und rot und blau.

Mein Zahn, denkt sie mit einem halben Lächeln. Wie der stumme Bauer meinen Zahn auf der Handfläche gehalten hat.

Zoli steckt das Feuerzeug wieder in ihre Rocktasche, und seine Wärme breitet sich bis zu ihrer Haut aus. Sie streicht ein paar Haarsträhnen zurück, die sich unter dem Kopftuch gelöst haben, und spürt etwas Kleines hinter dem Ohr. Eine weiße Taubenfeder. Sie zupft sie aus den Haaren und lässt sie zu Boden schweben. Dieser frühe Nachmittag erscheint ihr jetzt so weit entfernt. Als die Taube ihren Hinterkopf traf, fragte sie sich für einen Augenblick, ob sie wohl noch im Tod gespürt und erkannt hatte, dass sie flog, doch dann verwarf sie diesen Gedanken als eitel und wertlos.

Sie schließt die Augen und atmet tief und lange aus; dann wendet sie sich zur Tür. «Scheiße», sagt sie.

Die Tonbänder.

Sie kehrt um und durchsucht den Raum. Zwei Schirme,

drei Feuerzeuge, ein Schnupftabakdöschen, eine Flasche mit einem Schiff darin, ein kleines, mit Blumen besticktes Leinentuch, ein paar Sowjetsterne zum Anstecken, ein Dutzend Lesezeichen aus Leder, ein Samowar, ein englischer Wasserkessel. Wie kann ein Mann so viel wertloses Zeug besitzen? Sie findet die Bänder in einer kleinen Rosenholzkiste unter seinem Bett – auch sie sind sorgfältig datiert und beschriftet.

Die erste Spule gleitet ihr aus den Händen und rollt über den Boden, das lange, schimmernde Kunststoffband glänzt hier und da im Licht, als würde ihre Stimme bis in die Ecken und Winkel erstrahlen.

Swann war immer so sehr darauf bedacht, das Mikrofon dicht vor ihren Mund zu halten, wenn sie unterwegs waren. Es störte sie. Nicht seine Nähe – dass er ihr so nah war, gefiel ihr, es machte sie innerlich lebendiger, es ließ sie erschauern. Nein, was sie wirklich störte, war der Gedanke, dass ihr ihre Lieder genommen und von diesem Apparat wiedergegeben wurden. Wenn er ihr eine Aufnahme vorspielte, klang es gar nicht wie sie, sondern vielmehr so, als wäre in dem Tonbandgerät eine andere Zoli. Das Ding nahm auch andere Geräusche auf: das Klopfen eines Stocks auf dem Boden, das helle Zischen eines angerissenen Streichholzes, das Quietschen einer Tür. Es erschien ihr beinahe gespenstisch, dass Dinge, die sie zur Zeit der Aufnahme gar nicht wahrgenommen hatte, mit einem Mal Gewicht bekamen. Eines Nachts hatte sie im Schein einer Kerze geschrieben, dass kleine Flüsse Tropfen mit sich führten, die keines Menschen Auge je gesehen hatte. Es war eines ihrer schlechtesten Gedichte, selbst Swann fand es zahm und sagte, es sei beinahe bourgeois.

Zum Teufel mit ihm, denkt sie, zum Teufel mit seinen erhobenen Händen, seinen Entschuldigungen, seinem verletzten Gesicht, als ich ihm die Ohrfeige gegeben hatte – als hätte ihn das wirklich überrascht –, zum Teufel mit seinem Gestotter, als wir in der Druckerei standen und er sagte, er habe alles nur Mögliche getan. Zum Teufel mit ihm.

Sie spult das Band ab, nimmt es doppelt und dreifach und zerschneidet es mit einem Küchenmesser. Eine rasche Bewegung, als würde sie ein kleines Tier aufschlitzen, um es auszunehmen.

Fünfzehn Spulen.

Draußen verdunkelt sich der winterschwere Himmel. Zoli tritt mit der letzten Spule ans Fenster und sieht zu, wie das Band in einer Spirale dem Boden entgegensinkt, in Wind und Regen wirbelt und flattert. Das Ende wird von einem Luftstrom emporgetragen und schwebt durch die Luft.

Da gehen sie hin, meine Lieder. Sollen sie gehen.

Sie wirft die letzte Spule aus dem Fenster. Sie segelt über die Straße und prallt an die Fassade des gegenüberliegenden Hauses. Von unten hört Zoli einen Ruf und den entzückten Schrei eines Kindes. Als sie sich aus dem Fenster beugt, sieht sie ein kleines Mädchen, das das braune Kunststoffband hinter sich herzieht.

In diesem Augenblick nähern sich Schritte auf dem Korridor. Und irgendetwas klopft auf den Boden. Ein Gummiknüppel? Ein Krückstock? Sie sieht sich um, sieht den Mantelhaufen auf den krummen Bodenbrettern, kriecht hinein und versteckt sich. Lächerlich. Absurd. Ich könnte einfach hinausgehen, an ihm vorbei, ohne ein Wort, ohne ein Zeichen des Erkennens. Leck mich am Arsch,

Swann. Ich werde die Treppe hinuntergehen und vor deinen Augen verschwinden. Ich werde mich umdrehen und dich verfluchen. Unter den schweren Mänteln macht sie eine Bewegung, aber dann fällt ihr plötzlich ein, wie Swann vor gar nicht so langer Zeit, als sie unterwegs ein Kinderklavier fanden, die Pedale mit Stahlbändern repariert und die fehlenden Tasten durch Streifen aus Ahornholz ersetzt hat. Sie hängten das Ding mit einem riesigen Haken an die Decke ihres Wagens, wo es das Lied der Straße spielte, jede Unebenheit, jede Kurve, während er hinter dem Wagen ging, in der ausgestreckten Hand das Mikrofon.

Der Türgriff wird gedreht. Stiefelsohlen auf den Nagelköpfen in den Bodendielen, das Zischen des Heizungsventils, der eigenartige Rhythmus seiner Schritte. Ein Krückstock. Er geht am Stock.

Ein kleiner, klagender Laut entringt sich seiner Kehle, als er im Zimmer steht. Ein Holzdeckel wird angehoben und mit einem Knall wieder zugeklappt. Schranktüren werden geöffnet und geschlossen. Die Matratze landet mit einem dumpfen, traurigen Geräusch auf dem Boden. Swann sagt etwas auf Englisch, es klingt hart und guttural. Zoli wird übel, sie ballt die Fäuste, spannt die Halsmuskeln an. Sie erinnert sich an seine Hand auf ihrer Hüfte, an die Rinde des Baums, an dem sie lehnte, wie er eine ihrer Haarsträhnen um den Zeigefinger wickelte, an den harten Geschmack an seinem Hals, einen Geschmack nach Schweiß und Druckerschwärze.

Er schließt die Tür mit einem entschlossenen Ruck. Zoli geht zum Fenster und sieht Swann um die Ecke biegen. Sein blonder Kopf verschwindet, er wirft eine seiner Krücken beiseite. Dann geht er also wirklich am Stock, denkt sie. Ein langes Stück Tonband verfängt sich an seinem Knöchel und wird durch den Regen gezerrt.

Es waren meine Gedichte. Sie haben mir gehört. Nie waren es deine.

Sie dreht sich um und entdeckt in der Ecke seines Rasierspiegels ein Foto von sich. Sie reißt es in Fetzen. Auf dem Bett steht aufgeklappt die Rosenholzkiste mit dem silbernen Schloss. Rings darum verstreut liegen Papiere und ein zerknülltes Taschentuch. Zoli verharrt einen Augenblick. Dann beugt sie sich hinunter und sieht, dass das Bodenbrett der Kiste schräg steht: ein doppelter Boden. Und darunter eine silberne Uhr.

Manche Dinge, sagte er, können nicht warten. Sie müssen gemacht werden. Was Swann in der Zukunft sah, war eine Welt, die wie ein gewaltiger Bogen alles überwölbte, und alle, die darunter standen, sahen bewundernd zu diesem Bogen auf. Er wollte alles, was unbestimmt oder gleichförmig war, nehmen und ihm Gestalt geben. Ständig fuhr er sich mit den Händen durch das Haar, sodass es, wenn er in der Druckerei arbeitete, die Farben der Plakate annahm, die er gerade druckte. In der Wirtschaft saß er da und merkte gar nicht, dass die Leute ihn anstarrten, weil die Haare, die unter seiner Mütze hervorsahen, gelbe, blaue und rote Streifen hatten und seine Hände beinahe vollkommen schwarz waren. Er fürchtete, nicht slowakisch genug zu klingen, doch er gab sich große Mühe, hörte den Arbeitern zu, lernte ihren Dialekt und marschierte mit ihnen unter ihrem Banner. Nach einer Weile bekamen seine Argumente Ecken und Kanten. Es war, als hätte man zugesehen, wie etwas aus einem Stück Holz geschnitzt wurde, und die Überraschung, die sie dabei empfand, gefiel ihr. Es gab in der Kumpanija

Männer, die im Handumdrehen einen Löffel, eine Schüssel oder einen Bären schnitzen konnten – und Swann war einer, der manchmal eine Idee schnitzte und sie einem hinhielt, als könnte man sie berühren.

Einmal schlug er ihr vor, sie solle, um den Vorurteilen der anderen etwas entgegenzusetzen, immer ein Buch mit sich herumtragen. Sie würden es bemerken, auch wenn sie nicht darin las. Das sei genug, sagte er. Lass sie sehen, dass du liest, und setze sie in Erstaunen, indem du alles aufschreibst.

Als könnten Bücher Massaker verhindern. Als könnten sie mehr bewirken als Harfen und Geigen.

An der Bogentür hängt ein rotsamtener Klingelzug, die Troddel fühlt sich kalt an. Eine Frau in einem bestickten Kleid öffnet. Sie trägt Pantoffeln, und ihr Haar wird von einem bläulichen Netz gehalten. Sie beugt sich hinaus, sieht links und rechts die Gasse hinunter und zieht Zoli mit einer raschen Bewegung hinein.

«Ja?»

«Ich habe ein paar Sachen.»

«Ich kaufe nichts», sagt die Frau.

Ein einzelner Sonnenstrahl bescheint durch das Dunkel des kleinen Hauses ein Bord, auf dem große Porzellanteller aufgereiht stehen.

«Mein Großvater ist oft hier gewesen», sagt Zoli. «Stanislaus. Sie kennen ihn unter diesem Namen.»

«Ich habe keine Ahnung, von wem du redest.»

«Damals haben Sie woanders gewohnt, aber Sie kannten ihn.»

Die Frau nimmt Zoli bei den Schultern, dreht sie herum und mustert ihre Füße.

«Ich habe auch gute Zähne.»

«Was hast du gesagt?»

«Ich will meine Sachen verkaufen. Sonst nichts.»

«Ihr bringt mich noch ins Grab.»

«Erst wenn Sie alles haben, was uns gehört.»

«Für eine Zigeunerin hast du ein erstaunlich loses Mundwerk.»

«Ich habe nichts zu verlieren.»

«Dann verschwinde.»

Zoli geht langsam zur Tür. Das Klicken des Türgriffs. Die Stille auf der Straße. Und die Stimme der Frau hinter ihr, ein, zwei Tonlagen höher, aber akzentuiert: «Und wenn es mich interessieren würde, was du hast?»

«Wie gesagt: nur das Beste.»

«Das habe ich schon so oft gehört, dass es mir zu den Ohren wieder herauskommt.»

Zoli schließt die Tür und öffnet das riesige Bündel, das von Swanns Bettlaken zusammengehalten wird. Die Frau täuscht Gleichgültigkeit vor und bläst die Backen auf. «Ich verstehe», sagt sie. Sie schüttelt den Schlüsselbund und führt Zoli durch eine Reihe dunkel getäfelter Räume zu einem rückwärtigen Zimmer, in dem ein bärtiger Mann, dem etwas wie ein kleiner Becher um den Hals baumelt, auf einem hohen Hocker sitzt, vor sich eine Patience. Er rückt die Weste über seinem Bauch zurecht, zieht mit großer Gebärde ein Taschentuch hervor, schnäuzt sich und steckt das Tuch wieder ein. Zoli mustert ihn mit Abscheu.

«Ja?»

Sie stellt Swanns Radio auf den abgenutzten Tresen. Der Juwelier beugt sich darüber, drückt auf Tasten, dreht an Knöpfen. «Funktioniert nicht», sagt er.

Er begutachtet einen Bilderrahmen und schiebt die Unterlippe vor. «Du stiehlst mir die Zeit.»

«Und das hier?»

Sie legt Swanns Uhr auf den Tresen und zieht die silberne Kette glatt.

Der Juwelier klemmt die Lupe, die um seinen Hals hängt, vor das Auge und untersucht die Uhr. Zweimal sieht er zu Zoli auf. Er greift zu einem Klappmesser mit einem Griff aus schwarzem Onyx, das vor ihm liegt, öffnet den hinteren Deckel der Uhr und sieht hinein: ein kleines Universum aus Hebeln und Rädchen. Er klappt die Uhr wieder zu, faltet die Hände und streckt sie weit über den Tresen.

«Die ist nicht viel wert.»

«Ich bin nicht gekommen, um zu feilschen», sagt Zoli.

«Das sind englische Sachen.»

«Zweihundert.»

«Ich kann das Zeug nicht verkaufen. Das kommt alles aus dem Ausland.»

«Zweihundert», sagt sie. «Nicht weniger.»

«Hundertfünfzig», knurrt der Juwelier.

Er schließt eine Schublade auf, zieht eine längliche Börse hervor und zählt die Scheine langsam auf den Tisch, wobei er Perlen auf einem Rechenbrett hin und her schiebt. Er legt noch zehn Kronen dazu und sagt grinsend: «Du siehst aus, als würdest du es brauchen.»

«Es ist ein schlechter Preis.»

«Dann versuch es bei einem anderen.»

«Es gibt keinen anderen.»

«Tja, dann ist es also ein guter Preis.»

Er schiebt die Scheine über den Tresen, legt die Börse in die Schublade, die er wieder verschließt, und greift mit einem leisen Lachen zum Hauptbuch. Er macht einen Eintrag, steht auf und verschränkt die Hände auf dem Rücken.

«Nun?», sagt er und zieht abermals das Taschentuch hervor.

Als der dicke Juwelier watschelnd aus dem Haus getrabt kommt, ist Zoli schon halb die Straße hinunter. Sie hört das Klatschen seiner Schuhe auf dem nassen Pflaster und seine schrillen Schreie.

Sie wendet sich in Richtung der belebten Geschäftsstraße, wo gerade der Markt zu Ende geht. Blaue Zeltbahnen werden zusammengelegt, Tischbeine eingeklappt. Ein paar magere Fische liegen in einem Bett aus Eis. Auf einer Waage steht eine Schale mit einem halben Dutzend Kartoffeln. Zoli windet sich zwischen den Verkaufsständen hindurch zum anderen Ende des Marktes, verschwindet in einer Gasse, kehrt um, geht an zwei weiteren Ständen vorbei und kauert sich hinter eine große, gelbe Kiste.

Vom anderen Ende des Marktes hört sie den Juwelier schreien. Keuchend duckt sie sich in den Schatten und den säuerlichen Geruch nach Abfall. Sie hebt kurz den Kopf und späht über den Metalldeckel der Kiste. Der Kartoffelhändler, ein massiger Mann mit weißer Schürze, bedeutet ihr durch Zeichen, dass sie in Deckung bleiben soll.

Früher habe ich Goldmünzen in mein Haar geflochten, denkt sie. Und darin waren wir uns treu: Wir haben nichts gestohlen.

Der letzte gebrochene Schrei des Juweliers, schon ohne alle Hoffnung, dringt über den Markt an ihr Ohr, und sie bleibt in ihrem Versteck, bis sie sicher ist, dass er sie nicht mehr sucht. Dann steht sie auf und klopft auf die Manteltasche, in der ihr neues Klappmesser mit Onyxgriff ist. Sie zieht es hervor, lässt es aufklappen und probiert es an einem lose hängenden Faden aus. Es ist sehr scharf geschliffen.

Wenn man fällt, denkt Zoli, fällt man nie bloß halb.

Der Regen hämmert, prasselt, ergießt sich, das Wasser schießt durch die Rinnsteine und trägt kleine Flöße aus Abfall mit sich. Am Fluss der spärliche Schmuck der Brückenbeleuchtung. Dahinter die Silhouette der riesigen Wohnblöcke, in denen jetzt auch ihre Kumpanija wohnt. Der Strom ist wieder einmal ausgefallen. Zoli fragt sich, ob sie Zeugin des Augenblicks sein wird, in dem der Strom wieder eingeschaltet wird und in allen acht Wohnblocks zugleich die Lichter angehen, des einzigen Augenblicks, in dem diese Gebäude schön sind. Vor Jahren hat Stránský einmal zu ihr gesagt, nur Gedichte seien imstande, die wahren Schrecken des menschlichen Bewusstseins wiederzugeben, doch sie zog diesen Gedanken sofort in Zweifel, denn für sie gingen Gedichte an und aus, wie die Lichter in diesen Wohnblocks. Nicht mehr und nicht weniger.

Die Blocks erscheinen ihr jetzt klein und zerbrechlich – es ist beinahe, als könnte sie nach Belieben irgendwelche Teile wegnehmen und durch andere ersetzen.

Am Fuß der Brücke stapft sie in ihren nassen Kleidern auf und ab. Unter den Röcken trägt sie eine von Swanns alten Hosen. Seine Stiefel hat sie mit Socken ausgestopft, damit sie bequemer sind. Der Rest seiner Besitztümer ist in dem Bündel auf ihrem Rücken. Von irgendwoher ertönt das Geräusch eines Motorrads, es knattert und entfernt sich. Aus dem Abendnebel am Fluss tauchen Gestalten auf – jede von ihnen könnte Swann sein. Wie hat er sich am Bein verletzt? Ist er gestürzt, hat man ihn geschlagen, eine Treppe hinuntergeworfen? Diese Tage am Fluss. Seine Hand an ihrer Schulter, sein Kinn an ihrem Hals, sein Kopf im Schatten des ihren. Die Spuren der Wölfe am Ufer.

Sie erschauert, flucht und geht am Fluss entlang. Das Bündel ist nass und wird mit jedem Schritt schwerer.

Sie biegt in die Sedlárskastraße ein. Dort ist eine Baustelle, und sie bleibt an einem Haufen roter Ziegelsteine stehen. Sie stößt einen davon mit der Fußspitze an und rollt ihn auf die Seite. Dieselbe Straße, dieselben Häuser, dieselben Risse im Asphalt – wie oft schon? Sie geht zu einem gedrungenen Gebäude mit zwei riesigen Fenstern. Kein Licht, niemand zu sehen. Sie tritt an eines der Fenster und legt den Finger auf die Scheibe, die so groß ist, dass sie in der Mitte bebt und schwingt. Im selben Augenblick, in dem sie den Arm vorstößt, zieht sie ihn auch schon wieder zurück, sodass der Ziegelstein noch in ihrer Hand ist, als das Glas zerspringt und zu Boden fällt.

Das letzte Klirren der letzten Scherbe verklingt, und rings um sie her herrscht wieder Stille.

Auf der anderen Straßenseite erscheinen zwei junge Arbeiter und starren herüber. Wie das wohl für sie ausgesehen hat: eine Frau in einem riesigen Mantel, mit Kopftuch und schwarzen Männerstiefeln, wendet sich im Dunkeln von der eingeschlagenen Fensterscheibe des slowakischen Schriftstellerverbands ab. Aber das spielt jetzt keine Rolle mehr. Sollen sie mich doch verhaften, sollen sie doch tun, was sie wollen. Und wenn sie sich auf den Kopf stellen – ich mache nicht mehr mit.

Unter der Markise des Kinos am Fluss bleibt sie stehen und ruht etwas aus. In einer Vitrine hängt ein Plakat mit einer blonden Frau und einem Mann in einem grünen Mantel: *Das Beste geschieht morgen.* Zoli sieht ihr Spiegelbild im Glas und registriert kühl und gewissenhaft, dass ihr Haar unter dem Kopftuch zerzaust ist, dass sie Schmutzflecken im Gesicht hat, dass ihre Augen vom Schlafmangel schwarze Ränder haben und sich unter den Wangen die Knochen abzeichnen. Sie sieht hinab auf Swanns Stiefel, ihre lachhafte braune Klobigkeit, die langen Schnürsenkel und glänzenden Ösen.

In Swanns Gesellschaft war diese Abendstunde immer am verheißungsvollsten gewesen. In die dunkle Eingangshalle. Die Treppe hinauf. Vorbei an den Wasserflecken auf den Wänden. Die Luft hart vom Zigarettenrauch. Swann zog sein Feuerzeug hervor, um ihnen zu leuchten. Durch die Schwingtür. Ein paar Gesichter, die sich ihnen zuwandten. Swann gefiel der Gedanke, dass es war, als würden sie in einen Saloon treten. Sie standen auf, als die Nationalhymne gespielt wurde, setzten sich wieder, im Rücken die harten Lehnen, und warteten darauf, dass ihre Augen sich an die Dunkelheit gewöhnten. Nach einigen Sekunden nahmen sie erste Bewegungen wahr, winzige weiße Krater, feine, zuckende dunkle Linien, helle Flecken und dann eine Explosion von Farben. Sie spürte, wie er sich entspannte und darauf wartete, dass die Bilder zum Leben erwachten: der Weidezaun, die Waschschüssel mit dem Stück Seife, der Hirsch, der sich durch eine Schneewehe müht, die Hand, die sich um ein Whiskyglas schließt. Was ihn am meisten erstaunte, war die Tatsache, dass all diese Filme in der Tschechoslowakei gedreht worden waren. Wenn sie danach durch die Straßen gingen, stieß sie die imaginären Türen des Trigger Happy Saloons auf und sprach von der leeren Weite der Prärie, aus der die Büffel verschwunden seien, von den Abstinenzlerinnen und von Winnetou – und sie war sicher, dass Swann sie faszinierter ansah als zuvor die Leinwand, mit offenem Mund und sprachlos zu ihr gebeugt.

Wie fern das jetzt ist, denkt Zoli.

Cowboyfilme.

Der Himmel über der Stadt wird heller, als sie die Straßenbahngleise überquert und hinunter zum Fluss geht. Ein rostiger Fischerkahn müht sich durch die Fahrrinne und zieht eine Rauchfahne hinter sich her. Gebeugt unter der Last des Bündels steigt sie die lange Rampe zur Brücke hinauf. In Gedanken breitet sie ihre Besitztümer vor sich aus: hundertsechzig Kronen, ein Messer mit Onyxgriff, ein Bettlaken, zwei Decken, einen Mantel, Stiefel, eine von Swanns Hosen, drei Hemden, eine Bürste, ein Paar dicke Handschuhe, einen Blechbecher und ein Küchentuch.

Jemand hat einen Blumenstrauß zwischen die verschnörkelten Stäbe des Brückengeländers gesteckt. Zoli bleibt stehen, beugt sich über die vertrockneten Blumen und sieht hinab auf das Wasser. Der Wind streicht über die Oberfläche und wird am jenseitigen Ufer abgelenkt. Ich sollte etwas ins Wasser werfen oder über das Geländer steigen und gleich hier hineinspringen. Mir mit einem Tuch das Kinn hochbinden. Die Arme ausbreiten. Nichts sagen. Fallen. Mit über den Kopf geschlagenen Röcken ins Wasser tauchen. In der Tiefe verschwinden. Gischt aufstieben lassen.

Sie merkt sogleich, welcher Art dieser Gedanke ist: Er ist gadžikano, leer, armselig. So leicht wird sie es ihnen nicht machen.

Wie dumm ich war. Ich habe mich an ihren Tisch gesetzt und ihn zum Dank geküsst. Sie haben versprochen, uns in Ruhe zu lassen, aber sie haben ihr Versprechen nicht gehalten. Wie seltsam, so gemocht zu werden von Leuten, die ich nie ganz verstehen konnte. Die Feste, die Villen, die Hotelempfänge und wie sie mich bei ihren Kongressen präsentiert haben. Ihr Wodka, ihr Kaviar, ihre süßen Haluški. Sie haben aus mir eine Marionette gemacht, sie haben mir ein hübsches Schleifchen umgebunden, und dann haben sie mich die Stufen zum Schafott hinaufsteigen lassen. Die Schlinge, die Falltür, der Riegel.

Leicht benommen sieht Zoli hinab auf den Fluss, auf das Wechselspiel von Licht und Schatten, und plötzlich wird ihr bewusst, dass sie gar nicht alle Gedichte verbrannt hat: Es sind noch Hunderte ihrer Bücher im Umlauf – in der Druckerei, in den Gewerkschaftshäusern, sogar in den Buchhandlungen in der Zelenástraße. Sie hat lediglich die Originale verbrannt und damit die gedruckten Exemplare nur umso wertvoller gemacht.

Zoli geht langsam zum anderen Ende der Brücke und bleibt an der Kreuzung stehen. Die Straße nach Westen führt zu den Wohnblocks, die Straße nach Süden ist die, auf der sie dies alles hinter sich lassen wird. Sie drückt die verschränkten Arme an den Bauch, umfasst mit den Händen die Ellbogen, rückt das Bündel auf ihrem Rücken zurecht, geht an einer Reihe großer Mülltonnen vorbei und steigt durch eine Lücke im Stacheldrahtzaun. Im Licht des frühen Morgens sieht sie Traktoren, Betonmischmaschinen, Wellblechbaracken und Bauarbeiter in Wachsjacken. Einer von ihnen beugt sich über eine Blechkanne und rührt den Kaffee um. Unerkannt geht sie an ihm vorbei. Die meisten Blocks sind inzwischen bewohnt, nur drei befinden sich noch im Bau. Das große Experiment.

Sie wollten nur das Beste für die Zigeuner – als könnten die je ein einziger, pulsierender Organismus sein. Vierzigtausend zusammengepferchte Menschen. Fließendes Wasser, Lichtschalter, Zentralheizung.

Wenn du dein Licht zu früh anzündest, denkt sie, kommt die Dunkelheit nur umso schneller.

Sie schlüpft durch eine zweite Lücke im Zaun und hält an einer langen Mauer inne, in einiger Entfernung von den Wohnwagen. Hunderte von Wagen stehen hier herum, noch immer nach Kumpanijas geordnet. Wenigstens haben sie nicht die Wagen verbrannt, denkt sie. Nur die Räder.

Sie beugt sich vor, die Kiesel im Putz der Mauer drücken sich in ihre Handflächen.

Auf den kahlen Rasenflächen brennen vor ein paar Wagen bereits neue Lagerfeuer. Funken wirbeln durch die Luft. Ein, zwei undeutlich erkennbare Gestalten tauchen aus den Schatten auf und verschwinden wieder. Einige haben die Blocks also schon verlassen und zuvor die Dielen herausgerissen, sie stehen wieder auf der Erde und verbrennen, was der Boden unter ihren Füßen hätte sein sollen. Ein kleiner Triumph. Ein Stück weiter hat jemand an einen der Blocks einen Schuppen gebaut. Alte Bleche, Dielen und ein orangerotes Warnschild. Zoli kneift die Augen zusammen und liest: *Vorsicht – Bauarbeiten!* Flickendecken, Armeedecken hängen über den Brettern. Entlang der Wand ein Sammelsurium von Müll. Eine Frau kniet auf dem nackten Boden und wischt ihn mit einem feuchten Tuch. Ein paar noch schlafende Kinder – dunkle Buckel unter den Flickendecken. Drinnen steht auf einer rohen Kiste eine Petroleumlampe. Aus drei Brettern hat man einen langen Tisch gemacht. Das Licht der Lampe ist durch Ruß getrübt. So also werden sie von nun an leben: Ruß auf dem Glaszylinder.

Zoli drückt sich an die Mauer und späht in die Ferne. Ein magerer, räudiger Hund pinkelt einen Wagen an, der kürzlich ausgebrannt ist und aussieht, als wäre jemand darin ums Leben gekommen. Am anderen Ende des Lagers treibt ein Kind einen Fassreifen vor sich her, und dahinter steht ein Mann am Feuer. Zoli erkennt Wašengo an der Silhouette seines Hutes. Da ist Graco – er trägt eine Petroleumlampe. Milena, Jolana, Eliška und ein, zwei andere Kinder sind ebenfalls schon wach. Keine Spur von Conka. Sie presst die Hände noch fester gegen die Mauer und weiß, dass sie von ihnen jetzt und für immer getrennt ist.

Zoli geht an der Mauer entlang. Wenn sie ihr noch weiter folgt, wird sie bald mitten unter ihnen sein. Sie bleibt stehen, verlagert das Gewicht auf ein Bein, sodass ihre Hüfte sich vorschiebt. Sie würde zu gern den unbelasteten Fuß vor den anderen setzen und zum Lager gehen. Sie sieht die flackernden Feuer in der Nähe, die Glut der Zigaretten, die zum Mund gehoben werden, mit rotem Licht in die Luft gemalte Bogen. Ich würde all meine Worte verbrennen, wenn ich dafür noch einmal in dieser Luft sein dürfte. Sie tritt einen Schritt von der Mauer zurück. Ein paar Kinder laufen von der anderen Seite des Lagers in ihre Richtung. Von woher stammen sie? Wie lange hat man sie vor sich her getrieben? Sie schmiegt das Gesicht an den hochgeschlagenen Kragen von Swanns Mantel und reibt mit dem Kinn über den Stoff. Mit welchen Worten werden die Kinder über mich sprechen, jetzt, da ich fort bin?

Hoch über den Blocks schwingt der gelbe Arm eines

Krans über den Himmel. Er verharrt, lässt seine Last mitten in der Luft baumeln und schwingt dann weiter. Zoli zieht ihr Tuch fester um die Schultern und schlüpft durch den Zaun. Sie fühlt sich, als hätte sie sich gerade über ein Feld aus Stacheldraht geschleppt.

Verstecken war ein Wort aus einer alten Sprache, die sie beherrschten, doch sie hatten sich nicht gut genug versteckt. Diesmal nicht. Es hatte geschneit, und die Felder waren mit einem leuchtenden Schimmer überzogen. Man hatte sie mit Leichtigkeit entdeckt – bunte Farben vor weißem Schnee. Die Soldaten kamen mit Motorrädern und Mannschaftstransportern. Sie standen da, entfalteten eine Bekanntmachung des neuen Gesetzes und waren verblüfft, als Wašengo sagte, die Kumpanija wolle nicht gehen. Sie hatten gedacht, da gebe es nicht viel zu überlegen. *Eine eigene Wohnung. Zentralheizung. Fließendes Wasser.* All die Zauberworte. Sie spuckten aus und grunzten ins Funkgerät: «Sie weigern sich mitzukommen.» Kurze Zeit später erschien ein höherer Offizier in einem dunklen Wagen. Er ließ Wašengo und dann auch Zoli holen. Bevor sie hinausging, berührte sie die beiden Schuhlöffel über der Wohnwagentür. In den Mannschaftstransportern bellten Hunde. Sie setzte sich auf den Rücksitz des Wagens, warme Luft strich über sie hin. «Wir werden bleiben», sagte sie. Das Gesicht des Offiziers rötete sich. «Ich habe meine Befehle», sagte er. «Mir bleibt keine andere Wahl. Es wird Blutvergießen geben.» Das Wort ließ in ihrem Kopf ein spanisches Gedicht aufblitzen.

«Und ausgerechnet du», sagte der Offizier zu Zoli. «Du solltest doch wissen, dass das die besten Wohnungen im ganzen Land sind. Lass es nicht zu einem Kampf kommen.»

Sie schwieg, das Wort schwang noch in ihr nach. Wie seltsam, auf den bequemen Ledersitzen eines Wagens diesem Wort zu begegnen, nicht als Teil eines Gedichts, nicht gedruckt auf weißem Papier. *Blutvergießen.*

«Du kannst bei uns mitfahren», sagte der Offizier. Er wandte sich an Wašengo, der die Hände an die Luftschlitze im Armaturenbrett hielt. «Du auch», sagte er. «Du kannst hier im Wagen sitzen, hier ist es schön warm, Genosse.»

Zoli murmelte einen Fluch auf Romani, knallte die Tür hinter sich zu und stapfte davon. Der Offizier kurbelte das Fenster herunter, um ihr nachzusehen. Noch aus der Entfernung spürte sie sein Erstaunen.

Auf dem Feld spielten die Kinder. Die Eishüllen von Grashalmen schmolzen auf ihren Zungen. Wašengo kam und blieb hinter ihr stehen.

«Wir werden fahren», sagte er. «Ohne Widerstand. Ich hab ihm gesagt, er soll die Soldaten abziehen. Und die Hunde.»

In Zoli stockte etwas. Sie konnte nicht einmal antworten. Es war, als wäre sie bereits verschwunden. Sie wusste, was geschehen würde. Wašengo pfiff. Eliška erschien auf der Treppe ihres Wohnwagens. Sie sagte es den anderen. Die Kinder jubelten, sie wussten es nicht besser, für sie war es ein Abenteuer. Schneeflocken tanzten in der Stille. Zoli ging zu ihrem Wohnwagen und wartete.

Langsame Schritte auf dem Schotter. Ein Schatten gleitet über den Boden. Sie folgt mit den Augen der Bahn einer Schwalbe, die von einem der Blocks herabfliegt. Die Schwalbe setzt sich auf einen der Masten, die flach auf der Erde liegen. Einer der Arbeiter aus den Baracken ruft ihr einen Gruß zu, der zu förmlich ist, um aufrichtig gemeint zu sein. Als sie vorbei ist, hört sie ein verhaltenes Grunzen und einen leisen Pfiff. Der Verkehr auf der Straße nimmt ab, Straßenbahnen rauschen vorbei. Der rissige Beton hört auf – unter ihren Füßen ist wieder nackte Erde, und die Blocks bleiben hinter ihr zurück.

Vor der Stadt ist das Land sanft gewellt und dünn besiedelt. Am frühen Nachmittag rastet Zoli im Schatten eines alten Wellblechschuppens.

Sie schreckt hoch, als sie eine Gruppe sieht, die sich auf der anderen Seite der Straße nähert. Zunächst ist es nur ein formloser Umriss, doch dann kann sie einzelne Personen erkennen: drei Kinder und eine Frau, sie tragen Eimer und kleine Bündel und suchen nach Essbarem. Die Kinder umkreisen die Frau wie kleine schwarze Magneten. Zwei springen in den Straßengraben und tauchen wieder auf. Eines ruft etwas. Die Gestalten sind verzerrt, wie durch schlechtes Glas betrachtet. Über ihnen die entfernten Schreie der Gänse in ihren spitzen, schmalen Formationen. Eines der Kinder rennt über die Straße zu einer Reihe Weiden, und dann befiehlt Conka alle drei Kinder zu sich.

Eine panische Enge in Zolis Kehle. Sie ist sich undeutlich bewusst, dass sie einen scharfen Geruch verströmt.

Conka und ihre Kinder kommen näher. Das rote Haar, die weiße Haut, der Streifen Sommersprossen unter ihren Augen, die Narben auf der Nase.

Zoli kneift die Augen zusammen. Der Geruch ist stärker geworden, in ihrem Bauch rumort es.

Bora ist die Erste. Das Geräusch des Spuckens kommt, bevor die Tropfen ihr Gesicht treffen. Sie wischt sie nicht weg, sondern steht auf, tief atmend, das Herz springt in ihrer Brust. Ein Brüllen, ein Splittern in den Ohren. Nie gab es eine Stille wie diese. Das zweite Kind, Magda, überquert die Straße mit leichten, gemessenen Schritten. Sie spuckt lautlos und ohne Bösartigkeit. Die Spucke landet auf der Schulter von Zolis Mantel. Ein gemurmelter Fluch, beinahe eine Entschuldigung. Zoli hört, wie Magda sich langsam umdreht – natürlich, ihr Klumpfuß. Der Letzte ist Jores, der Älteste. Sie spürt seinen nach Mandeln riechenden Atem auf dem Gesicht. «Hexe», zischt er. Mit einem rasselnden Geräusch holt er den Schleim von tief aus der Kehle und spuckt ihn ihr genau zwischen die Augenbrauen.

Wieder ein Brüllen von der anderen Seite der Straße, der Klang der vertrauten Stimme, die die Kinder ruft. Zoli rührt sich nicht. Sie wartet auf Conka. Bilder rasen durch ihren Kopf: ein Wettlauf den Hügel hinunter, ein nackter Körper, der angekleidet wird, Gelächter unter einer Decke, all diese Kindheitserinnerungen, Eis auf einem See, ein Korb voller Kerzen. Ruhe, denkt sie, bleib ruhig. Noch immer nichts. Kein Schritt. Die Gefahr, den Boden unter den Füßen zu verlieren und ins Nichts zu stürzen.

Als Zoli die Augen öffnet, schimmert die Straße im Dunst. Sie hört kein Lachen, kein Rufen, keinen Nachhall irgendeines Geräuschs. Spucke rinnt an ihrem Hals hinab. Sie wischt sie fort, bückt sich und streift die Hände am Gras ab. Der Geruch der Kinder an ihren Fingern.

Wenigstens hat Conka mich nicht angespuckt.

Sie ist nicht über die Straße gegangen und hat mich verflucht.

Wenigstens das.

Es ist beinahe genug.

Ein paar Meter weiter bleibt Zoli neben der Straße stehen, bückt sich und berührt die Konservendose: Sie ist voller Getreidekörner und alter Beeren, daneben liegt ein

Stück unverdorbenes Fleisch. Zoli legt die Finger an den Mund und riecht den Geruch der kleineren Kinder. Ich werde nicht weinen. Seit dem Urteilsspruch habe ich nur einmal geweint. Ich werde es nicht noch einmal tun.

Zoli hebt die Dose auf. Darunter liegt eine Strähne von Conkas Haar mit einer eingeflochtenen Münze.

3

Die Tage vergehen in wütender Leere. Der Himmel ist winterlich und schnell. Sie steigt die steile Böschung zum Ufer hinunter. Die Sonne glänzt auf dem dünnen Eis, wuchernde Kristalle umschließen die Gräser am Fluss. Sie geht zum Wasser, zieht einen Stiefel über die Hand und zerschlägt das Eis. Mit einem Stock stochert sie in dem Loch und schiebt die Bruchstücke beiseite, dann taucht sie die Hände in das eiskalte Wasser.

Sie holt tief Luft und schöpft sich Wasser ins Gesicht – es ist so kalt, dass sie ihre Wangen kaum spürt.

Vorsichtig zieht sie die Socken aus. Die Blasen haben sich verhärtet, und keine der Wunden hat sich entzündet, aber die behelfsmäßigen Verbände sind wie eine zweite Haut geworden. Langsam schiebt Zoli die Füße in die brennende Kälte des Wassers und hebt die verklebten Stoffstreifen ab. Die Haut darunter löst sich ebenfalls. Später wärmt sie ihre Füße an einem kleinen Feuer, drückt die losen Hautstreifen auf das rohe Fleisch und verbindet die wunden Stellen.

Kleine Vögel suchen in der Kälte des ungeschützten Flussufers nach Futter. Zoli beobachtet, zu welchen Bäumen sie fliegen, über welche Beeren sie sich hermachen, dann steht sie auf und sammelt, was sie finden kann. Im Schlamm entdeckt sie einen toten Sperling. Es ist gegen alle Sitte, einen wilden Vogel zu essen, aber was ist Sitte jetzt schon? Ein altes, flügellahmes Ding. Sie spießt den Vogel auf einen angespitzten Zweig und röstet ihn über der kleinen Flamme. Sie dreht ihn hin und her und weiß beim ersten Bissen, dass er nicht gut für sie sein wird – alt, verwest und nutzlos. Aber der Hunger quält sie, und sie reißt mit den Zähnen ein Stück Fleisch ab und fährt mit der Zunge über die Stelle, wo einst das Herz geschlagen hat.

Der winzige gelbliche Schnabel des Vogels liegt auf ihrer Hand. Sie wendet sie über den Flammen und lässt ihn hineinfallen.

Sie hockt am Feuer und ist dankbar für das Feuerzeug. Ich muss sorgsam damit umgehen, bald wird das Benzin verbraucht sein. Kleine Feuer sieht man nicht. Über kleinen Feuern kann man mit gebreiteten Röcken stehen, sodass die Wärme in den Körper zieht. Kleine Feuer kennen keine Ausgangssperre.

Ihr Magen ist in Aufruhr, und in der Nacht wälzt sie sich unter Swanns Decke hin und her.

Als sie aufsteht, ist ihr schwindlig. Die Sonne ist eine helle Scheibe in den Bäumen. Auf einer Kiefer steht ein großer Reiher und beobachtet sie, sein Hals ist lang und lässig gekrümmt, nur die Augen bewegen sich. Der Ast ist wie für ihn gemacht, eine perfekte Mischung aus Blau und Grau. Der Reiher wendet sich wie gelangweilt ab, biegt den Kopf zur Seite, zupft an ein paar Federn und fliegt mit trägen Flügelschlägen in den Wald.

Augenblicke später steht er am Ufer und hat einen Fisch im Schnabel. Zoli schiebt sich zum Feuer, nimmt ein angebranntes Holzstück und wirft es nach dem Vogel. Sie verfehlt ihn, doch das Holz schliddert über das Eis und versprüht bernsteinfarbene Funken. Der Reiher sieht sich nach ihr um, lässt den Fisch fallen, breitet die Flügel aus und fliegt über das Schilf davon. Sie humpelt zu der

Stelle und hebt den Fisch auf. Er ist kaum länger als ihre Hand.

«Du hättest ruhig einen größeren für mich fangen können», sagt sie laut.

Der Klang ihrer Stimme überrascht sie: wie klar sie klingt, wie frisch. Rasch sieht sie sich um, als könnte jemand sie gehört haben.

«Du», sagt sie und lässt nochmals den Blick schweifen. «Ein größerer Fisch wäre großzügiger gewesen. Hast du gehört?»

Während sie das Feuer schürt, spricht sie mit sich selbst. Sie isst das weiße Fleisch und leckt die Gräten ab. Dann taucht sie die Füße wieder in das Flusswasser. Noch einen Tag, und sie werden verheilt sein. Ich kann laufen und immer weiterlaufen, die Straße entlang, an Zäunen und Strommasten vorbei. Niemand wird mich einfangen, niemand wird auch nur den Klang meiner Stimme hören.

Es war so seltsam, dass ihr vor ein paar Tagen, an dem Kontrollposten, Paris eingefallen ist, aus keinem besonderen Grund, und nun ist der Name abermals da. Sie lässt das Wort prüfend über ihre Zunge gleiten.

«Paris.»

Sie dehnt es: eine breite, elegante Avenue aus Vokalen und Konsonanten.

Am nächsten Morgen stopft sie Swanns Stiefel mit Socken aus, polstert die Knöchel mit trockenem Moos und macht sich am Flussufer entlang auf den Weg. Sie hält Ausschau nach dem Reiher und erwartet, dass er gelassen und majestätisch erscheint und etwas Großartiges tut – dass er auf einer Eisscholle den Fluss hinabtreibt und sich unvermittelt von einem Baum aufschwingt –, doch nichts geschieht.

Sie findet einen langen Eichenast mit einem knotigen Ende und probiert aus, ob er als Wanderstab taugt. Er biegt sich ein wenig unter ihrem Gewicht. Sie schwenkt ihn durch die Luft.

«Danke», sagt sie ins Nichts. Dann wendet sie sich mit ihrem neuen Stab der Straße zu und entlässt weißlichen Atem in die Morgenluft.

Paris. Wie absurd. Wie viele Grenzen sind das? Wie viele Wachtürme? Wie viele Soldaten, aufgereiht am Stacheldrahtzaun? Erneut probiert sie das Wort aus, und es scheint ihr, dass es sich in allem niederlässt, was ihr an diesem Tag begegnet: Paris in dem Ast dort, Paris im Matsch des Straßengrabens, Paris in dem Hund, der bei ihrem Anblick davontrabt und sich dabei nach ihr umsieht, Paris in dem Rot des Traktors, der in der Ferne über ein Feld rumpelt. Sie klammert sich an die Lachhaftigkeit dieses Wortes, an seine schlichte Wiederholung. Ihr gefällt sein Gewicht auf ihren Lippen, und sie stellt fest, dass seine Laute ihr helfen, an nichts zu denken, dass sie rhythmisch erklingen und sie antreiben, eine Art Konterbande, eine so formlose, so unmögliche, so bizarre Wiederholung, dass sie sich ihren Schritten anpasst, und Zoli merkt, dass der Anfang des Wortes genau dort ist, wo sie die Ferse auf den Boden setzt, und das Ende dort, wo die Fußspitze ihn verlässt, sodass sie in vollkommener Übereinstimmung von Klang und Schritten voranschreitet.

In der Stille einer Kreuzung entdeckt sie in der Ferne ein Pünktchen, ein Fahrzeug, das sich nähert, ein Motorrad, das Aufblitzen eines Metallteils, und sie versteckt sich und drückt den Rücken gegen die feuchte Wand des Straßengrabens.

Mit blechernem Geknatter fährt das Motorrad vorbei. Es ist Swann – sie erkennt ihn an der Haltung, und die beiden Krücken sind an die Maschine geschnallt. Sie steht auf und sieht ihm nach: Er müht sich die holprige Straße entlang, durch kleine Länder aus Licht und Schatten. Einmal muss er einem Kaninchen ausweichen. Das Tier hüpft über ein Feld, die Ohren aufgestellt, als wäre es amüsiert über diese Begegnung.

«Du wirst mich nicht finden», sagt sie zu dem entschwindenden Pünktchen und stößt den Stab bekräftigend auf den Boden, während das Knattern langsam verklingt. In der Stille denkt sie, dass sie beinahe im Gehen schlafen könnte – wenn Swann nicht wäre.

Auf einem winzigen Dorfmarkt kauft sie ein Stück Fleisch, etwas Käse und einen Laib Brot. «Gibt's hier noch mehr von deiner Sorte, Genossin?», fragt ein alter Gemüseverkäufer. Er sieht ihr nach, als sie einen Feldweg entlanggeht und sich einmal umdreht, um sich zu vergewissern, dass ihr niemand folgt.

Später, am Abend und unweit des Dorfes, stößt sie auf ein ausgebranntes Lager. Keine geheimen Zeichen. Nur ein entsetzliches Durcheinander.

Darum also hat man sie gefragt. Die Spuren sind noch überall: im frisch nachgewachsenen Gras, in den Furchen, die die Räder hinterlassen haben, den Löchern, in denen die Zeltpflöcke steckten, den Erdhaufen über den hastig erstickten Feuern. Rings um das Lager ist das Zickzack der Spuren von Lastwagenreifen zu sehen, und zwischen Bäumen steht ein einzelner ausgebrannter Wohnwagen ohne Räder. Ein Rad ist in die Erde gedrückt, die anderen sind verbrannt. Ein geschmolzener Wagenreifen. Segeltuchfetzen, festgefroren an den verkohlten Brettern des Aufbaus.

Die Deichsel des Wagens steckt im matschigen Boden, als würde er den Nacken beugen und seine Niederlage anerkennen. Zoli streicht mit der Hand über das Holz. Eines der Bretter fällt mit einem leisen Geräusch zu Boden. In einer Ecke des Wagens steht der dunkle Kadaver eines Radios. Aus den anderen Spuren ringsum liest sie, dass die Männer versucht haben, den Wagen ohne Pferde in den Wald zu schaffen, es aber schon nach wenigen Metern aufgegeben haben. Sie findet keine Knochen, keine Patronenhülsen.

Mit ihrem Messer schneidet Zoli ein Stück von dem angebrannten Segeltuch ab. Sonst gibt es hier nichts, was sie gebrauchen könnte. Sie legt die Hand auf die linke Brust, verbeugt sich und geht weiter. Alles, was wir wollten, denkt sie. Und alles, was wir bekommen haben.

Ein kleines Stück weiter spannt sie das Segeltuch über einige Äste und schlägt ihr Lager auf. Bei Einbruch der Dunkelheit hört sie, wie irgendetwas in einem Halbkreis um sie herumschleicht. Ein Wolf, ein Hirsch, ein Elch. Kein Mensch. Menschen schlagen nicht solche Halbkreise. Sie setzt sich auf, stochert in der Glut und wirft ein paar trockene Blätter darauf. In der Finsternis züngeln die Flammen empor. Sie nimmt eines von Swanns Hemden, reißt ein Stück vom Ärmel ab und zündet es an. Mit dem brennenden Stoff umkreist sie ihr Lager.

Bis zum Morgen verharrt sie im Sitzen, die Knie hoch an die Brust gezogen, döst schließlich ein und schreckt hoch, als etwas Nasses auf ihr landet. Riesige Schneeflocken schweben zu Boden. Es ist, als wollte sogar das Wetter sich über sie lustig machen.

Das Schneegestöber lässt die Äste und Zweige dunkel hervortreten – Bleistiftstriche auf weißem Papier. In den

Wipfeln versammeln sich Krähen und flattern in schwarzen Schwärmen über den Himmel. Zwischen den Bäumen hindurch sieht sie eine weiße Augenbraue auf dem ausgebrannten Wohnwagen.

«Gottes Segen», sagt sie laut, ohne eigentlich zu wissen, warum.

Durch die klare Luft dringt eine Antwort zu ihr. Vielleicht ist es nur der Wind in den Bäumen oder ein fallender Zweig, doch dann hört sie ein zweites Geräusch und ein rasselndes Husten. Zoli rafft ihre Sachen zusammen und verschnürt das Bündel. Gefrorenes Laub knistert unter ihren Füßen.

Eine Stimme.

Sie fährt herum.

Zwei Männer in Lodenjacken, Äxte über den Schultern. Sie bleiben stehen, und der eine setzt die Axt ab. Beide rufen ihr etwas zu, als sie durch den Schnee rennt. Ein Zweig peitscht ihr ins Gesicht. Sie stolpert über eine Baumwurzel und fällt auf einen Baumstumpf. Als sie aufstehen will, sind die Männer schon da, stehen über ihr und sehen auf sie hinab. Der eine ist jung und hat ein frisches Gesicht. Der andere hat einen schütteren Bart und eine zerbrochene Brille. Der Junge mustert sie mit einem schiefen Grinsen. Sie dreht sich um und verflucht die beiden, doch das scheint ihn nur zu amüsieren. Der Ältere will ihr aufhelfen, aber sie beißt ihn in den Arm. Er weicht zurück. Sie schreit die Männer auf Romani an, und der Jüngere sagt: «Ich wusste doch, dass hier jemand ist. Ich hab's dir doch gesagt, gestern Abend. Ich hab's gespürt.»

Zoli kriecht rückwärts durch den Schnee. Ihre Hand ertastet einen Ast, doch der Jüngere lässt ihn mit einem raschen Tritt durch die Luft fliegen.

«Ich wette, das war sie. Sieh sie dir an.»

«Hilf ihr auf.»

«Und wenn sie den bösen Blick hat?»

«Scheiß auf den bösen Blick. Hilf ihr auf.»

«Ich wette, das ist sie. Sieh dir ihren Mantel an.»

«Halt den Mund.»

«Sie wollte uns mit dem Ast da schlagen.»

«Hilf ihr auf.»

Die beiden beugen sich zu ihr. Zoli stemmt die Füße in den Schnee und weicht zurück, aber die Männer packen ihre Arme, und sie spürt, dass Widerstand sinnlos ist. Sie führen sie ein gutes Stück durch den Wald zu einer Lichtung, wo zwei Esel geduldig vor einer kleinen Holzhütte warten.

Das also war das Geräusch gestern Nacht, denkt Zoli. Bloß zwei Esel.

Ein Streifen Schnee rutscht vom Dach und plumpst auf den Boden. Rings um die Hütte sind geschälte Scheite aufgestapelt. An der Wand liegen ein paar Gerätschaften, ein paar Meter weiter steht ein kleiner Karren. Der Schnee ist zertrampelt. Hier sind mehr als zwei Männer, denkt sie.

Sie spuckt aus, und der Junge sagt: «Sie wird uns verfluchen.»

«Sei kein Dummkopf», sagt der Ältere.

Drinnen klopfen die Männer den Schnee von den Stiefeln und führen sie zu einem Stuhl. Die Luft ist schwer von Schweißgeruch und Tabakrauch. An den Wänden stehen vier Stockbetten, und in der Mitte des Raumes hängt ein Leuchter aus Hirschgeweihen. Die Kerzen sind nicht angezündet. Der Boden besteht aus Felsplatten. Eine Art Waldarbeiterlager, denkt sie. Vielleicht sind es auch Wilderer. Sie sieht, wie der jüngere Mann die Tür schließt und an der Unterkante mit dem Stiefel nachhilft.

Zoli greift in die Tasche, klappt das Messer mit dem Onyxgriff auf und schiebt es in den Mantelärmel. Die Spitze sticht in ihren Zeigefinger.

Der ältere Mann wendet sich ab, macht die Ofentür auf, beugt sich hinunter und stochert mit einem Stock im Ofen herum. In der Öffnung schlagen orangerote Flammen hoch, ein Stückchen Glut landet auf seinem Stiefel. Er klopft es weg, stellt einen Topf auf die Platte und rührt mit dem Stock darin. Eine Lammkeule hängt wie eine Jacke über dem Ofen. Der Streifen, den er mit einem Messer davon abschneidet, fällt direkt in den Topf.

«Hier draußen wird dir nichts Gutes begegnen», sagt der Mann.

Und als wollte er das beweisen, legt der andere den Gürtel ab. Er zieht ihn aus den Schlaufen und lässt ihn schnalzen. Seine schmutzstarrende Hose rutscht bis zu den Knöcheln hinunter, doch er kehrt Zoli weiterhin den Rücken zu. Seine Unterhose ist schmutzig grau. Zoli lässt das Messer ein paar Zentimeter tiefer in ihre Hand gleiten und schließt die Augen. Von der anderen Seite des Raumes ertönt ein tiefes Husten. Als sie die Augen öffnet, sieht sie, dass der jüngere Mann eine andere Hose angezogen und sich umgedreht hat. Er schließt den Gürtel, sein Blick wird scharf. Er schiebt mit der Fußspitze einen kleinen Hügel aus Sägemehl zusammen, macht zwei Schritte und greift an Zoli vorbei nach einem Becher, der auf dem Tisch steht.

Mit zwei Fingern hebt er ihn an den Mund. Zoli weiß, dass der Becher leer ist.

«Wie heißt du?»

Sie rutscht mit dem Stuhl nach hinten, aber er schiebt sie wieder an den Tisch. Ein Geruch nach Harz.

«Wie heißt du, Zigeunerin.»

«Lasst mich gehen.»

Der Jüngere knallt den Becher auf den Tisch und beugt sich über sie. Sein Atem riecht nach frischer Waldminze. Dann kennt er sich im Wald also aus, denkt sie, und wird nicht so leicht zu täuschen sein. Sie schiebt das Messer wieder in den Mantelärmel, die Klinge ist kühl an der weichen Haut ihres Handgelenks.

«Conka», sagt sie und bereut es sogleich.

«Conka?»

«Elena. Ich war mit den anderen hier.»

«Jetzt also Elena?»

«Als die Soldaten kamen.»

Der Jüngere lacht leise. «Ach, ja?»

«Sie haben die Familien weggebracht, nach dem neuen Gesetz, in die Stadt. Sie haben uns mit Hunden getrieben. Mein Mann musste die große bemalte Holzkiste mit all unseren Sachen tragen.»

Sie hält inne und sieht in ihre Gesichter – nichts.

«Eine riesige bemalte Kiste», sagt sie. «Er hat sie auf der Straße fallen lassen. Der Regen strömte wie ein Wasserfall. Alle sind im Matsch ausgerutscht. Die Hunde, sie hatten so spitze Zähne, ihr hättet sie sehen sollen. Sie haben uns die Kleider zerrissen. Sie haben meiner Mutter ein Stück aus der Wade gebissen. Die Soldaten haben uns mit Stöcken geschlagen. Ich habe noch die blauen Flecken. Dann haben sie die Hunde von der Leine gelassen. Sie haben meine Kinder gebissen. Acht Kinder. Früher waren es elf. All unsere Sachen waren in der Kiste. Mein Schmuck, Papiere, alles. Alles in der Kiste. Mit Schnur zusammengebunden.»

Wieder hält sie inne. Nur ein kurzes Zucken auf dem Gesicht des Jüngeren.

«Jetzt bin ich aus der Stadt gekommen. Um die Kiste zu holen. Acht Kinder. Drei sind tot. Eins ist am See auf ein Stromkabel getreten. Als es getaut hat, haben sie mit eisernen Schaufeln gegraben. Früher waren es elf.»

«Eine ganze Fußballmannschaft», sagt der Jüngere grinsend.

Sie wendet sich ab und sieht den Älteren an, der mit den Knöcheln seine Augenbrauen glattstreicht.

«Wir haben jetzt ein Dach über dem Kopf», sagt Zoli. «Elektrisches Licht, das immer da ist, fließendes Wasser. Die neuen Direktiven sind gut. Es kommen gute Zeiten. Die Führung ist gut zu uns. Ich will nur die Kiste, das ist alles. Habt ihr unsere Sachen gesehen?»

Der Ältere stößt sich müde vom Ofen ab, füllt Kascha mit Lammfleisch in eine Schüssel und setzt sich damit an den Tisch.

«Du lügst», sagt er.

«Eine blaubemalte Kiste mit silbernen Beschlägen», sagt sie.

«Für eine Zigeunerin lügst du nicht mal besonders gut.»

Licht kriecht durch das Fenster. Es gibt keine Vorhänge, bemerkt Zoli, kein Anzeichen für eine Frau. Die Spitze des Messers drückt stärker auf ihren gekrümmten Finger.

«Wie heißt du?», fragt der Jüngere noch einmal.

«Elena.»

«Das ist gelogen.»

Der ältere Mann beugt sich vor und sieht sie aus grauen Augen ernst an. «Da war ein Mann hier in der Gegend, mit einem Zweitakter-Motorrad, einer Jawa. Ein Engländer. Er hat gesagt, du bist verschwunden, und er sucht dich. Er hat gesagt, er sucht dich überall. Wir haben ihn auf der Forststraße getroffen. Er will dich in ein Krankenhaus bringen. Allerdings sah er so aus, als sollte er sich lieber selbst ins Krankenhaus legen. Fährt mit einem gebrochenen Bein herum. Hatte sich eine Weile nicht rasiert. Er hat gesagt, du heißt Zoli.»

Er schiebt die Schüssel mit Kascha über den Tisch, doch sie rührt sie nicht an.

«Ich muss die Kiste finden. Es sind so viele wertvolle Sachen darin.»

«Er hat gesagt, du bist groß und hast ein träges Auge. Er hat gesagt, du trägst einen dunklen Mantel. Und dass du eine silberne Uhr bei dir hast. Streif die Ärmel hoch.»

«Was?»

«Streif die Scheißärmel hoch!», sagt der Jüngere.

Er tritt zu ihr und reißt die Mantelärmel bis zu den Ellbogen hoch. Das Messer fällt klirrend zu Boden. Er stellt den Stiefel darauf, hebt es auf, prüft mit dem Daumen die Schneide und sagt zu dem anderen: «Ich hab's dir doch gesagt. Gestern Nacht. Hab ich's dir nicht gesagt?»

Der Ältere beugt sich noch weiter vor. «Kennst du ihn?»

«Wen?»

«Verkauf uns nicht für dumm.»

«Ich weiß nichts von einer Uhr», sagt Zoli.

«Er hat gesagt, sie hat seinem Vater gehört. Ein wertvolles Stück.»

«Ich weiß nicht, wovon ihr redet.»

«Er hat uns um Benzin für sein Motorrad gebeten. Machte keinen besonders gefährlichen Eindruck. Er sprach ein komisches Slowakisch. Wollte mir weismachen, dass er hier aufgewachsen ist, aber das kann er seiner Großmutter erzählen. Stimmt es denn, was er gesagt hat? Und wie bist du zu einem Männernamen gekommen?»

Zoli sieht, dass der Jüngere mit dem Messer die Haare auf seinem Unterarm rasiert. Angesichts der Schärfe der Klinge stößt er einen anerkennenden Pfiff aus. Der Ältere nimmt die Mütze ab – es ist etwas Weiches, Mitfühlendes in der Bewegung. Sein ergrauendes, ein wenig feuchtes Haar liegt glatt am Schädel an. Sie sieht, dass er ein kleines Abzeichen um den Hals trägt.

«Mein Großvater hat ihn mir gegeben», sagt sie schließlich. «Es war der Name seines Vaters.»

«Dann bist du also eine echte Zigeunerin?»

«Und du bist ein echter Holzfäller?»

Der Ältere lacht und trommelt mit den Fingern auf den Tisch. «Was soll ich sagen? Wir werden nach Kubikmetern bezahlt.»

Ach so, denkt sie, ein Arbeitslager für Gefangene. Sie sind das ganze Jahr über hier draußen. Unter leichter Bewachung. Schlagen Holz von morgens bis abends, sortieren es, hacken und wiegen es. Der Jüngere geht zur Tür und zieht aus einer Hose, die dort hängt, ein kleines, mit Wachstuch verschnürtes Bündel. Er knüpft die Schnur auf, wickelt ein Kartenspiel aus und schiebt es Zoli zu.

«Die Zukunft.»

«Was?»

«Sei kein Idiot», sagt der andere und fegt die Karten vom Tisch.

Der Jüngere hebt sie auf. «Komm, sag mir die Zukunft voraus», sagt er noch einmal.

«Ich lese nicht aus den Karten», sagt Zoli.

«Hier ist es ganz schön einsam», sagt der Jüngere. «Ich will nur, dass du mir die Zukunft voraussagst.»

«Halt den Mund», sagt der Ältere.

«Ich sag doch nur, dass es hier ganz schön einsam ist. Stimmt das etwa nicht? Verdammt einsam.»

«Und ich sage, halt den Mund, Tomas.»

«Sie ist Geld wert. Du hast doch gehört, was er gesagt hat. Er hat gesagt, er würde uns was bezahlen. Und du hast gesagt –»

«Halt den Mund und lass sie in Ruhe.»

Zoli sieht zu, wie der Ältere zu einem kleinen Regal geht und ein in Leder gebundenes Buch herauszieht. Er kehrt zum Tisch zurück und schlägt es auf.

«Kannst du das lesen?», fragt er.

«Dass ich nicht lache!», sagt der Jüngere.

«Kannst du es lesen?»

«Ja.»

«Nie im Leben!»

«Wir sind jetzt hier. Genau hier. Es ist eine alte Karte, darum sieht es so aus, als wäre das hier Ungarn. Ist es aber nicht. Ungarn ist hier, hier unten. Da drüben ist Österreich. Die schießen auf alles, was sich bewegt. Tausende von Soldaten. Hast du verstanden? Tausende.»

«Ja.»

«Der beste Weg hinüber ist durch den See. Er ist sogar in der Mitte nur einen Meter tief. Und da verläuft auch die Grenze, durch die Mitte. Es gibt keine Patrouillenboote. Und du kannst nicht ertrinken. Kann sein, sie schießen auf dich, aber ertrinken wirst du nicht.»

«Und das hier?»

«Das ist die alte Grenze.»

Er schlägt das Buch zu und beugt sich zu Zoli. Der Jüngere blickt zwischen den beiden hin und her, als sprächen sie eine Sprache, die er nie verstehen wird.

«Scheiße», sagt er. «Sie ist Geld wert. Du hast gehört, was er gesagt hat. Eine Belohnung.»

«Gib ihr das Messer zurück.»

«Scheiße.»

«Gib ihr das Messer, Tomas.»

Der Jüngere schiebt ihr das Messer zu und seufzt. Zoli weicht über den Steinboden zur Tür zurück und drückt auf die Klinke. Die Tür öffnet sich nicht. Panik schnürt ihr die Kehle zu, aber der Ältere steht auf, zieht die Klinke nach oben, und die Tür schwingt auf. Ein kalter Luftzug.

«Noch eins», sagt er. «Bist du wirklich eine Dichterin?»

«Ich habe gesungen.»

«Du bist Sängerin?»

«Ja.»

«Das ist doch dasselbe, oder?»

«Nein, das finde ich nicht», sagt sie.

Alle drei treten hinaus in das stechende Morgenlicht. Der Ältere streckt ihr die Hand hin.

«Josef», sagt er.

«Marienka Bora Novotna.» Sie zögert einen Moment. «Zoli.»

«Das ist ein komischer Name.»

«Vielleicht.»

«Darf ich noch was fragen? Ich glaube, ich hab mal ein Bild von dir gesehen. In einer Zeitung.»

«Kann sein.»

«Ich würde gern wissen ...»

«Ja?»

«Wie bist du hier gelandet?»

Er sieht an ihr vorbei in die Ferne, und ihr wird bewusst, dass es keine Frage ist, die sie beantworten soll, sondern eine, die er sich selbst stellt oder vielleicht seinem alten

Ich, das in einiger Entfernung unter den Bäumen steht. Später, wenn er den harten Axtstiel in der Hand spürt, wird er sie sich erneut stellen: Wie bist du hier gelandet?

«Es gibt Schlimmeres», sagt Zoli.

«Mir fällt nichts ein. Dir?»

«Nein.»

«He», unterbricht sie der Jüngere, «was sollen wir dem Engländer sagen, wenn er nochmal kommt?»

«Was ihr ihm sagen sollt?»

«Ja.»

«Vielleicht», antwortet Zoli, «könnt ihr ihm die Zukunft voraussagen.»

Von einer Hügelspitze aus blickt sie nach Norden und Süden. Bratislava und die Blocks sind schon lange nicht mehr zu sehen, nicht einmal zu erahnen. Ihr gefällt die Stille, die von Horizont zu Horizont reicht. Es gibt Tage, an denen sie große Strecken zurücklegt und nichts anderes hört als das Rascheln ihrer Kleider.

An einem einsam gelegenen Bauernhaus kauert sie sich hinter die Scheune und lauscht. Sie geht zu einem der Schuppen und knotet die Schnur auf, mit der die Tür verschlossen ist. Ein paar magere Hennen beäugen sie. Als sie die Hand ausstreckt, flattert ein Huhn mit einem langgezogenen Gackern auf und fliegt an ihr vorbei. Es ist natürlich verboten, eigene Hühner zu haben – sie gehören sicher einer Familie, die in der Nähe wohnt. Zoli versucht es ein zweites Mal und achtet darauf, dass die Tür angelehnt bleibt. In dem Aufruhr flattern auch die anderen auf – Zolis Hand schnellt vor und packt eines am Flügel. Sie drückt das Huhn in die Falten ihrer Röcke und dreht ihm mit einer raschen Bewegung den Hals um. Das Gleiche tut sie mit einem zweiten. Dann sammelt sie Eier aus den Nestern und wickelt sie in das mit der Kathedrale bedruckte Tuch.

Sie zieht einen langen Faden aus dem Mantel, bindet ihn um die Hälse der Hühner und hängt sie an den Gürtel. Beim Gehen schlagen sie an ihren Oberschenkel, als wären sie noch immer lebendig, als würden sie sich wehren.

Der Hunger hat mich zum Klischee gemacht, denkt sie. Ich bin die hühnerstehlende Zigeunerin.

Drei Tage später, am Nachmittag, bemerkt sie, als sie einen Wegweiser liest, dass sie die ungarische Grenze bereits überschritten hat. Sie hatte mit Stacheldrahtverhauen gerechnet, mit einem hohen Wachturm aus Beton, aber vielleicht verlief die Grenze entlang einer Hecke, über ein Feld oder an einem kleinen Dorf vorbei, wo man beide Sprachen sprach. Vielleicht hat sie sie überquert, als sie im Wald, im Schneetreiben und unter dunkel schwankenden Bäumen, über einen schmalen Bach stieg. Die Leichtigkeit, mit der sie von einem Ort zu einem anderen gewechselt ist, überrascht sie. Die Landschaft erscheint ihr ganz fremd und ist doch so vertraut. Auf die andere Grenze – die zwischen Ost und West – wird sie in wenigen Tagen stoßen, und im Gehen denkt sie, dass man den Grenzen, wie dem Hass, nur deshalb so viel Gewicht beimisst, weil sie sonst einfach verschwinden würden.

Der erste Wachturm, der auftaucht, sieht auf seinen hölzernen Stelzen aus wie ein großer Vogel. Zwei Soldaten stehen darin und lassen die Blicke über den Horizont schweifen. Hier ist Ungarn. Dort drüben, in der Ferne, ist Österreich. Geduckt geht sie weiter, achtet auf jedes Geräusch. Vor ihr treiben Nebelschwaden über das Marschland. Es ist kalt, und doch rinnen ihr Schweißtropfen über die Schulterblätter. Sie hat ihr Gepäck auf das Nötigste reduziert: eine umflochtene Flasche Wasser, etwas Brot und Käse, das Segeltuch, eine Decke, ihre wärmsten Kleider, das gestohlene Messer. Sie umgeht den Wachturm in einem großen Bogen, macht auf einem grasbewachsenen Fleckchen weitab des Feldwegs Rast und tastet nach einer trockenen Stelle, um sich hinzulegen.

Keine weitere Bewegung bis zum Einbruch der Dunkelheit.

Für eine Weile verfolgt sie durch das Gewebe der Zweige den Weg der Sonne über den Himmel. Irgendwann hat sich der Nebel aufgelöst. Wie seltsam, in diesem hellen Licht zu schlafen – aber es ist wichtig, dass sie ausgeruht ist und sich warm hält. Sie kann kein Feuer machen.

Der Nachmittagsgesang der Vögel weckt sie. Die Sonne ist nach Süden gerückt und rötlich an den Rändern. Zoli hebt den Kopf, als sie ein entferntes Motorengeräusch hört, und sieht einen bulligen Lastwagen, dessen Ladefläche mit einer Plane überdeckt ist. Er fährt langsam am Waldrand entlang. Die Stimmen junger russischer Soldaten dringen zu ihr. Wie viele Leichen liegen an dieser imaginären Linie? Wie viele Männer, Frauen und Kinder sind auf dem kurzen Weg von einem Ort zum anderen erschossen worden? Der Lastwagen verschwindet, und wie auf ein Stichwort erscheinen am Himmel zwei weiße Schwäne. Schwerfällig fliegen sie über die Baumkronen hinweg, stemmen sich mit gereckten Hälsen gegen den Wind und verkörpern nicht so sehr Eleganz als vielmehr Mühsal. Ihre heiseren Schreie klingen wie Totenrufe.

Andere Menschen hatten Gründe, über die Grenze zu gehen: Sie wollten Land, sie fühlten sich einer Nation zugehörig, sie hatten Sehnsüchte. Zoli hat keinen Grund – sie ist leer, sie ist rein, sie ist wund. Als Kind ist sie mit ihrem Großvater in ein Dorf westlich der Berge gekommen und hat einen Hungerkünstler gesehen. Er hatte sich in einen Käfig gesperrt und stellte seinen Hunger zur Schau. Sie sah, wie seine Rippen immer deutlicher hervortraten und beinahe den Tasten eines Musikinstruments glichen. Vierundvierzig Tage lang hielt er aus, und als man ihn schließlich aus seinem Käfig holte und ihm einen Teller mit Brotkrumen und einen Becher Milch reichte, sah er aus wie ein alter Mann. So bin ich jetzt auch, denkt sie. Ich habe mich zur Schau gestellt, und jetzt esse ich ihre Krumen. Noch kann ich umkehren – sie können mir nichts beweisen. Aber ich bin so weit gekommen, und zum Umkehren gibt es ebenso wenig einen Grund wie zum Weitergehen.

Zoli legt sich auf der Decke zurecht. Ich sollte schlafen, Kräfte sammeln, mich zusammennehmen, meinen Geist frei machen, Klarheit bekommen.

Am frühen Abend scheint die Dunkelheit aus der Erde aufzusteigen und das Gelb und Grau des Marschlandes zu überwältigen. Sie erhebt sich bis zu den Baumwipfeln und stemmt sich gegen die letzten Reste des Tageslichts. Zoli denkt, dass dies schöner ist als alles, was sie je mit Worten geschaffen hat, und dass die Dunkelheit eigentlich das Licht wiederherstellt. Die Bäume sind dunkler als ihre Zwischenräume. Der Himmel hinter den Zweigen schimmert silbern.

Sie schnürt ihr Bündel und steht auf. Der Augenblick ist gekommen. Nimm ihn wahr. Geh. Sie legt die Hand auf die linke Brust und setzt sich in Bewegung, bedachtsam, vorsichtig, geduckt. Das Gras raschelt im Wind. In der Ferne kann sie einen Umriss erkennen: ein zweiter Wachturm, mit Zweigen getarnt. Im selben Augenblick erklingt in unbestimmter Ferne das Gebell von Hunden. Sie lauscht, in welche Richtung sie sich bewegen, aber bei diesem Wind ist das schwer zu sagen.

Es ist ein jaulender Chor, und er kommt näher. Vielleicht sind es abgerichtete Spürhunde. Männerstimmen mischen sich hinein. Zwei Soldaten springen mit umgehängten Gewehren von der zweiten Sprosse der Leiter ihres Wachturms und traben los. Das also ist das Ende. Ich sollte mich mit erhobenen Armen hinstellen und warten, bis sie die Hunde zurückrufen. Warum stammeln? Warum betteln? Und doch ist da etwas in der Aufregung der Soldaten, in der Anspannung ihrer Stimmen, über das sie sich wundert. Die Scheinwerfer eines Lastwagens auf der entfernten Straße beleuchten das Marschland. Ein zweiter Wagen, ein dritter. Die Hunde nähern sich. Das Scheinwerferlicht verleiht dem Gras einen spektralen Silberglanz.

In diesem Augenblick sieht sie neben der Straße etwas Braunes. Es sind zehn oder zwölf, einige mit majestätischen Geweihen. Die Hunde sind ihnen auf der Fährte. Ein Ruf, aus dem grimmige Entschlossenheit spricht, und dann ein Jubelschrei.

Hirsche. Ein ganzes Rudel.

Nach links, betet sie, lauf nach links.

Sie hört das Gebell der Hunde, vermischt mit den Schreien der Soldaten. Ihr wird bewusst, dass ihr Schicksal von der Entscheidung eines Rudels Hirsche abhängt. Lauft fort, lauft weg von mir.

Das Rudel trabt in den Wald hinter ihr. Die Soldaten rufen einander zu und folgen ihm.

Sie rennt, springt in einen flachen Graben. Wasser spritzt

auf, sie rutscht aus, fängt sich aber wieder. Jenseits des Grabens der Waldrand. Scheinwerferlicht streicht über das Land. Sie duckt sich hinter einen Baum, lässt sich zu Boden sinken, verschnauft kurz und sieht sich ängstlich um, bevor sie weiterhastet. Ihre nassen Stiefel machen schmatzende Geräusche. Sie bahnt sich einen Weg durch einen Streifen hohes Gras. Die Dornen eines einzeln stehenden Busches ritzen ihre Hände. Abermals hört sie Hundegebell und dann ein Jaulen. Ist die Jagd beendet? Haben sie ihre Beute erlegt?

Ihr Atem geht schnell und unregelmäßig. In ihrer Brust brennt es. Ich muss zum See. Zweihundert, vielleicht dreihundert Meter. Zum Ufer.

Zoli streift den Mantel ab und lässt ihn zu Boden gleiten. Ich werde meine Taschen nicht mit Wasser füllen, nein.

Vier Suchscheinwerfer streichen über das Marschland. Sie lässt sich fallen, drückt das Gesicht auf die weiche Erde. Die Lichter schraffieren das Gras. In der Ferne werden die Hunde zurückgehalten, die fröhlichen Stimmen der Soldaten klingen durch die Nacht. Bestimmt schneiden sie den Hirsch gerade auf, die Eingeweide ergießen sich auf die Erde.

Zoli arbeitet sich weiter voran. Die Kälte schneidet in ihre Haut, Herz und Lunge sind angespannt.

Blindes Glück, denkt sie, hat mich gerettet.

Slowakei
2003

Die Flaschen waren leer, die Aschenbecher voll. Sie hatten ihm freundlich auf die Schultern geklopft, für ihn gesungen, ihm sogar die letzten Haluški vorgesetzt. Sie hatten sich Fotos seines Kindes angesehen und selbst posiert: hoch aufgerichtet und stocksteif am Feuer stehend. Sie hatten über den Klang ihrer vom Diktiergerät aufgenommenen Stimmen gelacht. Er hatte ihnen das Band noch einmal mit reduzierter Geschwindigkeit abgespielt. Sie hatten all sein Geld genommen, bis auf die fünfzig Kronen in der Geheimtasche. Sie hatten auf ihm gespielt wie auf einer Harfe, dachte er, aber das störte ihn nicht – für eine Weile hatte er sogar das Gefühl, selbst etwas von einem Zigeuner zu haben, sich mit ihren Sitten und Gebräuchen auszukennen und so etwas wie eine Figur in einer ihrer weitschweifigen Anekdoten zu sein. Sie erzählten ihm dies und das über Zoli, und je mehr Kronen er auf den Tisch legte, desto widersprüchlicher wurden die Geschichten: *Sie ist genau hier geboren, ich bin ihr Cousin, sie ist letzten Monat in Prešov gesehen worden, ein Museum in Brno hat ihren Wohnwagen gekauft, sie hat Gitarre gespielt, sie hat an der Universität unterrichtet, sie ist im Krieg von Hlinka-Gardisten getötet worden.* Er fühlte sich wie jemand, der ausgiebig und fachmännisch an der Nase herumgeführt worden war.

Er versprach Boschor, er werde noch einmal kommen, wenn er mehr über sie herausgefunden habe, vielleicht in der nächsten oder übernächsten Woche, aber er wusste, dass er das nicht tun würde. Freundlich und im besten Einvernehmen hatten sie einander benutzt. Das junge Mädchen – Andela – räumte die Porzellantassen vom Tisch und lächelte ihm im Hinausgehen zu: Am Oberarm trug sie seine Armbanduhr. Er sah zu, wie Boschor mit einem Streifen Zellophan von der Zigarettenschachtel langsam und genüsslich eine Zahnlücke reinigte.

Er klopfte seine Taschen ab. Alles an Ort und Stelle: Wagenschlüssel, Diktiergerät, Brieftasche. Boschor schüttelte ihm die Hand, packte ihn freundlich am Arm und zog ihn heran, bis ihre Wangen sich beinahe berührten.

Draußen lagen die Schatten grau über der Siedlung. Die Kinder jubelten, als er die Tür der Hütte aufstieß. Robo saß auf einem Hohlblockstein und schnitzte an einem Stück Holz herum, das langsam die Gestalt einer Frau annahm. Die gekräuselten Späne lagen weiß zu seinen Füßen. Robo entfernte die letzten Rindenreste, reichte ihm die Statuette und sagte: «Und nicht vergessen, Mister: fünfzig Kronen.» Er lächelte und steckte die Figur ein. «Führ mich einfach zum Wagen.» Die anderen Kinder zogen an seinen Jackenärmeln. Er beugte sich zu ihnen hinunter und zauste sie. Er fühlte sich angenehm mitgenommen von diesem Elend – er hatte es überstanden, er war unversehrt. Und er war so entspannt, dass er sich ärgerte, weil er entweder den ganzen Feldweg rückwärts fahren oder aber wenden und dabei mindestens dreimal vor und zurück würde rangieren müssen, und das, während all diese Kinder um den Wagen herumhüpften.

«Hier lang», sagte Robo. «Komm mit.»

Sie stapften durch den Matsch, und er machte sich in Gedanken Vermerke, über die er später nachdenken würde – bloße Eindrücke, die er in sein Notizbuch schreiben würde. Die Kleider der Kinder sind eigenartig sauber. Keine Wasserhähne, keine Strommasten. Der Strom wird illegal aus dem Netz gezapft. Ein Mädchen mit acht Piercings in den Ohren. Zwei riesige Gummiringe als Armreifen. Nicht viele Männer zwischen zwanzig und dreißig – vermutlich sitzen sie im Gefängnis. Ein Mann in einer leuchtend rosaroten Jacke. Schachfiguren als Windharfe. Eine alte Frau, die einen kaputten Fernseher als Hocker benutzt. Makellos weiße Wäsche auf der Leine.

Kaum waren sie an den letzten Hütten vorbei, da ließ Robo seinen Arm los und verschwand in den Schatten. Er fühlte sich, als hätte man ihn fallen lassen.

Ein Mann mit nacktem Oberkörper. Klein. Barfuß. Auf einer Wange eine beinahe kreisrunde Narbe von einem abgebrochenen Flaschenhals. Auf der anderen, knapp unter dem Auge, die Tätowierung einer Träne. Er hielt einen Rollermotor in der Hand, und auf der nackten Brust waren Streifen aus Motoröl. Der Journalist sah sich rasch nach einem Fluchtweg um, doch der Tätowierte nahm ihn am Arm und zog ihn zu einer Hütte. «Komm, komm mit.» Die Stimme war seltsam hell. Der Mann verstärkte seinen Griff, und an seiner Seite tauchte wie aus dem Nichts eine junge Frau in einem gelben Kleid auf. Sie verbeugte sich, schmächtig, mit wie zum Gebet gefalteten Händen.

«Es tut mir leid», sagte er, «aber ich muss gehen.»

Er versuchte, sich diskret zu entfernen, aber der Tätowierte war von sanfter Beharrlichkeit. Der ausgefranste, sackleinene Vorhang vor dem Eingang wurde zurückgeschlagen. Er stieß an den rohbehauenen Türpfosten, und die ganze Hütte schien zu wackeln.

«Komm, Onkel, setz dich.»

In der Dunkelheit nahmen Schemen Gestalt an. Auf

dem Bett saßen drei Kinder, als hätte man sie dort plat-
ziert.

«Ich muss wirklich gehen.»

«Keine Angst, Onkel, ich will dir bloß was zeigen.»

Die Kinder auf dem aus Brettern gezimmerten und mit
Stricken bespannten Bett rückten beiseite. Am einen Ende
lagen eine gefaltete weiße Bettdecke und darauf ein Kissen. Als er sich setzte, gaben die Seile nach, und die Bett-
pfosten ächzten. Die Hand des Mannes lag schwer auf seiner Schulter. Er sah sich um. Kein Fenster. Kein Teppich.
Kein Wandbehang. Nur ein Regal an der gegenüberliegenden Wand, darauf mehrere Dosen Verdünner.

Er wandte sich um, und dort, vor der Wand, hing wie
eine Hängematte ein großes, an der Decke befestigtes
Schultertuch, aus dessen Falten eine kleine Hand hervor-
sah.

«Essen», sagte der Tätowierte. «Wir brauchen Essen für
das Kind.»

Er öffnete mit einem Finger einen kleinen russischen
Kühlschrank und beleuchtete die gähnende Leere mit seinem Feuerzeug. Er sagte etwas auf Romani zu seiner Frau.
Sie setzte sich breit lächelnd auf das Bett, in ihrem Unterkiefer fehlten zwei Zähne. Sie rückte näher an den Journalisten heran, strich über die Knöpfe ihres Kleids und legte
ihm den Arm um die Schultern. Er wich zurück und lächelte schwach und nervös.

Eine Ratte trippelte leise über das Blechdach.

Die Frau öffnete den obersten Knopf und griff mit einer
raschen Bewegung in den Ausschnitt. «Essen», sagte sie.
Er wandte sich ab, doch sie drückte seine Schulter, und
als er wieder hinsah, hatte sie ihre Brust in der Hand, mil-
chig an der Brustwarze und mit Striemen übersät. O Gott,

dachte er, sie will sich anbieten. Vor ihren Kindern. Herrje. Ihre Brust, sie bietet mir ihre Brust an. Sie hielt die Brustwarze zwischen den Fingern und begann mit einem leisen, klagenden Singsang. Wieder drückte sie auf die Brustwarze. Er stand auf, mit weichen Knien. Eine Hand drückte gegen seine Brust. Er plumpste zurück auf das Bett. Noch immer hatte die Frau ihre Brust in der Hand – sie deutete auf die Striemen.

Der Tätowierte griff nach dem Bündel über dem Bett und erhob die Stimme: «Wir brauchen Essen, das Kind ist so hungrig.» Und dann kam aus dem Bündel ein winziges, in ein Harley-Davidson-T-Shirt gewickeltes Kind zum Vorschein.

Man legte es dem Journalisten in die Arme. Mein eigenes Kind würde weinen, dachte er. Es ist so leicht, so furchtbar leicht. Nicht schwerer als ein Laib Brot. Eine Tüte Mehl.

«Es ist schön», sagte er und wollte es in den Schoß der Frau legen, doch sie krümmte sich mit verschränkten Armen zusammen und drückte das Kinn auf die Brust. Sie stöhnte, schloss den obersten Knopf ihres Kleides, drückte die Arme an die Brust und stöhnte lauter.

Eine Fliege ließ sich auf der Oberlippe des Kindes nieder.

Der Journalist klopfte mit einer Hand seine Taschen ab. «Ich habe kein Geld dabei», sagte er. «Ich schwöre, wenn ich welches hätte, würde ich es euch geben. Ich komme morgen wieder und bringe euch Essen – versprochen.»

Er verscheuchte die Fliege und sah, wie der Mann mit der Faust in die Hand schlug. Er wusste, dass die Träne eine Gefängnistätowierung war und was sie bedeutete, und mit einem Mal war ihm kalt. In seinem Bauch wuchs eine große Leere, und er stotterte: «Ich bin ein Freund von Boschor.»

Der Tätowierte lächelte schmal. Er stand mitten in der Hütte auf dem gestampften Boden. Er nahm das Kind, küsste es auf die Stirn – ein langer, zärtlicher Kuss – und legte es wieder in das Tuch. Dann reckte er die Arme und sagte mit einer Stimme, in der Münzen zu klirren schienen: «Oben, am Supermarkt, ist ein Geldautomat, mein Freund.»

Das Bündel schwang hin und her wie ein Uhrpendel. Der Mann zog den Journalisten vom Bett hoch, legte ihm den Arm um die Schultern und drückte ihn an sich. Es war, als wären sie bei irgendeinem großen Sportereignis gegeneinander angetreten, als hätten sie sich in die Fahne gewickelt, als jubelten ihnen unter den Klängen der Nationalhymne Tausende zu. «Komm, mein Freund, komm mit.»

Der Türvorhang wurde zurückgeschlagen, und das harte Licht blendete den Journalisten. Er sah zurück zu der Frau, die mit gleichmütigem Gesicht die Decke glattstrich. Das Kind in dem Bündel wurde von Fliegen umschwirrt. Der Vorhang knickste vor der Türöffnung.

In der kühlen Luft lachte der Tätowierte. Robo erschien hinter einer Ecke und ging ihnen um eine Schattenlänge voraus. «Nicht vergessen, Mister», flüsterte er. Alles schien plötzlich angespannt. Ein Druck in seiner Brust. Ein Pochen in der Schläfe. Der Mann ging dicht neben ihm, half ihm, ganz Umsicht und Fürsorglichkeit, über den Steg.

«Tritt nicht auf das Brett, mein Freund, das ist lose.»

Für einen Augenblick glaubte er, noch immer das Kind auf den Armen zu haben – er versuchte es zu schützen, als er auf der schwingenden Planke stolperte, und der Tätowierte packte ihn am Revers, zog ihn hinüber und klopfte auf seine füllige Taille. «Ich pass schon auf, mein Freund.»

Er sah in die Ferne, wo die kleine Stadt war: Der Kirchturm ragte über die Baumwipfel, und die Uhr schlug Viertel vor fünf.

Sie gingen zum Wagen, umschwärmt von Kindern. Robo schlurfte hinterher. Sie hatten eine stille Vereinbarung. Der Journalist griff in die Geheimtasche, zog den Fünfzig-Kronen-Schein hervor und steckte ihn Robo heimlich zu. Der stieß einen Jubelschrei aus, drängte sich durch die Kindermeute und verschwand zwischen den Bäumen. Der Mann blieb stehen und sah Robo nach.

«Robo», sagte er und schloss die Augen, als lastete etwas außergewöhnlich Schweres auf den Lidern.

Der Journalist kramte in der Hosentasche nach den Wagenschlüsseln. Der Mann stand hinter ihm, er spürte seinen Atem im Nacken. Die Schlösser öffneten sich mit einem Klick, und der Tätowierte setzte über die Kühlerhaube und ließ sich auf den Beifahrersitz gleiten. Es quietschte, als seine nackte Haut über den Kunststoffbezug rutschte.

«Schöner Wagen, mein Freund», sagte er und klatschte in die Hände.

«Der ist nur gemietet», sagte der Journalist, und als er im Rückwärtsgang zwischen den Kindern hindurchfuhr, merkte er zu seiner Verblüffung, dass der Tätowierte den Kopf auf seine Schulter legte, als wären sie ein Liebespaar.

An einer Biegung, nicht weit von der Kühlschrankruine, wendete er, hupte, streckte den Arm durch das offene Fenster und winkte den Kindern zu. Sein Magen war in Aufruhr. Er legte den ersten Gang ein. Die Kinder winkten zurück und stießen begeisterte Schreie aus, als die Räder Matsch aufwirbelten. Die Hecken flogen vorbei. Die beiden Frauen wuschen noch immer Wäsche im Fluss. Der Mann öffnete den Aschenbecher und fischte die Kippen heraus.

«Keine Angst, ich werd dich schon nicht zigeunern», sagte er und strich eine zerknitterte Zigarettenkippe glatt. Der Journalist fühlte sich, als hätte ihn das Wort «zigeunern» mit voller Wucht gegen die Brust getroffen, wogegen es für den anderen nichts Besonderes zu bedeuten schien – ein Wort wie jedes andere, wie Fliege oder Scheiße oder Sonnenaufgang.

Die Straße wurde breiter und wand sich den Hügel hinauf. Die Reifen summten auf dem Asphalt. Er hielt das Lenkrad so fest gepackt, dass seine Knöchel weiß waren. Er hatte keine Ahnung, wie er den Mann loswerden sollte, doch als die Stadt in Sicht kam, hatte er mit einem Mal eine Idee. Genau, dachte er. Schlicht, ehrlich und elegant. Er würde in den Supermarkt gehen und Babynahrung kaufen, ja, Babynahrung und Milch und Haferflocken und ein paar saubere Milchfläschchen, Salbe, Sauger, einen Karton Windeln, ein Päckchen Pflegetücher, vielleicht sogar eine Puppe, wenn sie eine hatten. Ja, eine Puppe, das wäre gut, das wäre richtig. Vielleicht würde er noch ein paar Kronen drauflegen. Er würde beladen und mit reinem Gewissen aus dem Supermarkt treten.

Er lehnte sich zurück und lenkte mit einer Hand, doch als er in die Straße mit den niedrigen Geschäftshäusern einbiegen wollte, sagte der Tätowierte, als hätte er seine Absicht erraten: «Die lassen uns nicht in den Supermarkt, mein Freund.» Sein Rücken löste sich schmatzend von der Sitzlehne. «Sie haben es verboten, keiner von uns darf da rein.»

Das Vorderrad stieß gegen den Bordstein.

Der Wagen war noch nicht zum Stehen gekommen, als der Tätowierte schon hinaussprang. Wieder setzte er über die Motorhaube und öffnete die Fahrertür, bevor der Journalist den Zündschlüssel abgezogen hatte. «Der Geldautomat», sagte er und zeigte hin. «Da drüben.»

Der Journalist sah sich suchend nach einem Polizisten um, nach einem Bankbeamten, nach irgendjemandem. Ein paar Teenager saßen brütend auf einer niedrigen Mauer. Unter ihren baumelnden Beinen stand ein verblasstes Graffito: «Haut ab, Zigeuner.» Der Mann packte den Journalisten am Arm und zog ihn zum Automaten.

«Ein bisschen Abstand», sagte der Journalist, und zu seiner Überraschung ging der andere ein paar Schritte zurück.

Einige der Teenager lachten, und einer stieß einen Pfiff aus.

«Bleib da stehen, oder es gibt kein Geld. Verstanden?»

«Ja.»

Wieder Gelächter.

Er verdeckte den Ziffernblock mit der Hand, während er die Geheimzahl eingab. Der Automat gab fiepende Geräusche von sich. Hinter ihm trat der Tätowierte von einem Fuß auf den anderen und biss sich auf die Lippe. Hebel klickten, Räder surrten. Aus dem Schlitz kamen zweihundert Kronen in Zwanziger-Scheinen. Er zog sie heraus, drehte sich um, machte vier Schritte und drückte dem anderen das Geld in die Hand.

«Das Kind ist so hungrig.»

«Nein», sagte er, «mehr gibt's nicht.»

Er war sieben Schritte von dem Automaten entfernt, als er das Surren hörte, mit dem der Automat den Beleg ausspuckte. Er erstarrte, trabte zurück und zerknüllte das Stück Papier.

«Fünfhundert, bitte. Fünfhundert. Es ist so hungrig.»

Wieder klopfte er seine Taschen ab, um sich davon zu überzeugen, dass noch alles da war.

«Bitte, Onkel. Bitte.»

Mit schweißnassen Händen öffnete er die Wagentür, schob zitternd den Schlüssel ins Zündschloss. Der Motor sprang an. Mit einem Knopfdruck verriegelte er alle vier Türen.

Der Tätowierte drückte das Gesicht ans Fenster. Sein Mund war rot und feucht.

«Danke», sagte er. Sein Atem schlug sich auf der Scheibe nieder.

Der Wagen machte einen Satz, und ein Schwall kühler Luft umfing den Journalisten. «Scheiße», sagte er. Er reihte sich in den Verkehr ein. «Scheiße.» Die Dämmerung brach herein. Im Rückspiegel sah er den Mann zum Supermarkt gehen und schwankend innehalten, bis die automatische Tür sich öffnete. Mit einem hüpfenden Zwischenschritt trat er ein und verschwand zwischen den anderen Kunden. Der feuchte Gesichtsabdruck auf dem Seitenfenster löste sich auf.

Unterwegs zur Schnellstraße, auf der kurvigen Strecke, von der man auf die Siedlung hinabsehen konnte, überkam den Journalisten etwas, das er für Trauer, einen Schmerz oder Verlangen hielt, und seine Gedanken befeuerten ihn, wärmten ihn mit ihrem Mitleid, und er redete sich ein, dass ein Teil von ihm die matschige Böschung hinunterrutschen und durch den schmutzigen Fluss waten wollte, um ihnen alles zu geben, was er besaß, und dann mittellos, aber anständig und innerlich geheilt nach Hause zu gehen, um ihnen ihre uralte Würde zurückzugeben, indem er seine eigene am Ufer dieses Flusses preisgab.

Er fuhr weiter, kehrte wieder um, hielt an und stieg aus. Er stand auf dem Hügel über der Siedlung. Die Satellitenschüsseln sahen aus wie die weißen Pilze, die er in Spišské Podhradie gesammelt hatte.

Das letzte Tageslicht schimmerte auf den Blechdächern. Ein paar Kinder rollten das Laufrad eines Fahrrads durch den Matsch und sprangen dabei auf ihre Schatten – Schatten im Schatten.

Er sprach eine kurze Zeile in das Diktiergerät, spulte zurück und hörte sie sich noch einmal an. Sie war nichtssagend und dumm. Er löschte sie.

Eine schmale, tiefhängende Wolke schob sich vor die Sonne. Er schlug gegen den Wind den Kragen hoch und sah wieder hinunter auf die Siedlung. Der Mann mit der Tätowierung kehrte gerade über den Steg dorthin zurück. Er hatte eine dünne Plastiktüte, schwer und glockenförmig, in der Hand und schaute im Gehen hinein. Er taumelte über die Bretter, das eine Bein war langsamer als das andere. Er konzentrierte sich, drückte die Öffnung der Tüte an den Mund, atmete ein und aus, ein und aus. In der anderen Hand trug er an einem Drahtbügel eine große Blechdose.

Schwankend hielt er inne, dann verschwand er im Gewirr der Hütten.

Der Wind blies kalt über die Hügel. «Verdünner», sagte der Journalist laut. Er sagte es noch einmal in das Diktiergerät: «Verdünner.»

Er ging zum Wagen, setzte sich hinein und warf das Diktiergerät auf den Beifahrersitz. Mit einem dumpfen Ruck wurde ihm bewusst, dass er den Namen des Tätowierten nicht kannte, dass er nicht danach gefragt und niemand ihn genannt hatte, dass er ihn auch gar nicht wissen musste, da die ganze Transaktion in vollkommener Anonymität erfolgt war: der Mann, die Frau, die Kinder, das Baby, alles. Er rieb mit den Händen über das Lenkrad und sah auf das Diktiergerät. Die winzigen Spulen drehten sich stumm.

«Keine Namen», sagte er, drückte die Stopptaste, trat auf die Kupplung und legte den ersten Gang ein.

In der Abenddämmerung schaltete er die Scheinwerfer ein und ließ die Siedlung hinter sich. Insekten klatschten gegen die Windschutzscheibe.

Compeggio, Norditalien
2001

Heute morgen, als ich die erste Kerosinlampe anzündete, dachte ich, wie seltsam es doch ist, so viel inneren Frieden zu haben, obwohl alles ungewiss ist.

Das Licht erfüllte den Raum. Ich öffnete den Rolldeckel des alten Schreibtischs und schüttelte den Füller wach. Ein Tropfen Tinte fiel auf das Papier. Ich ging zum Fenster und sah hinaus. Enrico hat immer gesagt, dass es viel Kraft braucht, den Schnee aus dem Kopf zu bekommen. Es geht nicht um den Schnee auf dem Weg von der Mühle zur Straße oder um die weiße Decke, die sich über das ganze Tal legt, um die Haufen, die rechts und links der Straße aufgeworfen sind, um die blendende Weiße über dem Dorf, um die Streifen aus Gletschereis hoch oben in den Dolomiten – der Schnee im Kopf ist es, an den man sich am schwersten gewöhnt. Ich konnte nichts zu Papier bringen, und so zog ich seine alten Stiefel an und ging hinunter ins Dorf. Es war niemand sonst unterwegs, keine Fußspur außer seiner – oder vielmehr meiner –, und ich setzte mich auf die Stufen vor der alten Bäckerei und dachte über das nach, was du mich gefragt hast: wie eine Straße mich zu diesem Ort hat bringen können.

Bevor das Dorf erwachte, ging ich – noch im Dunkeln – wieder den gewundenen Weg zur Mühle hinauf. Ich legte ein paar Scheite nach und zündete die anderen beiden Kerosinlampen an. Der Raum war warm, das Licht bernsteingelb. Ich konnte die Stimme deines Vaters in allen Dingen hören, und seine Stiefel hinterließen einen nassen Fleck auf dem Boden.

Die Dinge des Lebens haben keinen wirklichen Anfang, auch wenn unsere Geschichten über sie immer so tun. Dreiundsiebzig Winter sind über meine Stirn gestrichen. Ich habe oft an deinem Bett gesessen und dir von lange vergangenen Tagen erzählt, von dem jungen Mädchen, das vom Wagen zurückschaute, von deinem Urgroßvater und dem, was uns in den Zitternden Bergen widerfuhr, wie wir kreuz und quer durch unser Land fuhren, wie ich sang und was mit mir und meinen Liedern geschah. Ich konnte nicht wissen, was der Stift in meiner Hand tun würde. In jenem früheren Leben war ich für eine ganze Weile eine gefeierte Persönlichkeit. Es schien, als wäre es die beste Zeit meines Lebens, doch sie ging schließlich zu Ende – vielleicht musste sie zu Ende gehen –, und dann kam der Tag, an dem ich ausgestoßen wurde. In meinem neuen Leben konnte ich den Gedanken an die alten Gedichte nicht mehr ertragen. Selbst wenn in meinem Kopf nur eine einzige Zeile aufblitzte, lief es mir kalt den Rücken hinunter. Ich hatte ihnen ein kleines Grab gegraben, damals, am Tag des Gerichts in Bratislava, als ich den Wohnblocks den Rücken kehrte und davonging. Ich gelobte, nie wieder etwas zu schreiben und nicht zu versuchen, mich an die alten Gedichte zu erinnern. Es gab natürlich Zeiten, da nahm das, was ich tat, ihren Rhythmus an, aber meist gelang es mir, sie wegzusperren, sie von mir zu stoßen, sie hinter mir zu lassen. Wenn sie überhaupt zu mir zurückkehrten, dann als Lieder.

In all den Jahren wagte ich es nicht, etwas zu schreiben, auch wenn ich zugeben muss, dass ich, nachdem ich deinen Vater kennengelernt hatte, oft in Versuchung kam. Ich wartete auf ihn, ich wartete darauf, dass er über die Berge oder den Mühlenweg heraufkam, dass seine Gestalt vor dem Fenster erschien, und ich dachte, vielleicht sollte ich in dieser Stille die Kappe vom Füller schrauben, eine Seite aus seinem unlinierten Notizbuch reißen und meine einfachen Gedanken aufschreiben. Doch ich hatte Angst. Es erinnerte mich an zu vieles – ich konnte es nicht tun. Nach all den Jahren erscheint es mir seltsam, und dir, Chonorroeja, mag es lächerlich vorkommen, aber ich hatte Angst, dass ich noch einmal alles verlieren würde, wenn ich versuchen sollte, meinem Leben schreibend einen Sinn zu geben. Die Berge, die Stille, dein Vater, du – davon wollte ich mich nicht trennen. Dein Vater brachte mir Bücher mit, aber er bat mich nie, etwas zu schreiben. Der Einzige, dem er von meinen Gedichten erzählte, war Paoli, aber er sagte, Paoli würde ein Gedicht nur erkennen, wenn er es trinken könnte. Jetzt sind beide tot, Paoli und dein lieber Vater, du bist weit weg, und ich bin alt und krumm und sogar mit Freuden grau geworden, aber wenn ich über deine Frage nachdenke, merke ich, dass ich keinen vernünftigen Grund mehr habe, dagegen anzukämpfen, und darum sitze ich hier an diesem Tisch und versuche zu schreiben.

Zweiundvierzig Jahre!

Ein Vogel, der vor dem Fenster vorbeifliegt, überrascht mich beinahe so sehr wie ein Wort.

Jetzt tut es mir leid, dass ich die Sachen deines Vaters verbrannt habe. Ich weiß, ich hätte sie für dich aufheben sollen, aber wenn man trauert, tut man dumme Dinge. Er hat mir einmal gesagt, sein Leichnam solle auf einen Berggipfel an der Grenze zwischen Österreich und Italien gebracht werden, damit er dort Betrachtungen über ein Leben anstellen könne, das er damit verbracht habe, Zigaretten, Kaffee, Traktorteile und Medikamente von einer Seite auf die andere zu schleppen. Er sagte, er habe nichts dagegen, den Bussarden, Adlern und allem möglichen anderen Getier zum Fraß hingelegt zu werden – es war, als gefiele ihm der Gedanke, zu einem Teil eines Adlers zu werden; er sagte, der Adler sei das Wappentier Tirols. Ich konnte ihm diesen Wunsch nicht erfüllen, Čhonorroeja, der Gedanke, ihn einfach irgendwo hinzulegen, war mir unerträglich, und so habe ich all seine Sachen nicht weit von der Mühle zusammengetragen und verbrannt – alles außer einem Paar Stiefel, die er sich aus einem alten Koffer hatte machen lassen. Danach habe ich mich in die Asche gelegt, das ist eine sehr alte Form der Trauer. Am meisten habe ich seine Hemden geliebt, besonders die aus Wollstoff – kannst du dich an sie erinnern? Sie waren geflickt und nochmals geflickt. Als er in die Berge gegangen war, hatte er gelernt, die Löcher in den Ellbogen mit dünnen Streifen aus Birkenbast zu stopfen. Er machte Witze darüber und sagte, er sei froh, dass ich seine Hemden verbrennen wolle, aber sie würden bestimmt nicht lange brennen. Später suchte ich in der Asche nach den Knöpfen und der Gürtelschnalle seiner Jacke, aber sie waren geschmolzen.

Es gibt ein altes Roma-Lied, in dem es heißt, dass wir anderen Menschen kleine Teile unseres Herzens geben, und je weiter wir im Leben voranschreiten, desto weniger vom Herzen bleibt für uns selbst, bis schließlich nicht mehr genug da ist. Man nennt es Reise, man nennt es auch Tod, und weil es uns allen so ergeht, gibt es nichts Gewöhnlicheres als das.

In Bratislava habe ich meine Gedichte verbrannt. Ich ging die wacklige Treppe hinunter und trat mit den Habseligkeiten eines anderen Menschen ins helle Licht des Tages: mit seinen Stiefeln, seinen Hemden, seinem Radio, seiner Uhr. Ich war neunundzwanzig. Ich war ausgestoßen. Man hatte mir einen so großen Teil meines Lebens genommen, und dennoch wollte ich nicht sterben.

Ich ging noch einmal zu den Wohnblocks, um einen letzten Blick darauf zu werfen. Acht Gebäude warfen acht wuchtige, dunkle Schatten über die spielenden Kinder. Die ihrer Räder beraubten Wohnwagen neigten sich zur Seite. Ich drehte mich um und begann meinen schrecklichen Marsch nach Süden durch die kleinen Dörfer der Slowakei. Das waren die schlimmsten Tage, und wenn ich morgens im Wald erwachte, war ich oft überrascht, nicht weil es mir gelungen war zu schlafen, sondern weil ich noch am Leben war.

Schließlich wandte ich mich nach Westen und überquerte die Grenze nach Ungarn. Das einzige Gute daran war, dass Swann mir nicht dorthin folgen würde. Er konnte nicht über die Grenze. Dieser Teil meines Lebens lag hinter mir, und ich setzte meinen Weg fort, um ihn zu vergessen. Es fiel Schnee, der Wind trieb ihn in dichten Schwaden vor sich her. Ich wickelte mich in meine Decken. Die Dorfbewohner starrten mir nach, wenn ich vorüberging. Ich sah sicher erbärmlich aus, nur Lumpen, Haut und Knochen. Manche waren freundlich und gaben mir Brot, andere fragten, wo die Wohnwagen seien. Ich suchte mir in der weißen Weite einen Punkt – einen Baum, einen Felsen, einen Mast – und ging darauf zu. An einem verlassenen Bauernhof füllte ich mir die Taschen mit Knochenmehl aus einem Futtertrog, das ich später kochte und aß. Der Brei klebte mir am Gaumen, und ich dachte daran, dass ich Tierfutter aß. Eines Nachts schlief ich in einer großen Höhle, die sich zur Decke hin verjüngte. Das Gestein hatte Falten, als wäre es ein Vorhang. Soldaten hatten Wörter hineingeritzt, Namen und Daten, und ich fragte mich, wie es sein konnte, dass Kriege so weit reichten. In einer Ecke fand ich eine alte Fleischkonserve. Mit Hilfe eines Steins brach ich sie auf und aß den Inhalt mit den Fingern. In Wahrheit war ich in meinen Augen keine Roma mehr. Man nannte mich Zigeunerin, aber nicht einmal das war ich. Ich sah mich auch nicht mehr als eine Frau, die Bücher gelesen, Geschichten gesungen und Gedichte geschrieben hatte – ich betrachtete mich, wenn überhaupt, als irgendein primitives Wesen.

Tagelang hielt ich mich versteckt, dann watete ich in den See. Wenn ich einen Beginn bezeichnen soll, dann war dieser See der Ort, wo mein Leben im Westen begann.

Noch heute spüre ich die kalte Wand des Wassers, die gegen meine Brust drückte. Die ganze Nacht watete ich durch den See, der so eiskalt war, dass meine Füße brannten. Auf dem Grund lagen keine Steine, daher fiel das Gehen schwer, aber ich hielt die Arme hoch und war zum ersten Mal froh, so groß zu sein. Eine Wasserpflanze schlang sich um meinen Knöchel; ich versuchte, sie abzustreifen, und verlor das Gleichgewicht. Bald war ich von Kopf bis Fuß durchnässt. Ich hatte nicht damit gerechnet, dass die Österreicher Stacheldrahtspiralen im See versenkt hatten, über die ich steigen musste, als ich mich dem Ufer näherte. Zunächst dachte ich, es seien wieder irgendwelche Wasserpflanzen, doch dann spürte ich, wie sich etwas Spitzes in meine Haut bohrte. Meine Beine waren voller Schnitte und Kratzer, und doch dachte ich, dass ich gar nicht aus

Haut, Muskeln und Knochen bestand, sondern aus reiner Kraft, und die würde mich ans Ufer bringen. Ich war seit Einbruch der Dunkelheit unterwegs, und es war ganz still. Das einzige Licht stammte von den Suchscheinwerfern an der Grenze.

Wenn der Tag anbrach, würde ich ein leichtes Ziel für die russischen Soldaten sein.

Idiotischerweise hatte ich nur Brot mitgenommen, und das hatte sich in meinen Taschen voll Wasser gesogen und aufgelöst. Ein paar nasse Krusten waren alles, mehr war davon nicht übrig. Was für dumme Dinge uns in solchen Augenblicken durch den Kopf gehen, meine Tochter, in diesen schlimmsten Augenblicken: Was mich in Bewegung hielt, war der Gedanke an ein Glas Milch – vielleicht deshalb, weil man uns, als ich jung und mit der Kumpanija unterwegs war, sagte, dass Milch uns innerlich rein halten würde. So stolperte ich mit ziemlich verworrenen Gedanken dahin. Das Ufer schien zurückzuweichen, und für eine Weile hatte ich ein Gefühl, als würde ich mich, wie in einem Albtraum, gar nicht von der Stelle bewegen, als würde ich auf immer dasselbe Stück sandigen Grund treten, doch schließlich wickelte ich meine Hände in die Decke und watete weiter. Ich stieg über die letzten unter Wasser verlegten Stacheldrähte und brach am Ufer zusammen. Die Suchscheinwerfer strichen über das Wasser, und die Bäume sahen aus wie Gespenster.

Ich ging geduckt zu einer Mulde in der Marsch, nicht weit vom Seeufer. Dort legte ich mich auf die feuchte Erde und untersuchte meine zerschundenen Beine. Ich zog die letzten Reste der durchweichten Brotrinden aus der Tasche und kaute sie lange, bevor ich sie hinunterschluckte. Das Tageslicht kroch heran. Vor mir lag noch mehr Marschland, und dort standen gewiss noch mehr hölzerne Wachtürme mit Soldaten. Ich würde tun, was ich auf der anderen Seite der Grenze getan hatte: auf den Einbruch der Dunkelheit warten und weiterstolpern, bis ich auf einen freundlichen Menschen oder ein Bauernhaus stieß.

Als Kind hatte ich gehört, dass der Tod immer mit einem Eulenruf kommt. Ich habe auf diese alten Aberglauben nie viel gegeben, Čhonorroeja – mein Großvater hat mich auf der Straße nach Prešov davon überzeugt, dass sie Unsinn sind –, aber so seltsam es auch klingen mag: Ich glaube, was mich an diesem dunklen Morgen am Leben hielt, war der langgezogene, laute Ruf einer Eule. Ich fuhr hoch, denn ich wollte sehen, in welcher Gestalt der Tod zu mir käme. Er schien mich mit Vogelgesang und Insektenzirpen zu begrüßen. In der Nähe stob etwas aus dem hohen Gras auf: Es war ein Fasan, der so niedrig flog, als wollte er mich verspotten. Ich wollte, ich hätte ihn mit bloßen Händen fangen, ihm den Hals umdrehen und ihn roh essen können. Ich suchte den Boden nach irgendetwas Essbarem ab, nach einem Wurm, dem unreinsten Wesen, das es gibt, aber ich fand nichts und saß vor Kälte zitternd da. Petrs Feuerzeug hatte ich in meine Rocktasche eingenäht. Ich riss die Naht auf und rieb das Zündrad, um mir wenigstens die Hände zu wärmen. Keine Flamme.

Als ich erwachte, gleißte die Sonne. Ein Schatten fiel über mich, und ein weißes Gesicht sah auf mich herab. Bis heute weiß ich nicht, wie sie mich finden konnten, aber es hieß, sie hätten mich halbtot in der Marsch entdeckt, und anfangs behandelten sie mich tatsächlich, als wäre ich tot.

Die Krankenschwester leuchtete mir mit einer Taschenlampe in die Augen, nahm mein Kinn und sagte auf Deutsch: Halt still. Sie drückte meinen Kopf auf das Kissen, und dann rannte sie weg und rief: Sie hat mich gebissen, das kleine Aas. Das hatte ich tatsächlich getan, gründlich und mit voller Kraft, und wenn es sein musste, würde ich es wieder tun, meine Tochter. Ich war mir sicher, dass sie mich verhaften, schlagen und in die Tschechoslowakei zurückschicken würden. Die Schwestern versammelten sich, ich konnte ihr aufdringliches Parfüm riechen. Eine hielt mich an den Wangen fest, eine andere drückte meine Zunge mit einem braunen Stäbchen hinunter, und die dritte leuchtete mir mit der Taschenlampe in die Kehle. Die Dicke schrieb etwas auf. Die Größte zog ein Fläschchen aus der Tasche und reichte es herum; sie rochen abwechselnd daran. Es hat mich immer fasziniert, dass die Gadže sich selbst nicht riechen wollen. Ich finde es komisch, dass sie nicht wissen, wie sonderbar ihre Seifen und Ausdünstungen sind, aber manche Menschen achten immer nur auf andere und nie auf sich selbst. Sie hielten hustend das Fläschchen an die Nasen und sagten, ich stänke. Sie telefonierten und baten um Unterstützung. Sie sagten: Wir stellen sie unter die Dusche.

Und da brach die Hölle los. Seit zehn Jahren hatte ich immer nur von Armut, Streiks und Verfolgung gehört – dass die Menschen im Westen unterdrückt und die Roma gejagt würden, dass sich seit dem Faschismus wenig geändert habe und ganze Straßenzüge mit Stacheldraht abgesperrt würden, und in meinem Delirium glaubte ich, man habe im Westen die Gasduschen wieder eingeführt. Wer konnte sagen, dass das, was einmal geschehen war, nicht noch einmal geschehen würde? Es gibt nichts, was so schrecklich ist, dass sie es nicht wiederholen würden. Ich schrie auf Romani, dass sie mich nicht unter ihre Dusche stellen würden, nein! Ich würde es nicht geschehen lassen! Ich warf die Decke ab und riss mir den Tropf aus dem Arm. Sie bliesen in ihre Trillerpfeifen, um die Wachen zu alarmieren, aber ich war bereits aus dem Bett gesprungen. Eine Sirene ertönte. Die große, weißhaarige Schwester wollte sich mir in den Weg stellen, doch ich schob sie beiseite, stolperte zur Tür und stieß sie auf. Ich weiß nicht, woher ich die Kraft nahm.

Am Ende des Korridors erschienen drei Männer in Uniform. Einer schlug mit seinem Stock gegen die Wand. Ich schlüpfte in ein Zimmer. Durch ein kleines Milchglasfenster drang Licht, und draußen schimmerte es grün. Ich zwängte mich durch das Fenster und landete im Gras. Einige Zelte kauerten auf dem Boden. Dahinter standen ein paar hölzerne Baracken, aus deren Ofenrohren Rauch aufstieg. Jemand rief etwas auf Ungarisch und in einer anderen Sprache, die ich nicht verstand. Ich rannte den Weg entlang, an den Zelten vorbei und zum Tor, doch dort standen Männer in Uniformen und mit weißen Armbinden. Sie hoben die Gewehre und sagten mit dünnem Lächeln: Halt! Eine rot-weiße Schranke versperrte den Weg. Ich sah über eine weite Ebene, hinter der sich gewaltige Berge erhoben. Auf halber Höhe hingen Wolken, und die Gipfel leuchteten weiß vor dem blauen Himmel. Das also war Österreich, das war der Westen. Wie seltsam, ihn so zu sehen: durch ein offenes Tor, während hinter mir die Krankenschwestern den staubigen Weg entlangrannten und eine der Wachen mit dem Gewehr auf mich zielte.

Eine große, grauhaarige Frau erschien, gefolgt von vier Soldaten. Sie wirkte wie eine Beamtin, und sie baute sich vor mir auf und sagte: Keine Angst, das hier ist ein Auffanglager.

Ihre Stimme war ruhig. Wir wollen Ihnen helfen, sagte sie und ging noch einen Schritt auf mich zu.

Ein Auffanglager für Flüchtlinge, sagte sie.

Als ich zwischen den Soldaten hindurch weglaufen wollte, stieß einer mir den Kolben seines Gewehrs gegen die Schulter. Die Frau schob das Gewehr zur Seite und sagte: Lasst sie in Ruhe, ihr Grobiane. Sie beugte sich zu mir herunter und flüsterte, alles werde gut, ich solle keine Angst haben, sie sei Ärztin und wolle mir helfen. Ich traute ihr nicht – wie denn auch? Ich wich vor ihr zurück und ging rückwärts auf die Schranke zu, hoch aufgerichtet und mit erhobenem Kopf.

Na gut, sagte die Frau, legt ihr Handschellen an.

Sie brachten mich in ein graues Gebäude, wo die Krankenschwestern mich auszogen. Vor dem Duschraum waren ein paar Soldaten postiert. Die meisten wendeten den Blick ab, aber zwei traten an das kleine Fenster und spähten herein. Ich saß auf einem Stuhl mit steiler Lehne unter der Dusche, während die Schwestern mich mit harter Seife und langstieligen Bürsten abschrubbten. Ich versuchte, meine Nacktheit zu verbergen. Sie hörten nicht auf, sich darüber zu erregen, dass ich keinen Büstenhalter trüge, dass ich schlecht röche und der Körpergeruch von Zigeunern der allerschlimmste sei, und noch immer sagte ich kein Wort. Kurz bevor sie die Wasserhähne zudrehten, leckte einer der Soldaten das Fensterchen mit seiner rosaroten Zunge ab. Ich krümmte mich zusammen und schloss die Augen. Sie warfen mir ein Handtuch zu und führten mich in einen anderen Raum, wo sie mir den Kopf rasierten. Ich betrachtete die Büschel auf dem Boden und sah viele weiße

Pünktchen, die an den Haaren klebten. Ich fühlte nichts. Da lag mein Haar, aber das war mir gleichgültig – es war ja bloß irgendein Schmuck. Seit früher Kindheit hatte ich es oft abgeschnitten, immer gegen alle Sitte. Die Schwestern bestäubten mich mit einem weißen Puder, das in den Augen brannte. Ich ließ durch nichts erkennen, dass ich ein wenig Deutsch sprach – genug, um zu verstehen, dass ich in ihren Augen nicht gerade eine knospende Blume war.

Ich war meinem alten Leben nur entkommen, um in einem neuen gefangen zu sein, doch ich hatte kein Mitleid mit mir – das alles hatte ich ja selbst heraufbeschworen.

Man brachte mich zurück zur Station. Die Ärztin legte das Stethoskop an meine Brust. Sie sagte, ich würde nur zu meiner eigenen Sicherheit hier festgehalten und sie werde sich um mich kümmern. Ich stände unter dem Schutz internationaler Abkommen und bräuchte mir keine Sorgen zu machen. Sie sprach so bestimmt wie jemand, der von dem, was er sagt, kein Wort glaubt. Ihr Name war Doktor Marcus, sie stammte aus Kanada und sprach deutsch, als hätte sie Kieselsteine im Mund. Sie sagte, sie werde mich ein, zwei Monate unter Quarantäne halten, doch danach müsse ich Flüchtlingsstatus beantragen und hätte dann dieselben Rechte wie die anderen Lagerinsassen. Auf ihrem Schreibtisch lag ein Teil meiner persönlichen Habe: mein Parteibuch, das Messer, ein paar durchweichte Kronen und die Münze, die Conka mir geschenkt hatte, noch immer eingeflochten in ihr feines, rotes Haar. Ich griff nach den Sachen, doch die Ärztin steckte sie in einen großen, braunen Umschlag und sagte, sobald ich kooperierte, werde sie mir alles zurückgeben. Sie drehte die Münze zwischen den Fingern, ließ sie in den Umschlag gleiten und verschloss ihn. Ein rotes Haar war auf den Tisch gefallen.

Wollen Sie nun mit mir sprechen?, fragte sie.

Ich tat, als wäre ich stumm. Doktor Marcus drückte auf einen Knopf in der Gegensprechanlage und ließ die Dolmetscherin kommen, eine riesige, dicke Frau, die mir auf Tschechisch und Slowakisch unzählige Fragen stellte: Wie war ich an das Parteibuch gekommen? Warum war ich geflohen? Wie hatte ich es über die Grenze geschafft? Kannte ich jemanden in Österreich? Und natürlich ihre Lieblingsfrage: War ich tatsächlich Zigeunerin? Ich sähe aus wie eine, sagten sie, meine Kleider seien bunt, und doch wirkte ich nicht wie eine Zigeunerin. Sind Sie Tschechin? Slowakin? Zigeunerin? Warum sind Sie aus Ungarn gekommen? Das ist eine ungewöhnliche Münze, nicht? Ist das Ihr Ausweis? Sind Sie Kommunistin? Ich saß reglos da. Schweigen schien die beste Methode zu sein, ihr auszuweichen. Schließlich machte die Dolmetscherin eine verzweifelte Geste, aber Doktor Marcus beugte sich vor und sagte: Ich weiß, dass Sie uns verstehen. Wir wollen Ihnen doch nur helfen – warum lassen Sie uns nicht?

Ich nahm Conkas Haar von ihrem Tisch. Sie brachten mich zur Quarantänestation.

Ich verbrachte so viel Zeit in diesen weißen Krankenzimmern, dass ich begann, alles Geschehene noch einmal vor meinem inneren Auge Revue passieren zu lassen. Wenn ich heute davon spreche, ist meine Stimme fest, doch damals war ich schwach und verängstigt und flüchtete mich in jeden tatsächlichen oder vorgestellten Winkel, den ich finden konnte. Ich wollte nicht zu den Straßen meiner Kindheit zurückkehren und versuchte, sie aus meinen Gedanken zu verbannen, doch je mehr ich mich bemühte, desto gegenwärtiger waren sie.

Wir machten Kerzen aus Kartoffeln, Conka und ich, wir höhlten sie aus, sodass das Licht durch die dünnen Kartoffelwände schimmerte, und im Winter lief Conka gern Schlittschuh, mit brennenden Kerzen in den Händen, damit diese nicht so froren. Sie hatte ein Paar Schlittschuhe, die ihr Vater aus alten Stiefeln und Messern gemacht hatte. Manchmal gingen die Kerzen aus, wenn sie eine schnelle Drehung machte oder stürzte, und manchmal stoben Eiskristalle auf und ließen die Dochte verlöschen. Über uns zogen die Sterne über den Himmel. Diese und andere Erinnerungen kehrten zu mir zurück, als ich in dem österreichischen Bett lag – ich hatte das Gefühl, noch immer über das Eis zu gleiten. Ich hörte es knacken und sah Hände, die sich zu mir emporreckten. Ich hörte Stiefeltritte im Wald, und da stand Swann, da stand Wašengo, da stand Stránský und blätterte in einem Stapel Papier, und hinter ihnen sah ich Beamte, Schwestern, Offiziere und Wachsoldaten. Ich wälzte mich im Bett herum, doch die Bilder drangen immer schneller und heftiger auf mich ein und ließen sich nicht abschütteln.

Jeden Mittag trat Doktor Marcus an mein Bett. Ihr Stethoskop blitzte, in ihrer Brusttasche steckten mehrere Stifte – auf einem war die kanadische Flagge –, und obwohl sie kein bisschen Ähnlichkeit mit Swann hatte, dachte ich unwillkürlich, dass sie mit ihrem hellen Haar, den braunen Augen und dem ovalen Gesicht seine Schwester hätte sein können.

Machen Sie es sich nicht so schwer, sagte sie, das hat doch keinen Sinn. Erzählen Sie mir von sich – dann kann ich Ihnen helfen, das verspreche ich Ihnen.

Es war wie ein altes Lied, ein Kinderreim. Ich hatte es schon so oft gehört, dass es war, als hätte sie die Worte eines Bürokraten einem Kind in den Mund gelegt.

Ich weiß, dass Sie sprechen können, sagte sie. Die Schwestern haben Sie gehört. Am ersten Tag haben Sie in einer Sprache geschrien, die sie nicht verstanden haben. Es war Romani, nicht wahr? Romani?

Ich wendete mich ab.

Manche halten Sie für eine Polin, sagte sie.

Dann kam sie der Wahrheit noch näher.

Aber ich glaube, dass Sie eine Außerirdische sind.

Das brachte mich beinahe zum Lächeln, doch als Doktor Marcus wieder ging, starrte ich an die Decke, und je länger ich starrte, desto mehr lastete sie auf mir.

Sie kannten weder meinen Namen, noch hatten sie die leiseste Ahnung von meinen Seelenqualen.

Am Nachmittag kehrte Doktor Marcus zurück, leuchtete mir mit der Taschenlampe in die Augen und schrieb etwas auf das Krankenblatt. Man gab mir ein Glas Wasser und Tabletten, gelbe Tabletten mit orangeroter Aufschrift. Ich hatte den seltsamen Gedanken, dass ich Worte verschlucken sollte, und vor meinem inneren Auge tauchte Swanns Gesicht auf. Die beschrifteten Tabletten passten genau in meine Zahnlücke. Ich spuckte sie aus, als alle wieder gegangen waren, und ließ sie in ein Loch im Stahlrohrgestell meines Bettes fallen.

Ich glaube, ich werde nicht einmal jetzt die richtigen Worte finden, um das Gefühl zu beschreiben, dass ich mein Leben hinter mir gelassen hatte. Ich hing in der Luft wie ein Hemd, das man an einem Zweig aufgehängt hat. Jedes Mal, wenn ich mich im Bett umdrehte, sah ich ein Stück Straße aus meiner Vergangenheit: die Landstraße hinter der Schokoladenfabrik, den Weg zum Schulhaus bei Prešov, die Bergpfade, die durch den Wald über den Weinbergen führten. Es waren kleine Blitze, die grün und gelb durch meinen Kopf zuckten. Ich drehte mich auf die andere Seite, doch es kamen neue Blitze. Ich stand vor einer seltsamen Brücke und wusste nicht, wie lang sie war. Ich versuchte, sie zu überqueren. Ich stand im Dunkel und fuchtelte mit den Armen zum eben noch taghellen Himmel. Sie schnallten mich mit Lederriemen fest und steckten mir ein Stück Gummi zwischen die Zähne. Das Kind, das ich einst gewesen war, kehrte zurück, schwebte über mir und blickte mit seinem trägen Auge auf mich herab. Nach einer Weile erkannte ich, dass das Kind auch Conka war, mit kurzgeschorenem Haar. Sie sah zu, wie die Dinge zurückwichen. Seltsame, unmelodiöse Geräusche waren zu hören. Eine Baumreihe verschwand in der Entfernung. Eine Zeltbahn flatterte im Wind. Die Schwestern beugten sich über mich und stießen mir eine Nadel in den Arm. Ich drehte mich um und versuchte, die Tabletten aus dem Stahlrohr zu schütteln. Ich hätte sie alle auf einmal genommen. Das waren schreckliche Tage – sie hätten nicht schlimmer sein können.

Die Ärztin sagte, sie werde mir keine Tabletten oder Spritzen mehr geben. Sie befahl einer Schwester, mich zu stützen, und erlaubte mir, in der Station umherzugehen. Ich war unsicher auf den Beinen. Das Gehen half, und in den nächsten Wochen bekam ich gutes Essen. Meine Wunden verheilten, das Haar wuchs nach, und man sah nach meinen Füßen. Dreimal täglich wechselten sie den Verband und strichen eine Salbe auf, die nach Minze roch. Sie ließen mich das Bettlaken und den Bezug markieren – ich wollte kein Bettzeug, in dem ein anderer geschlafen hatte, selbst wenn es gewaschen war. Ich machte es ihnen klar, indem ich das Laken festhielt und um mein Handgelenk wickelte.

Doktor Marcus sagte: Lasst sie ihr Bettzeug behalten – es ist ja nur Stoff, ein kleiner Preis. Sie wird bald auftauen.

Doch ich schwor mir, dass ich nicht auftauen würde. Ich würde mir in meinem Kopf einen kleinen Raum schaffen, die Tür schließen und nie mehr herauskommen. Ich ging hin und her wie das Pendel einer Uhr. Mit der Zeit verheilten meine Füße, und meine Beine gewannen ihre Kraft zurück. Doktor Marcus kam herein und sagte: Oh, was für rosige Wangen wir heute haben. Ich dachte, dass ich ihr vielleicht einen von Stránskýs Vorträgen über den Marxismus und die Dialektik der Geschichte halten sollte – dann würde sie aufhören, mich für eine armselige, gebrochene Frau zu halten, die durch die Korridore lief, aber in Wirklichkeit dachte ich kaum je an die Tage mit Stránský oder Swann. Nein, es war eher meine Kindheit, die zu mir zurückkehrte: wie sich das Hemd meines Großvaters angefühlt hatte, wie ich neun Tropfen Wasser in die Asche hatte fallen lassen, wie ich hinten auf dem dahinholpernden Wagen gesessen und auf die Straße geblickt hatte, und heute glaube ich, dass diese Gedanken mich schützen und dafür sorgen sollten, dass ich nicht den Verstand verlor, doch damals trieben sie mich beinahe über eine Klippe, die ich nicht kannte.

Man kann am Wahnsinn sterben, meine Tochter, aber auch am Schweigen.

Noch heute zittern meine Finger, noch heute stellen sich mir die Haare an den Armen auf, wenn ich diese Dinge in Worte fasse. Dieser Tage kleide ich mich im Dunkeln an, öffne die Ofenklappe, zerknülle ein Stück Papier, stecke es hinein, reiße ein Streichholz an, warte, bis es richtig brennt, und zünde dann den Ofen an. Ich bin eine weitere Nacht verschont geblieben, um diesen Tag zu erleben. Bald höre ich das Ticken des Metalls und das Zischen des Holzes. Es wird hell, und der Raum erwacht zum Leben.

Als ich heute den weiten Weg zum Dorf hinunterging, hatte ich einen seltsamen Gedanken. Es war kurz nach Mittag, und im Licht der Sonne schien die Straße zu schweben, erfüllt von den Geistern all der Jahre. Ich ging zu Paolis altem Café. Mein Blick war auf den Boden gerichtet, und ich sah nur die Füße der Passanten. Als ich eintrat, läutete das Glöckchen – dieses Café ist eines der wenigen, in denen es solche alten Dinge noch gibt. Paolis Sohn Domenico stand hinter dem Tresen und entzündete Kerzen, um sie auf einen Tisch zu stellen.

In diesem Augenblick tauchte urplötzlich dieses Bild auf, ein einfaches Bild, und ich werde es nicht mehr los. Für eine Sekunde sah ich Conka. Sie trug ein Kopftuch, und ihre Haare waren aufgesteckt. Sie stand vor einem der Wohnblocks in der Tschechoslowakei, wo ich sie vor langer Zeit zurückgelassen hatte. Ihre Kinder waren erwachsen und lebten anderswo. Sie trug ein dunkles Kleid und hatte die Hände tief in die Taschen gesteckt. Sie ging in den Wohnblock, aber der Aufzug war kaputt, und so stieg sie die Treppe hinauf. Zunächst dachte ich, sie suche nach Brennholz und wolle Dielen aus einer der Wohnungen holen und unten verbrennen, um für ihre Familie etwas zu kochen, doch alle Wohnungstüren waren verschlossen. Sie stieg immer höher, von einer Etage zur nächsten. Es wurde dunkel. Sie trat auf das Dach des Blocks, griff in die Tasche und holte eine Kartoffelkerze hervor. Aus der anderen Tasche zog sie ein Streichholz. Es dauerte eine Weile, aber dann fing der Docht Feuer. Die Kartoffelkerze flackerte auf der Brüstung. Conka betrachtete sie lange, dann streckte sie die Hand aus und stieß die Kerze hinunter. Brennend fiel sie durch die Luft.

Ich weiß noch immer nicht, warum ich das dachte. Meine Hände zitterten so sehr, dass Domenico meinen Arm nahm und sagte, ich solle mich auf den Hocker in der Ecke setzen. Sein Bruder Luca, das jüngste von Paolis Kindern, trug meine Einkäufe und zündete die Petroleumlampe an. Er fragte mich, ob es mir wieder bessergehe, und ich sagte ja. Er erkundigte sich nach dir, und ich sagte, dass du in Paris bist, dass du mir Briefe schreibst und dass du eine Wohnung und eine gute, gesunde Arbeit hast, die deinen Geist wachhält.

Paris, sagte er.

Ich bin ganz sicher, dass seine Augen funkelten. Du bist hier nicht vergessen, Čhonorroeja.

Er verabschiedete sich und sah das Papier auf dem Tisch, aber ich glaube nicht, dass er sich etwas dabei dachte. Als er wegging, hörte ich ihn pfeifen.

Nach ein paar Tagen in Quarantäne hielt ich es nicht mehr aus. Ich ging zu Doktor Marcus und sagte zu ihr auf Deutsch: Bin ich eine Gefangene? Sie starrte mich an, als hätte ich soeben einen doppelten Salto gemacht, und sagte: Nein, natürlich nicht. Ich sagte, ich wolle gehen. Sie sagte, das sei nicht so einfach, und wenn ich meinen Mund früher aufgemacht hätte, wäre es viel leichter gewesen. Warum sagen Sie dann, dass ich keine Gefangene bin?, fragte ich. Es gibt hier bestimmte Regeln zum Wohl der Allgemeinheit, sagte sie. Aber ist das hier nicht der freie

Westen? Wie bitte?, fragte sie. Ist das hier nicht der demokratische Westen? Eine interessante Frage, sagte sie. Dann sagen Sie mir doch, warum ich gefangen gehalten werde. Hier wird niemand gefangen gehalten, sagte sie.

Ich sagte, ich wolle sofort entlassen werden, das sei mein Recht, und sie antwortete indigniert, sie werde ihr Möglichstes tun und könne mir versprechen, dass ich das Krankenhaus verlassen dürfe, wenn ich ihr mit Informationen behilflich sei. Seien Sie dankbar, sagte sie, für das, was Sie haben.

Wenn sie einen eingesperrt haben, wollen sie immer, dass man ihnen dankbar ist, Čhonorroeja. Vielleicht erwarten sie, dass man sie küsst, wenn sie den Schlüssel wegwerfen.

Ich heiße Marienka, sagte ich.

Ihr Stuhl rutschte quietschend über den Boden, als sie näher an den Schreibtisch rückte.

Marienka, sagte sie. Das ist ein schöner Name.

Finden Sie?, fragte ich.

Sie errötete.

Doktor Marcus notierte meine seltsame Geschichte auf ihrem weißen Notizblock. Mein Deutsch war nicht gut genug, und Slowakisch wollte ich nicht sprechen, also sprach ich Ungarisch. Der Dolmetscher war ein frommer Mann aus Budapest, der ein riesiges Kreuz um den Hals trug. Ich verriet ihnen nicht, dass ich in Wirklichkeit Zoli hieß, und zwar aus zwei Gründen: Erstens wollte ich nicht, dass sie über meinen Namen lachten, und zweitens befürchtete ich, das Wort könnte Flügel bekommen, sodass sie herausfänden, wer ich wirklich war.

Meine Geschichte war einfach. Ich war in Ungarn geboren. Mein Mann hatte mich verlassen, und ich wollte zu meinen Kindern, die in Frankreich lebten. Sie waren '56 geflohen, doch ich hatte nicht mit ihnen gehen können, weil man mich verhaftet und geschlagen hatte. Nach der Entlassung aus dem Gefängnis war ich in mein Dorf unweit der Grenze zurückgekehrt. Die Leute dort hatten sich nie um Grenzen gekümmert. Einst war Ungarn Teil eines riesigen Reiches gewesen, und für uns war es das noch immer. Das Parteibuch hatte ich bei einer Müllkippe in der Nähe der Grenze gefunden. Ich sah, dass Doktor Marcus zweifelte, also erklärte ich ihr, ich hätte das Foto ausgetauscht, und außerdem sei ein Mitglied meiner Familie ein sehr guter Fälscher. Sie zuckte die Schultern und sagte: Na gut, fahren Sie fort, fahren Sie fort. Ich hatte den Bus von Györ genommen, doch der hatte eine Panne, worauf ich nach vielem Feilschen für wenig Geld ein Fahrrad kaufte, obwohl ich noch nie auf einem solchen Gefährt gesessen hatte – das sagte ich, um ein bisschen Komik hineinzubringen. In Schlangenlinien fuhr ich davon – der Bauer lachte mich aus. Ich schlief in verlassenen Bauernhöfen, aß Nesselsuppe und gekochte Sauerkirschen. Das Fahrrad ließ ich stehen, als ich einen Platten hatte. Hier zeichnete sich auf Doktor Marcus' Gesicht ein Lächeln ab, das im weiteren Verlauf meiner Geschichte immer triumphaler wurde; sie schrieb alles mit, so schnell sie nur konnte. Ich begann den Menschen, den ich da erschuf, zu mögen, und so erzählte ich von einem zweiten, gestohlenen Fahrrad, an dessen Lenker ein großer Korb befestigt war, und natürlich hatte ich mir ein paar Hühner ausgeborgt, sie im Korb festgebunden, wo sie flatterten, dass die Federn stoben, und eins nach dem anderen aufgegessen, bis ich schließlich den Sprung in die Freiheit gewagt hatte.

Genug Zucker und Tränen, und sie schlucken jede Lüge.

Sie lassen sich das Süße und das Salzige auf der Zunge zergehen und machen daraus eine Paste namens Sympathie. Versuche es mal, Čhonorroeja, und du wirst merken, dass du dich auflöst.

Ich habe keine Erklärung dafür, dass so viele von ihnen uns so lange so sehr gehasst haben, und wenn ich eine hätte, würde sie es ihnen zu leicht machen. Sie schneiden uns die Zunge heraus und machen uns sprachlos, und dann wollen sie Antworten. Sie wollen nicht selbständig denken und verabscheuen alle, die das tun. Sie fühlen sich nur wohl, wenn über ihnen die Peitsche geschwungen wird. Viele von uns haben ihr Leben lang kaum eine gefährlichere Waffe besessen als ein paar Lieder. Ich bin voller Erinnerungen an jene, die gelebt haben und gestorben sind. Auch bei uns gibt es Dummköpfe und allerlei Schlechtes, Čhonorroeja, aber wir sind vereint durch den Hass, der uns umgibt. Zeig mir ein Fleckchen Land, das wir nicht verlassen haben, das wir nicht verlassen wollten, einen einzigen Ort, dem wir nicht den Rücken gekehrt haben. Und obwohl mir so viele Angehörige meines Volkes zuwider sind, obwohl ich ihre Taschenspielertricks, ihre Doppelzüngigkeit und meine eigenen dummen Eitelkeiten verflucht habe, sind die Schlechtesten von uns nie so schlecht gewesen wie die Schlechtesten von ihnen. Sie erklären uns zu Feinden, um sich nicht mit sich selbst befassen zu müssen. Sie nehmen einem die Freiheit und geben sie einem anderen. Sie verwandeln Gerechtigkeit in Rache, nennen sie aber weiterhin Gerechtigkeit. Sie erwarten von uns, dass wir für sie in die Zukunft blicken oder ihr jedenfalls die Taschen leeren. Sie rasieren uns den Schädel und sagen: Ihr seid Diebe, ihr seid Lügner, ihr seid schmutzig – warum könnt ihr nicht sein wie wir?

So fühlte ich mich damals, meine Tochter, und darum gelobte ich mir, dass ich nur so lange sein würde wie sie, bis ich das Lager verlassen und fortgehen könnte.

An einem sonnigen Tag wurde ich vom Krankenhaus ins Lager überstellt und bekam den Status einer normalen Insassin. Doktor Marcus las mir eine lange Liste von Regeln vor. Ich durfte an zwei Tagen pro Woche in die nahe gelegene Stadt gehen, aber nicht betteln, die Zukunft voraussagen oder irgendwelche anderen Dinge tun, von denen sie annahmen, dass Roma sie taten – das war gesetzlich verboten. Ich durfte das Lager um acht Uhr morgens verlassen und musste zur Sperrstunde wieder zurück sein. Sie würden mir Lebensmittelmarken geben, die ich in der Lagerbank würde deponieren können. Kein Alkohol, sagte sie, und keine Männergeschichten. Auch außerhalb des Lagers sei es verboten, mit dem Wachpersonal zu fraternisieren.

Als ich das Krankenhaus verlassen wollte, behaupteten die Schwestern, sie hätten in meinem Haar eine weitere Laus entdeckt. Das sagten sie nur, damit sie es noch einmal abrasieren konnten. Sie zogen das Messer mit Druck über meinen Kopf.

Meine Kleider hatte man verbrannt, aber was sollte ich tun – ihnen nachtrauern?

Man brachte mich in die Kleiderkammer. Ich fand ein Tuch, mit dem ich meinen kahlen Kopf bedecken konnte, und man gab mir neue Sandalen, in denen ich herumspazieren konnte: braun, mit blitzenden Messingschnallen. Ich suchte mir ein portugiesisches Kleid in leuchtenden Gelb- und Rottönen aus, doch als ich mich im Spiegel betrachtete, wirkte ich so sehr wie die Zoli von früher, dass ich mich für ein langes, graues Kleid entschied, das «vom

Volk der Vereinigten Staaten von Amerika» gespendet worden war. Ich erhielt mein wertloses Geld, das Parteibuch und sogar das Messer mit dem Onyxgriff zurück. Das Parteibuch verbrannte ich auf der Stelle. Als ich den Umschlag aufriss, sah ich Conkas Münze. Ich küsste sie und dankte meiner liebsten, verlorenen Freundin, dass sie mich nicht angespuckt und dennoch ihren Kindern die Würde gelassen hatte, es zu tun.

Doktor Marcus führte mich zu der letzten Holzbaracke. Nur ganz kleine Kinder rannten herum, liefen lachend hinter mir her und zupften mich am Ärmel. Einige spielten laut schreiend mit einem Ball, der aus einer Schweinsblase gemacht war. Frauen sahen aus Küchenfenstern – die meisten waren Ungarinnen. Sie rührten mich, denn ich wusste, dass sie hier lebten, seit sie '56, vier Jahre zuvor, über die Grenze gekommen waren. Jemand hatte auf Ungarisch an eine Wand geschrieben: *Wir haben unsere Regenmäntel zurückgelassen – betet für uns.*

Als wir um die letzte Ecke bogen, blieb ich wie angewurzelt stehen. Auf den Stufen saß eine Frau mit dunkler Haut und langen Röcken und stillte ein Baby. Sie schlug die Hand vor den Mund, legte das Baby einem anderen Kind in den Arm, trat zu mir und strich mir über den Kopf.

Ach, mein Lämmchen, sie haben dich kahlgeschoren, sagte sie.

Ich kann dir gar nicht sagen, Čhonorroeja, wie tief mir das Herz sank beim Anblick und den Worten dieser Frau, denn ich wusste sofort, dass ich würde fliehen müssen – nicht nur, weil ich beschmutzt war, sondern auch, weil sie es merken, weil sie es mir anmerken würden. Ein Rom spürt immer, ob man die reine Wahrheit sagt, und ich würde meine Schande auch über sie bringen. Sie nahm meine Hand und gab mir ein Stück Brot. Ich kann das nicht, dachte ich, ich bin eine Verräterin. Und doch: Was verriet ich eigentlich? Was war noch übrig von meinem alten Ich, das ich hätte verraten können? Wie weit entfernt erschien mir die Zoli, die so viele Stunden in Budermice verbracht hatte, neben den läutenden Telefonen des Schriftstellerverbandes, zwischen den surrenden Maschinen in Stránskýs Druckerei, unter den funkelnden Kronleuchtern im Carlton und an all den anderen Orten, wo ich mein Verhängnis herabbeschworen und mich mit seinem glänzenden Schmuck behängt hatte.

Und jetzt legte mir eine dunkle Schwester ein Stück Brot in die Hand und redete in unserer herrlichen, uralten Sprache auf mich ein.

Sie hieß Mozol. Sie nahm meinen Arm, zog mich in die dunkle Baracke – Decken, mehrere Bündel, ein paar auf dem Boden ausgerollte Matten – und zeigte auf einen dicken Mann, der, den Hut ins Gesicht gezogen, auf einem abgenutzten Sofa schlief. Das ist Panch, mein Mann, sagte sie. Er ist fauler als die Sünde. Ich sage dir, er schnarcht sogar im Gehen. Komm, komm. Ich zeige dir alles. Wir haben Platz genug. Kein Gadžo will bei uns wohnen – darum haben wir die ganze Baracke für uns, stell dir vor.

Sie strich mir über die Wange, drehte mich herum und redete mich schwindlig: Herr im Himmel, ich küsse deine müden Augen.

Wenn ich mit Mozol zusammen war, brauchte ich nur zuzuhören und zu nicken. Sie fügte ein Wort an das andere, und bald waren es zehntausend. Ihr unaufhörliches Geplapper füllte meine Ohren, aber es fühlte sich an, als würde eine lindernde Salbe auf meine inneren Wunden gestrichen. Sie führte mich herum und zeigte mir den Laden, wo ich mit meinen Lebensmittelmarken einkaufen konnte. Sie redete und redete und hielt nicht mal zum Atemholen inne. Auch ihr Mann kam nie zu Wort. Selbst wenn er sie *Solovitsa*, meine kleine Nachtigall, nannte, übertönte sie ihn mühelos. Mozol hatte sieben Kinder und war mit dem achten schwanger, und wenn niemand da war, mit dem sie hätte reden können, redete sie mit ihrem Bauch.

Alle Mühsale, Čhonorroeja, tragen auch ein Lachen in sich.

Diese wenigen Tage haben sich in mir eingebrannt, und ich kann nicht gelassen darüber sprechen. Ich trat in ein Leben ein, das ich bis dahin nicht gekannt hatte. Ich war nicht mehr Dichterin oder Sängerin, ich war keine Frau, die Bücher las oder auch nur umherzog. Jeden Tag erwachte ich am selben Ort, setzte Wasser für den Kaffee auf, lüftete die Matratze und klopfte sie mit bloßen Händen aus. Ich aß mit Mozols Familie aus ihrem dreibeinigen Topf. Ich kannte all ihre Geschichten und Geheimnisse. Ein solches Leben hatte ich noch nie geführt.

Ich tauschte meine unscheinbaren Kleider wieder gegen portugiesische und betrachtete meine farbenfrohe Erscheinung in den Fenstern der Verwaltungsbaracke. Mein Haar wuchs nach, und ich nähte Münzen an die Strähnen. Meine alte Sprache öffnete mir ein Fenster.

Du fragst dich vielleicht, warum ich nicht von dort weggegangen bin, warum ich nicht im Schutz der Dunkelheit aus dem Lager geschlichen bin, warum ich meine geheime Schande über Mozols Familie gebracht habe, warum ich ihnen nie gesagt habe, wer ich war und was ich hinter mir hatte. Der Zaun um das Lager war so niedrig, dass ein Kind hätte hinüberklettern können, aber wir hatten Angst vor dem, was dahinter lag. Die Furchtbarkeit des Lagers wog weniger schwer als die Furcht vor dem, was draußen war. Und auch dies muss ich dir erzählen: Ein paar Wochen, nachdem ich aus dem Lagerkrankenhaus entlassen worden war, gab es eine schlimme Insektenplage: widerwärtige kleine Dinger mit kleinen gelben Flügeln. Eines Morgens saßen viele von ihnen auf den Wänden der Baracke. Sie hatten sich verirrt und waren gestorben – noch im Tod klammerten sie sich mit ihren winzigen Füßen fest. Ich wollte sie wegwischen, doch eines der Tiere, nur eines, erwachte aus seiner Starre, und ich trug es auf dem Tuch zum offenen Fenster.

So erlaubte ich mir, noch einmal für eine Weile unter dem Schirm meines Volkes zu leben. Eine unsichtbare Hand hatte eingegriffen und den Zeiger meines Herzens ein kleines Stück zurückgestellt.

Im Lager holte ich ein ganzes Jahr lang tief Luft und hielt den Atem an. Ich unternahm keinen Fluchtversuch.

Mozol und ich pflückten Blumen, die wir auf dem Markt in der Nähe des Domplatzes verkauften. Das Geld vergruben wir in der Ecke hinter dem Ofen. Mozol hatte zwölf Jahre in Lagern verbracht, ihre Kinder waren in Lagern geboren, und sie wünschte sich nichts sehnlicher, als das alles hinter sich zu lassen, doch dazu brauchte sie ein Land, in das sie gehen konnte, und wer würde sie schon aufnehmen, da alle Welt uns doch für Untermenschen hielt? Eines Morgens jedoch kam sie angerannt und drückte mir einen Umschlag mit einer kanadischen Briefmarke in die Hand. Doktor Marcus hatte ihr gesagt, was in dem Brief stand. Ich zog ihn heraus, warf einen kurzen Blick darauf und sagte, dass ich mich sehr für sie freute. Mozol musterte mich kühl. Woher weißt du, was in dem Brief steht?, fragte sie. Mir sank das Herz. Woher weißt du, was in dem Brief steht, Schwester? Ich sah zu Boden und hätte ihr beinahe verraten, dass ich den Brief tatsächlich gelesen hatte, meine Tochter, dass ich lesen und schreiben konnte und die ganze Zeit Schande über sie gebracht hatte, aber ich beherrschte mich. Ich ging auf einem Drahtseil und sagte, ich sei imstande zu spüren, was in dem Brief stehe, das Kribbeln in meinen Zehen verrate es mir, es sei Intuition. Sie sah mich zweifelnd an, aber ich fasste sie an den Händen und wirbelte sie herum, und sie begann zu lachen. Sie würde nach Toronto fahren. Doch wenige Tage später traf ein zweiter Brief ein, in dem stand, dass sie und Panch einen Teil der Passage selbst würden bezahlen müssen. Die Schwester, die ihnen den Brief vorlas, hatte ein Leuchten in den Augen. Der Betrag war enorm – sie hätten dafür ein Stück Land kaufen können. Mozol konnte es nicht verstehen. Aber wir können doch bestimmt mit dem Zug fahren, sagte sie. Nach Kanada?, sagte die Schwester und lachte.

Mozol lag weinend auf dem aus Korbweide geflochtenen Bett. Sie zog sich – man stelle sich vor – immer mehr in Schweigen zurück. Sie sagte, Jesus habe um alle Menschen geweint, doch die Gadže hätten den Himmel mit einem Dach verdeckt und Vernichtung herabgeschrien, sodass seine Tränen uns nicht erfrischen könnten. Ich habe eigentlich nie an Gott oder den Himmel oder irgendwas von diesem lauten Geschrei geglaubt, aber ich glaubte es für sie – es war ja das, was sie wollte. Sie ließ den Rosenkranz durch die Finger gleiten, und ich erinnerte mich an unser altes Gebet: *Segne diese Trensen, diese Zügel, dies Geschirr, und lass diese Räder immer auf deinem festen Boden fahren.*

Ein paar Tage später saßen wir auf den Stufen der Baracke. Eine Ameise kroch vorbei, die eine andere, zusammengekrümmte Ameise trug. Ich legte meine Hand auf die kühle Erde. Die Ameise blieb stehen und suchte nach einem Weg um das Hindernis herum, kletterte dann aber, beladen mit ihrer toten Genossin, auf meinen Finger. Ich beugte mich vor und blies sie vorsichtig fort.

Wir verlieren den Kontakt zu unseren uralten Sitten. Ich vergaß so oft mein altes Leben – manchmal vergaß ich sogar, dass ich beschmutzt war. Vielleicht verbarg ich die Klinge auch nur unter einem Tuch. In gewisser Weise betrachtete ich mich als Mozols Schwester. Mein Entschluss war nicht von Angst überschattet. Manchmal beschließt man etwas, ohne zu wissen, warum. Das, was ich tun würde, gefiel mir nicht, meine Tochter, doch ich zwang mich, nicht daran zu denken. Ich durchtrennte den Nerv, der in mir zuckte, und ging zur Müllkippe am Stadtrand. Einige Abfallhaufen schwelten, Asche und Staub wirbelten durch die Luft. Ich entdeckte eine Schranktür, von der die gelbe Farbe blätterte. Ich riss sie aus den Angeln und prüfte ihr Gewicht. Dann schnitzte ich in beide Seiten einen Greif, umgeben von Ahornblättern. Lächerlich natürlich – aber das war mir egal.

Aus den Gummiteilen eines Vergasers, den ich aus einem Schrottwagen ausgebaut hatte, machte ich zwei große Ohrringe.

An einem frühen Morgen holte ich mir aus der Kleiderkammer ein spanisches Tuch. Ich band es mir um den Kopf und ging durch das Tor hinaus zum Fluss, der hinter dem Lager vorbeifloss. Ich sammelte einige Steine, je glatter, desto besser. Sie klickten in meiner Tasche, als ich mit meinen Sachen zur Stadtmitte ging. Windstöße schoben mich ermutigend voran. Ich überquerte einen Platz mit Kopfsteinpflaster. Wie seltsam das Licht war: als wäre alles davon erfüllt, und doch schien kein Gegenstand einen Schatten zu werfen. Ich rechnete damit, dass man mir Schwierigkeiten machen würde, doch nichts geschah. Eine Frau, die allein unterwegs war, stellte keine große Gefahr dar. Ich ging weiter, bis ich eine schmale Gasse fand, die unweit des Bahnhofs von der Odenburger Straße abzweigte. Es überraschte mich, dass es dort so still war, obwohl viele Fußgänger hindurchgingen. In einem Hauseingang fand ich zwei zerbrochene Betonblöcke. Ich legte die Tür darauf, breitete eine Decke auf dem Boden aus, setzte mich und neigte den Kopf. Ich sagte mir immer wieder, ich sei eine Verräterin – ich verriet alles, sogar mich selbst.

Es geschah nichts. Aus einem nahegelegenen Restaurant trieb Kohlgeruch vorbei. Ich hörte Stimmen: Die Kellner standen vor der Restauranttür, rauchten, deuteten mit den Fingern und beobachteten mich. Frauen in langen braunen Mänteln gingen vorbei, ohne den Kopf zu wenden, doch ich spürte ihre heimliche Erregung. Ich lauschte auf den Klang ihrer Schuhe auf dem Pflaster und hörte, dass sie sich – fast immer nach sechs Schritten – nach mir umsahen. Es dauerte stets nur einen Augenblick, dann gingen sie weiter. Ich hatte beschlossen, dass Schweigen ebenso gut war wie Sprechen. Ein junger Mann hockte sich vor mich hin und streckte die flache Hand aus. Ich legte die Steine hinein und sagte, er solle sie auf den Tisch werfen, ganz ruhig, er brauche keine Angst zu haben. Nimm meine Hand, sagte ich, aber sieh mir nicht in die Augen. Seine Hände waren glatt und ohne Schwielen, die Arme waren dünn und die Schultern schmal. Er hatte ein freundliches Gesicht, und auf seiner breiten Nase waren rote Druckstellen, wie man sie hat, wenn man eine Brille trägt, daher sagte ich, ich hätte das starke Gefühl, er habe etwas vergessen, vielleicht etwas, das mit Entfernung zu tun habe. Er schüttelte den Kopf. Nun, sagte ich, dann hat es vielleicht etwas mit Sicht zu tun. Um seinen Mund zuckte es. Ja, stammelte er, holte eine Brille aus der Tasche und setzte sie auf. Ich hatte ihn bereits in Bann geschlagen. Es war wirklich nichts Geheimnisvolles daran. Ich berührte jeden einzelnen Stein und intonierte ein paar zusammenphantasierte Worte.

Ich sah meine erbärmliche Gegenwart im Spiegel dessen, was ich einst gewesen war, und doch störte mich das nicht. Diese Täuschung fiel mir leicht, und ich begann mit der Frage: Herz oder Geld?

Es war eine bedeutungslose Frage, aber sie schien das rechte Gewicht zu haben.

Herz, erwiderte der Mann sogleich. Ich zeichnete mit dem Finger ein Kreuz auf seine Handfläche. Er warf die Steine ein zweites Mal. Hinter ihm lägen dunkle Tage, sagte ich. Ja. Er sei auf der Suche nach einem anderen Ort. Ja. Manches erfordere Flucht oder rasche Bewegung. Seine Augen leuchteten auf, er beugte sich vor. Eine Stadt, sagte ich, nicht weit von hier. Ja, ja, Graz, rief er. In Graz seien dunkle Dinge geschehen, sagte ich, und er habe jemandes Hand gehalten. Ja, erklärte er. Seine Augen weiteten sich. Er sagte, er habe einen Freund namens Tomas gehabt, der nach dem Krieg ums Leben gekommen sei: Er sei auf eine Straßenbahnweiche getreten, sein Fuß sei eingeklemmt worden, und die Straßenbahn sei unaufhaltsam auf ihn zugerast und habe ihn getötet. Ich schloss die

Augen und sagte, er solle die Steine ein drittes Mal werfen. Tomas' Tod habe großen Kummer heraufbeschworen, sagte ich und runzelte die Stirn. Es habe irgendetwas mit einer Art Eisenbahn zu tun. Ja, ja, sagte er, es war eine Straßenbahn! Tomas habe unter etwas gelitten, das während des Krieges geschehen sei, unter irgendetwas Schrecklichem, es habe etwas mit seiner Uniform zu tun gehabt. Ja, das stimmt, sagte der Mann, er wollte desertieren. Er wollte die Armee verlassen, sagte ich, aber er hatte Angst vor dem, was dann geschehen wäre, vor der Schande. Ja, sagte er, vor seinem Onkel Felix. Ich sah ihm in die Augen und sagte, es gebe noch andere, dunklere Geheimnisse. Dann legte ich die Stirn in Falten, nahm seine kalten Hände und sagte nach langem Schweigen: Onkel Felix. Aber wie kannst du das wissen?, rief er. Woher kennst du diesen Namen?

Ich wollte sagen, dass manche Dinge bedeutsamer sind als die Wahrheit, doch ich schwieg.

Heute, vier Jahrzehnte später, macht es vielleicht den Eindruck, als hätte ich keine Angst gehabt, aber ich kann dir sagen, mein Herz klopfte dreimal so schnell wie normal, denn ich rechnete damit, dass jeden Augenblick Polizisten um die Ecke biegen oder aus einem Hauseingang die Geister gestorbener Familienmitglieder erscheinen würden, um zu sehen, was mit mir geschehen war und wie ich alles verriet, was einst meine Welt gewesen war. Ich wusste kein Wort für das, was aus mir geworden war – es existierte weder in Schmerz noch in Freude.

Je weniger ich sagte, desto mehr sprach der junge Mann, und er merkte nicht mal, was er mir offenbarte. Sie erinnern sich nie, was sie zu dir gesagt haben, Čhonorroeja – sie warten lieber auf die Weisheiten, die du dir ausgeborgt hast. Er verriet mir seine Antworten, und ich gab sie ihm zurück, als wären es meine eigenen. Er merkte nichts. Ich hätte die Toten in Bärenfelle kleiden und ihnen das Tanzen beibringen können, und er hätte gedacht, sie seien gekommen, um ihn zu trösten. Seine Stimme wurde leise und tonlos. Ich sagte ihm, er solle ein Stück Brot in die Tasche stecken, um Unglück abzuwehren, und seinem Freund Tomas gehe es gut in der Totenwelt. Ich sprach von Güte, von Zielstrebigkeit und Visionen. Bewahre bestimmte Dinge nah an deinem Herzen, sagte ich zu ihm, und sie werden dir Macht verleihen. Er stand auf, griff tief in die Tasche und zog eine Handvoll Münzen hervor, die er auf den Tisch legte.

Du kannst dir nicht vorstellen, was das für mich bedeutet, sagte er.

Ich steckte das Geld ein und eilte wieder zur Müllkippe. Ich fand einen alten Stuhl, den ich in die Gasse stellte. Bis Mittag hatte ich vier Kunden. Sie alle waren an ihr persönliches Schicksal gefesselt, und einer zahlte mehr als der andere.

Ich muss zugeben, dass ich manchmal innerlich über ihre Dummheit kichern musste. Einmal kam ein Polizist, der mit dem Gummiknüppel gegen sein Bein schlug. Er knurrte mich an wie ein Hlinka-Gardist, aber ich warf die Steine für ihn und erzählte ihm einen Haufen Unsinn über das gute Leben, das vor ihm lag. Er versprach, mich in Ruhe zu lassen, solange ich mich nicht zu auffällig verhielt. Ich sagte ihm, er werde Glück haben, wenn er verschiedenfarbige Socken trüge, und als er am nächsten Tag an mir vorbeiging, warf er mir einen raschen Blick zu und zog erst das eine und dann das andere Hosenbein hoch – braun und blau –, bevor er seinen Weg fortsetzte.

Ein paar Wochen gingen ins Land – ich zählte sie nicht. Meine Fähigkeiten sprachen sich herum. Insbesondere junge Männer suchten mich auf. Ich erkannte, dass etwas in ihnen weich und verzweifelt war, aber wenn sie davon erzählten, konnten sie es für kurze Zeit vergessen. Ich versprach ihnen Heilung und glücklichere Zeiten. Ich mischte Wachs und Holzkohle, formte ein Kreuz daraus und umwickelte es mit Haar. Ich nähte zwei gelbe Knöpfe zusammen und band sie an einen Stock. Ich nannte sie meine kleinen Toten und stellte sie rings um mich her auf: Diese lachhaften Zaubergegenstände verliehen meinen Worten nur umso mehr Gewicht. Die Männer zahlten mir gutes Geld für diese Kindereien, und ich saß da, wenn diese Dummköpfe Flusskiesel auf eine Schranktür warfen, und sah Schatten, die sich nach anderen Schatten reckten. Ich hatte kein Mitleid mit diesen Leuten, sie griffen ja nicht mir in die Tasche.

Mozol weinte sich beinahe die Augen aus, als ich ihr das ganze Geld gab.

Mitten im Herbst 1961 fuhren Mozol und ihre Familie mit einem offenen Lastwagen davon. Auf der Ladefläche waren ihre paar Habseligkeiten und die Kinder; damit nichts herunterfiel, hatte Panch sich der Länge nach daraufgelegt. Er schlief bereits. Mozol lächelte, nahm meine Hände und sah mir in die Augen. Noch jahrelang dachte ich an diesen Blick – ich war kurz davor, ihr die Wahrheit zu sagen. Als wir ihre Sachen zusammenpackten, machte ich mehrmals einen Anlauf: Mozol, ich muss dir etwas sagen, doch sie antwortete jedes Mal: Später, ich hab jetzt zu viel zu tun. Ich bin ziemlich sicher, dass sie es wusste. Beim Abschied küsste sie mich auf die Stirn, nahm meine Hand und legte sie auf ihr Herz.

Bei uns gibt es mehr als ein Abschiedswort, Čhonorroeja. Ačh Devlesa. Dža Devlesa. Einer bleibt. Einer geht.
Bleibe mit Gott. Gehe mit Gott.

Ich sah die weißen Berge, wie sie sich zum Himmel erhoben, und ich schäme mich nicht, dir zu sagen, dass dieser Anblick furchterregend war.

Sie sind als Nächste dran, Marienka, sagte Doktor Marcus. Sie ging, die Hände auf den Rücken gelegt, zurück in
ihr Krankenhaus.

Wie verloren ich mich fühlte, meine Tochter, wie furchtbar einsam!

Menschen, die Wünsche und Sehnsüchte haben, kann
man an der Nase herumführen. Ich hatte keine. Meine
Freundin war fort. Am nächsten Morgen zog ich die Kleider an, die ich in den vergangenen Monaten jeden Tag
getragen hatte, nahm meinen behelfsmäßigen Tisch und
wollte in die Stadt gehen. Doch dann fiel mein Blick in
den Spiegel, und ich sage dir, meine Tochter: Ich wusste,
dass mir in meiner Schande alle Würde abhanden gekommen war, um die ich so hart gekämpft hatte. Ich will aus
dieser Angelegenheit keinen komplizierten Tanz machen:
Ich hatte für all das, was ich getan hatte, einen Grund gehabt, und dieser Grund war nun nicht mehr da. Ich betrachtete mich im Spiegel und sah links nichts und rechts
wenig, was mich stützte. Die schlimmste Bürde im Leben
ist das, was andere über uns wissen. Vielleicht gibt es noch
eine, die schlimmer ist: Es ist das, was sie, wenn sie nichts
über uns wissen, im Stillen über uns denken – was sie aus
uns machen, wenn sie uns ihren Erwartungen anpassen.
Und noch schlimmer ist es, wenn wir dann ihren Erwartungen tatsächlich entsprechen, und das, Čhonorroeja,
hatte ich nun getan …

Ich ging an der Kirche vorbei zur Franz-Liszt-Straße. Durch die hohen Fenster drang kein Laut. Ich baute meinen Tisch auf, die Leute kamen zu mir, und ich sah lauter böse Omen, die sie hinnahmen und wie Masken trugen. Am nächsten Tag passierte ich die rot-weiße Schranke wie immer, doch anstatt den Weg an der Müllkippe vorbei einzuschlagen, ging ich in Richtung der weißen Berge.

Vergangene Nacht bin ich aufgewacht und dachte, Enrico sei bei mir. Ich stand auf und zündete die Lampe an, fand aber nur diese Seiten. Durch das Fenster sah ich bis hinunter ins Tal. Wie kommt es nur, dass die Kälte allen Dingen schärfere Konturen verleiht? Enrico sagte immer, dass die leersten Tage auch die schönsten sind.

Erinnerst du dich noch, wie dein Vater von der Tour über die Berge im Norden zurückkehrte, bei der er gestürzt war und sich verletzt hatte? Er schmuggelte damals Tiermedizin, die er in seinen riesigen Rucksack packte und sogar in Jackentaschen und Strümpfe stopfte, bevor er sich auf den Weg nach Maria Luggau machte. Plötzlich kam ein Schneesturm auf, ein Vorhang aus Schnee, der sich öffnete und schloss. Enrico arbeitete sich auf einem schmalen Pfad voran, den nicht einmal Ziegen benutzten. Er trat ins Leere, sein Sturz wurde erst von einem großen Felsen gebremst, dann landete er in einer tiefen Schneewehe, und sein Bein war aufgerissen. Er dachte an die Medizin, wusste aber nicht, welche gegen Schmerzen helfen würde. Mit dem Klappspaten, der auf den Rucksack geschnallt war, grub er sich aus dem Schnee. Sein Stiefel war voller Blut. Mühsam stieg er zu Tal. Als er unser Haus erreicht hatte, warf er den Rucksack ab und sagte: Setz den Kessel auf, Zoli, mir ist kalt.

Er zog die Stiefel aus, stellte sie vor den Ofen und sagte, es sei ein sehr schlechter Abend für einen Gang über die Berge. Er war drei ganze Tage fort gewesen.

Ich sehe ihn vor mir: die schmale Nase, der breite Mund, die tiefen Falten, die gegen das Gleißen des Schnees zusammengekniffenen Augen.

Als die neuen Handelsgesetze verabschiedet wurden, lohnte es sich nicht mehr, Medikamente, Zigaretten, Kaffee und Saatgut über die Berge zu tragen, und Enrico weigerte sich, Dynamit zu schmuggeln, damit die Südtiroler Strommasten in die Luft jagen konnten. Er gab sein Schmugglerleben so unvermittelt auf, wie er es begonnen hatte, und ging nur noch selten, an Feiertagen, über die Berge. Stattdessen arbeitete er in der Mühle, und als die, wie alles andere, pleite ging, kaufte er sie, zog mit uns dort ein, ließ das Mühlrad klappern und arbeitete als Tagelöhner im Tal. Zwei-, dreimal am Tag trat er vor die Tür und beobachtete das Wetter. Er hätte den Weg über die Berge auch mit verbundenen Augen gefunden.

Ich habe deinen Vater geliebt, schlicht und einfach. Du und er, ihr seid die Einzigen, die ich nie verraten habe.

Der erste Lastwagen, der anhielt, gehörte einem Obstbauern. Er trug einen schwarzen Anzug, seine Wangen waren gerötet und frisch rasiert, seine Augen blutunterlaufen. Er wusste, dass ich vor etwas davonlief, sagte aber zunächst gar nichts. Ich saß steif auf dem Beifahrersitz, als die Gänge schnarrten und der Motor aufbrüllte. Der Bauer fragte mich, wohin ich wolle, und als ich keine Antwort gab, zuckte er die Schultern und sagte, er sei unterwegs zu einem Markt ein paar Dörfer weiter, und solange ich keinen Ärger machte, könne ich mitfahren. Wieder tat ich, als wäre ich stumm. Der Bauer seufzte, als wäre das der älteste Trick der Welt – was er ja auch war. Es war etwas, das mir ebenso wenig gelang wie ein Blick über die Schulter.

Angst?, fragte er.

Hecken, Bäume, Windmühlen flogen vorbei, und mir wurde bewusst, wie seltsam es war, so weit gelaufen zu sein. Bei höherer Geschwindigkeit war alles so anders. Nach dem Urteil war ich wie benommen losmarschiert, doch daran konnte ich mich noch immer nicht erinnern – ich blendete es vollkommen aus, ich konnte mich dem nicht stellen. Ich wusste nicht mehr, wie ich über die Grenze der Tschechoslowakei mit Ungarn und dann über die österreichische gegangen war. Und ich dachte auch nicht darüber nach, wohin ich unterwegs war. Paris erschien mir als Ziel so gut oder so lachhaft wie jedes andere.

Nach einer Weile begann es zu regnen. Der Scheibenwischermotor war kaputt, aber der Bauer hatte an den Wischern eine Schnur befestigt, an der man ziehen musste, damit sie sich hin und her bewegten. Er zeigte es mir mit übertriebenen Gesten, und ich war froh über diese kleine Aufgabe. Er lobte mich, doch ich bemerkte, dass er das Fenster geöffnet hatte und eine Zigarette nach der anderen rauchte. Er findet also, dass ich stinke, dachte ich. Am liebsten hätte ich laut gelacht. Ich kurbelte mein Fenster ebenfalls hinunter und spürte den kühlen Fahrtwind. Im Schatten der Berge fuhren wir durch offenes Land in Richtung Westen. Die Straße war lang und schnurgerade, die Bäume nahmen Habachtstellung ein, und die Berge ragten weiß und riesig in der Ferne auf. Es erschien mir eigenartig, dass sie umso weiter zurückwichen, je mehr wir uns ihnen näherten. Der Bauer lenkte mit einer Hand und warf mir hin und wieder einen Blick zu.

Hast du gehört, dass die Russen wieder mal einen Satelliten hinaufgeschossen haben?, sagte er.

Ich hatte keine Ahnung, was er meinte und warum er das sagte.

Nachts kann man die Dinger sehen – sie ziehen über den Himmel wie Sterne, sagte er.

Ich machte ein paar komplizierte Handbewegungen, die damit endeten, dass ich die Finger der einen Hand in die Fläche der anderen drückte, als wollte ich den Zahn zermahlen, der einst, vor langer Zeit, dort gelegen hatte. Der Bauer schüttelte den Kopf und seufzte. Er lenkte mit dem Knie und zündete sich noch eine Zigarette an. Blassblauer Rauch quoll aus seiner Nase. Er beugte sich zu mir und hielt mir die Zigarette hin. Ich schüttelte den Kopf, doch eine Stimme in meinem Kopf sagte: Nimm sie, Zoli – Herrgott, nimm sie doch. Er zuckte die Schultern und hielt die Zigarette ans offene Fenster, und ich sah, wie die Glut aufleuchtete und Tabak und Papier verzehrte. Funken flogen von seinen Fingern. Der Tabakgeruch machte mich schwindlig. Das war eine der ersten Lektionen, die ich im Westen lernte: Sie fragen einen nie zweimal, darum sollte man immer ja sagen. Man muss ja sagen, bevor sie auch nur auf den Gedanken kommen, man könnte nein sagen. Man muss ja sagen, bevor sie einen überhaupt fragen.

Unter uns raste die Straße dahin. Zum ersten Mal hatte ich das Gefühl, in einem anderen Land zu sein. Neben der Straße sammelte eine Familie Brombeeren, und ich drehte mich um und betrachtete sie, bis sie in der Ferne verschwand. Hohe Silos wurden von Kirchtürmen abgelöst, und am Rand einer größeren Stadt hielt der Bauer an. So, da wären wir, sagte er. Er stieg aus, schlug die

Plane über der Ladefläche hoch und gab mir ein paar Äpfel. Ich habe schon immer eine große Schwäche für das fahrende Volk gehabt, sagte er. Ich nickte. Pass nur auf die Kieberer auf, sagte er, dann kann dir gar nichts passieren.

Ich weiß nicht, warum, aber ich vergaß, dass ich stumm war, und fragte ihn: Was ist ein Kieberer?

Er zuckte nicht mit der Wimper. Ein Gendarm, sagte er.

Danke.

Er lachte lange und laut und sagte: Dachte ich mir's doch.

Ich verkrampfte mich und riss am Türgriff, aber er warf den Kopf in den Nacken und fuhr fort zu lachen.

Als ich am Straßenrand entlangging, fuhr er neben mir her. Der Verkehr rauschte vorbei, Hupen ertönten. Auf der einen Seite der Straße war eine Viehweide, auf der anderen eine Ziegelei. Ich beschleunigte meine Schritte, und der Bauer fuhr ebenfalls schneller. Er drehte Zigaretten und lenkte mit dem Knie, dann hielt er an, leckte die Gummierung des Zigarettenpapiers an, beugte sich aus dem Fenster und reichte mir zwei Selbstgedrehte. Ich nahm sie, ohne nachzudenken.

Ich mag Geschichten, in denen einem die Flucht gelingt, sagte er.

Er legte den ersten Gang ein und fuhr in einer Abgaswolke davon. Ich sah ihm nach und dachte: Da bin ich nun, in Österreich. Ich habe zwei selbstgedrehte Zigaretten, und aus einem verbeulten Lastwagen winkt mir ein Mann zum Abschied. Wenn ich viermal hätte raten dürfen, wo ich nach all den Jahren sein würde, hätte ich viermal falsch geraten.

In jener Nacht fand ich einen schönen, dichtbewachsenen Garten, in dem ich schlafen konnte. Ein starker Wind kam auf und machte sich durch klappernde Fensterläden bemerkbar. Es begann zu regnen, und ich drückte mich an eine Wand. Als ich morgens erwachte, stellte ich fest, dass ich die Nacht an einem Kriegerdenkmal verbracht hatte. Stanislaus sagte immer, Kriege würden hauptsächlich geführt, um Bildhauer und Steinmetzen in Lohn und Brot zu halten, und ich fand, dass das stimmte, denn in jedem kleinen Dorf in Europa gibt es einen aus Stein gehauenen Christus oder Soldaten. Aber welcher Soldat will schon zum Denkmal werden? Welcher Soldat denkt mitten im Kampf daran, dass er eines Tages unter den Händen eines Bildhauers auferstehen wird?

Ich verfluchte meine alten Gedichte, machte mich auf den Weg zur Stadtmitte – ich wusste nicht einmal, in welcher Stadt ich mich befand – und sagte einigen Menschen die Zukunft voraus, bis ich genug Geld für einen Zugfahrschein hatte. Am Bahnhof stand ein blitzender Zug. Fragen jagten mir durch den Kopf: Wohin sollte ich fahren? Wie sollte ich ohne Pass über eine Grenze kommen? Wo würde ich bleiben dürfen? Ich versuchte, diese Gedanken beiseite zu schieben. Ich würde in Richtung Westen fahren – das war alles, was ich wusste. Als ich in der Schlange vor dem Schalter stand, erschienen zwei Gendarmen. Einer von ihnen legte das kalte Ende seines Gummiknüppels unter mein Kinn und musterte mich. Er wandte sich um und flüsterte mit seinem Kollegen. Ich hatte das Gefühl, dass sie mich zu einem Denkmal ganz eigener Art machen wollten. Als die beiden sich wieder umdrehten, war die Zigeunerin verschwunden.

In Österreich geht man nicht über die Berge, man folgt

den Flusstälern. Es ist, als wäre man in dem Einschnitt zwischen zwei Brüsten. Es sind nicht immer freundliche, wohlmeinende Brüste, aber man findet seinen Weg.

Mein Fluss war die Mürz, ein reißender, klarer Fluss. Viele Tage ging ich an seinem Ufer entlang. Ich fand kleine Scheuern, in denen ich schlafen konnte, manchmal auf Stroh. Ich sah den Falken zu, die kreisten und dann in das hohe Gras herabstießen. Aus Stöcken und einem alten Sack machte ich ein Schutzdach, das Sonne und Regen abhielt. Wenn ich gezwungen war, den Weg am Flussufer zu verlassen und an der Straße entlangzugehen, gab es immer ein paar freundliche Autofahrer, die mich bis zum nächsten Dorf mitnahmen. Die Sonne verriet mir, dass ich mich nach Westen bewegte. Über mir zogen Wildgänse nach Süden – ich fühlte mich wie eine Nachzüglerin, die den Anschluss verloren hatte. Hin und wieder wurde die Straße breit und ehrgeizig und hatte mehr Fahrspuren, als ich je gesehen hatte, doch wo immer es möglich war, benutzte ich den Uferpfad oder schmale Nebenstraßen. In Kirchen wurden Choräle gesungen, aus Wirtshäusern drangen Gelächter und der Duft nach gutem Essen. In den kleinen Dörfern wurde ich von manchen verspottet – Zigeunerin, Diebin, Bettlerin –, doch ebenso viele lüpften den Hut oder schickten ihre Kinder mit Brot, Käse oder Kuchen. Ein Halbwüchsiger bot mir an, mich auf seinem Motorroller ein Stück mitzunehmen, damit ich nicht durch einen Eisenbahntunnel laufen musste, tat es dann aber doch nicht, sondern fuhr mit mir vor seinen johlenden Freunden auf und ab. Ich sagte, ich würde ihn verfluchen, und sogleich hielt er an. Sie haben manchmal eine solche Angst vor Gefahren, die nur in ihren Köpfen existieren.

Eines Abends kam ich an einem brennenden Haus vorbei. Die Bewohner standen draußen und sahen den Flammen zu. Ich ging hin und gab ihnen von meinem Essen: etwas Brot und Hähnchenfleisch. Sie warfen es nicht auf den Boden, wie ich erwartet hatte, sondern hockten sich hin, beteten und dankten mir, und ich dachte, dass das Gute auf dieser Welt ebenso viele Gesichter hat wie das Schlechte.

Ich verfügte inzwischen über die Sicherheit einer Blinden, ich hätte mit geschlossenen Augen gehen können. Die Straße nach Kapfenberg, Bruck und Leoben war viel befahren. Die Berge ragten immer höher auf, höher sogar als die Zitternden Berge. Ich kam an eine Kreuzung – ein Weg führte nach Süden, ein anderer nach Norden, und ich entschied mich, wie schon so oft, für den falschen. An einem anderen Fluss entlang ging ich nach Norden. Die Berge rückten näher, Bäume klammerten sich an den steilen Felswänden fest. Autos zischten vorbei, und dann sah ich Verkehrszeichen, die einen Tunnel ankündigten. Nichts machte mir so viel Angst wie ein Tunnel – schon als Kind hatte ich mich geweigert, in diese Art von Schwärze einzutreten. Ich kehrte um und versuchte, einen anderen Weg zu finden. An einer Tankstelle fragte ich einen alten Mann, der mir sagte, es gebe zwar andere Straßen, die über die Berge führten, doch dort oben würde ich mit Sicherheit erfrieren. Es sei am besten, mich von einem Lastwagenfahrer mitnehmen zu lassen.

Die Lastwagen standen in einer Schlange vor der Tankstelle, und die Fahrer unterhielten sich durch die geöffneten Fenster in vielen rau klingenden Sprachen und Dialekten. Ich war mir nicht sicher, ob sie zu einer Roma-Frau, die allein unterwegs war, freundlich sein würden, aber meine Angst vor Tunneln war so groß, dass ich alles getan hätte, um keinen zu Fuß durchqueren zu müssen. Zwei Tage lang ging ich immer wieder zu der Tankstelle, und schließlich kaufte ich mir, zu meiner Schande, eine Flasche, um mich zu betäuben. Auf dem Etikett waren grüne Ranken, und der Inhalt schmeckte wie Hustensaft, gab mir aber den Mut, zu den Fahrern zu gehen und sie zu bitten, mich mitzunehmen. Ich kletterte in das Fahrerhaus, zog die Knie an die Brust und starrte geradeaus. Auf dem Weg durch die Berge gab es viele Tunnel. Oft wurden sie gerade erst gebaut, und der Verkehr staute sich stundenlang, aber die Fahrer waren ausnahmslos freundlich zu mir. Sie schenkten mir Zigaretten, und manchmal teilten sie ihr letztes Essen mit mir. Sie zeigten mir Fotos ihrer Kinder, und einer gab mir sogar eine kleine Figur, die ihm sehr am Herzen lag und Judas Thaddäus darstellte. Ich muss gestehen, dass ich sie später verkaufte, weil ich hungrig war. Am Ende eines jeden Tunnels stieg ich aus, um wieder einen klaren Kopf zu bekommen, und verabschiedete mich von den Männern, die mir oft sagten, ich könne noch weiter mitfahren. Doch mein Geist steckte in den Füßen, Čhonorroeja – auf ihnen fühlte ich mich sicher. Ich wollte laufen, und ich fragte mich: Bin ich dazu verdammt?

Ich verhielt mich unauffällig, blieb in den Tälern und schlief in Scheuern im Talgrund. Einmal balancierte ich auf einem Baumstamm über einen Bach und schlief in einem lichten Wald. Wenn ich mich wieder einem Tunnel näherte, kaufte ich eine Flasche und ging irgendwohin, wo Lastwagen hielten.

Es war, als gäbe es zwei verschiedene Welten: eine Welt der Bäume und eine Welt der Motoren. Die eine war hell, die andere dunkel.

Manchmal kam ich an ein Dorf, an dessen Rand ein paar Roma lagerten. Ich wollte nicht mit ihnen sprechen, denn ich fürchtete, sie zu beschmutzen, darum verscheuchte ich die Kinder, die sich neugierig näherten, mit Flüchen. Einmal aber kam ich an ein Lager bei einer kleinen Stadt, wo zwischen dünnen Bäumen einige Jungen spielten. Ich wollte nicht von den Erwachsenen gesehen werden, aber eine Frau näherte sich mir, in der Hand einen Eimer Wasser, und grüßte mich erst auf Deutsch und dann auf Romani. Ihr Dialekt klang hart und war schwer zu verstehen. Sie war so entzückt, dass sie den Eimer fallen ließ, mich dreimal segnete und zum Lager zog. Sie hielt meinen Arm so fest gepackt, dass ich mich nicht losreißen konnte. Die Kinder tanzten um mich herum und zupften an meinen Kleidern. Sie verwickelten mich in ein Spiel, und schließlich streute ich Sand auf ein Stück Blech und strich mit einer Säge über den Rand, sodass die Sandkörner sprangen und Muster bildeten. Sie kicherten, konnten sich vor Vergnügen kaum halten. Die Frauen buken Kartoffelpfannkuchen für mich und schenkten meinen Becher voll Fruchtsaft, und ich sage dir, Čhonorroeja: Ihre Großzügigkeit war unerhört.

Man rief fünf Mädchen herbei, damit sie tanzten. Sie trugen identische grüne Kleider mit geflochtenen weißen Schärpen. Ich lauschte der Musik, ich war glücklich, aber du kannst dir vorstellen, welche Angst mich überfiel, als ich hörte, dass seit ein paar Jahren drei tschechoslowakische Roma aus der Gegend von Trnava bei ihnen lebten. Sie arbeiteten in einer Autofabrik und würden am Abend zurückkommen. Ich wollte gehen, konnte aber nicht – ihre Freundlichkeit war stärker als ich. Sie schenkten mir sogar alte Kleider und wuschen die Sachen, die ich am

Leib trug. Ich fürchtete mich vor dem Abend, und tatsächlich – als die Männer kamen, war das erste Wort, das sie sagten: Zoli.

So lange hatte mich niemand mehr so genannt. Der Klang meines Namens traf mich wie ein Keulenschlag.

Und doch wichen sie nicht vor mir zurück. Keiner bespuckte oder verfluchte mich. Nein, sie hoben meinen Namen in den Himmel. Sie waren sesshafte Roma, die in der Nähe der Schokoladenfabrik gelebt hatten, aber kurz nach dem Krieg hierhergekommen waren, und sie hatten mich ein paarmal singen hören, ahnten aber nichts von meinen Gedichten. Bald war deutlich, dass sie von dem Urteil ebenso wenig wussten wie von den Dingen, die unserem Volk in den letzten Jahren widerfahren waren: den Umsiedlungen, den Gesetzen, den Scheiterhaufen. Man hatte sie an der Grenze immer wieder zurückgeschickt, doch sie kannten Wege über die Donau und würden, wie sie sagten, eines Tages in die Slowakei zurückkehren. Es gab kein anderes Land, wo sie sein wollten. Man liebt immer das, was man zurückgelassen hat. Ich dachte, es würde ihnen das Herz brechen, wenn ich ihnen erzählte, was man unserem Volk angetan hatte, aber ich wusste auch, dass früher oder später Fragen kommen würden, harte, bohrende Fragen, die ich würde beantworten müssen.

Der menschliche Geist vermag alles, was er will. Die ganze Zeit hatte ich alle Lieder ausgeblendet. Es war ein Leugnen aus tiefsten Tiefen. Die Entscheidung, etwas zu vergessen, kann das Überleben sichern, aber in diesem Augenblick wusste ich, dass ich für mein Überleben wieder singen musste. Man versammelte sich um mich, eine Laterne wurde angezündet, Flaschen gingen herum. Ich würde nie wieder eines der Lieder singen, die ich aufgeschrieben hatte – das hatte ich mir geschworen –, aber ich konnte die alten Lieder singen, die ich schon als Kind gelernt hatte. Ich holte tief Luft. Die ersten Töne waren schrecklich, und ich sah meine Zuhörer zusammenzucken. Dann entspannte ich mich und spürte, wie die Musik durch mich hindurchfloss. *Wenn ich braunes Brot schneide, sieh mich nicht zornig an, sieh mich nicht zornig an, denn ich werde es nicht essen. – Das alte Pferd steht, aber es schläft nicht, es hat immer ein wachsames Auge, ein wachsames Auge, ein wachsames Auge. – Wenn du Geld hast, kannst du denken, was du willst.* Du wirst nicht an meinen Worten zweifeln, wenn ich sage, dass den Leuten an diesem Abend Tränen in den Augen standen und sie mich an ihr Herz drückten, als wäre ich ihre Schwester. Ich dachte: Ich beschmutze sie, und sie wissen es nicht, ich bringe Schande über sie, und sie ahnen es nicht.

Es war wie ein Messer in meinem Herzen, aber was sollte ich tun? Wie viele Menschen würde ich noch verraten? Nicht Spiegel, sondern Regeln stehlen uns die Seele.

Sie tanzten in jener Nacht. Der Schein des Lagerfeuers ließ die roten Fäden in ihren schwarzen Kleidern leuchten. Als ich mich am Morgen davonstahl, erlaubte ich mir, im Gehen ein paar der alten Lieder zu singen. Sie überraschten mich mit ihrer Schönheit und trugen mich dahin. Ein-, zweimal kamen mir eigene Lieder in den Kopf, Lieder, die ich aufgeschrieben hatte, doch ich schob sie weg, ich wollte sie nicht.

Die Straße bog nach Westen ab. Eine Familie hielt an, und der Mann zeigte mit dem Daumen über seine Schulter und sagte, ich solle mich nach hinten zu den Kindern setzen. Die Kinder kurbelten ein Fenster hinunter. Ich spürte den warmen Wind auf meinem Gesicht. Auf der

Heckscheibe waren die Nasenabdrücke eines Hundes. Ich stellte keine Fragen, aber die Kinder hatten verweinte Gesichter, und ich nahm an, dass sie ihren Hund verloren hatten. Ich dachte an die Rote, und um sie zu trösten, summte ich das Lied vom alten Pferd. Der Mann drehte sich kurz um und lächelte, während die Frau starr geradeaus sah. Ich summte das Lied noch einmal, und als er sagte, das Lied gefalle ihm, überraschte ich mich selbst und sang es. Meine Stimme trieb hinaus in den Wind und über die hundert Straßen, auf denen ich unterwegs gewesen war.

Als der Mann mich vor einer Wirtschaft absetzte, weinten die Kinder, und ihre Mutter gab mir Geld. Der Vater zog seinen Hut und sagte, er habe schon immer viel für das Leben unter freiem Himmel übriggehabt. Er hatte ein gegerbtes Gesicht und lächelte.

Sie singen schön, sagte er.

Diese Worte hatte ich lange nicht gehört, und als ich die Stadt auf der Landstraße verließ, sagte ich sie vor mich hin. Später machte ich Rast, zündete ein Feuer an und sah den Wasserläufern auf dem Fluss zu. Sie flitzten über die Oberfläche, eine frappierende, uralte Fertigkeit. Sie hinterließen keine Spuren, sie machten keine Wellen – es war, als wären sie ein Teil des Wassers.

Viele Tage später und einige Dörfer weiter traf ich meinen letzten Lastwagenfahrer.

An der Einmündung einer schmalen Straße, in der ein paar Jungen spielten, fuhr er rechts heran und sagte, jetzt sei ein kleiner Kuss angebracht. Ich sagte, ich würde ihm die Zukunft voraussagen, doch er antwortete, die kenne er schon – sie liege klar und deutlich vor ihm und halte einen kleinen Kuss für ihn bereit. Sein Gesicht war schmutzig und glänzte vor Schweiß. Als ich die rechte Hand auf den Türgriff legte, packte er meine linke und sagte abermals, jetzt sei ein kleiner Dank angebracht. Ich riss am Griff, doch seine Hände schlossen sich um meinen Hals, und die Daumen drückten zu. Ich betete um Kraft, holte aus und schlug ihm mit der Faust aufs Auge, aber er lachte nur. Dann biss er die Zähne zusammen und versetzte mir einen Kopfstoß. Es wurde schwarz um mich. Ich sah mich als Conkas Mutter, ich sah, was mit ihren Fingernägeln geschah. Er riss mein Kleid auf, dass die Knöpfe flogen, griff in den Ausschnitt meines zweiten Kleides und riss es ebenfalls auf. Es ist eine kurze Geschichte. Ich beobachtete seine Hände. Für einen Augenblick wurde sein Gesicht weich und sanft. Er sagte: Komm schon, Frau, nur ein kleiner Kuss. Er streichelte meine Schulter und meine Wange, und ich wusste, dass das, was ich gestohlen hatte, meine Rettung sein würde.

Die Klinge fuhr beinahe so leicht in sein Auge wie in ein Stück Butter.

Ich sprang mit meinem Bündel aus dem Führerhaus. Er fuchtelte mit den Armen und schrie: Die verdammte Hure hat mir das Auge ausgestochen, sie hat mir das Auge ausgestochen. Tatsächlich hielt ich das Messer in der Hand, und sein Auge war ein blutiges Loch. Ein paar Jungen liefen herbei, sie schrien aufgeregt und zeigten auf mich. Ich rannte in die Seitenstraße und suchte eine Abzweigung. An einem Holzschuppen zog ich eines der morschen Bretter beiseite und kroch durch die Öffnung. Einige Späne fielen zu Boden, und ich wusste, dass ich eine Spur hinterlassen hatte, aber mir blieb keine Zeit, sie zu verwischen. Von der Straße erklang lautes Trappeln. Im Schuppen lagen zerbrochene Schindeln und alte Gerätschaften herum; in der Mitte stand ein blaues Auto. Ich versuchte, die Türen zu öffnen, doch sie waren verschlossen. Ich hockte mich hinter den Wagen und zog am silbernen Griff des Kofferraums. Die Klappe ging auf. Ich warf mein Bündel hinein, sah mich ängstlich um und kroch in den Kofferraum. Dann zog ich die Klappe von innen zu, achtete aber darauf, dass das Schloss nicht einschnappte. Das schadhafte Brett wurde krachend abgerissen. Die Jungen riefen und durchsuchten den Schuppen. Ich spürte, wie sie an den Türgriffen des Wagens zerrten, und war sicher, dass sie mich im nächsten Augenblick entdecken würden.

Wenn ich heute daran denke, ist mir klar, dass ihre pure Dummheit meine Rettung war. Als sie hinausrannten – einer schrie, er habe mich über die Felder davonlaufen sehen –, sank ich in mich zusammen und weinte, Chonorroeja. Würde mein Leben immer so sein? Ich schob ein Stück meiner Decke über das Kofferraumschloss, damit ich mich nicht selbst einsperrte, und rollte mich im Dunkeln zusammen.

Am Morgen erwachte ich davon, dass der Deckel des Kofferraums auf und ab wippte.

Wider Erwarten brachte mich das Messer mit dem Onyxgriff nicht ins Gefängnis. Der Mann, der mich im Kofferraum seines Wagens entdeckte, trug ein weißes Hemd mit Kragen und eine Krawattennadel. Er starrte mich an und schlug den Kofferraumdeckel zu. Der Wagen setzte sich wieder in Bewegung. Ich hörte den Mann murmeln und dazu ein Klicken wie von den Perlen eines Rosenkranzes. Ich war sicher, dass er zum Gerichtsgebäude, zur Polizei oder zu irgendeinem Lager fahren würde, aber als der Kofferraum etwa eine Stunde später abermals geöffnet wurde, sah ein junger Mann mit schwarzem Anzug und weißem Stehkragen auf mich herab. Ich blinzelte ins Licht und raffte die Vorderseite meiner Kleider zusammen.

Zu Diensten, sagte der mit der Krawattennadel.

Ich war starr vor Angst, doch der junge Priester führte mich über einen gekiesten Weg zu einem Haus. Ich hatte viele Geschichten über Priester gehört und wusste, dass sie leicht zu Bürokraten wurden, aber etwas an Pater Renk hielt mich davon ab, wegzulaufen. In seinem Haus bot er mir einen Platz am Küchentisch an. Er war jung, doch seine Schläfen waren bereits grau wie bei einem Dachs. Er habe viele Zigeuner kennengelernt, sagte er, manche seien gut gewesen, manche schlecht, aber er urteile nicht über sie. Dann wollte er wissen, wie in aller Welt ich im Kofferraum eines Wagens gelandet sei. Ich begann, eine Geschichte zu erfinden, aber er unterbrach mich scharf und unvermittelt: die Wahrheit. Da erzählte ich ihm meine Geschichte, und er sagte, vermutlich fahnde die Polizei inzwischen nach mir, doch ich solle mir keine Sorgen machen, denn wir seien ein gutes Stück vom Ort des Geschehens entfernt. Er habe viel mit Flüchtlingen im nahe gelegenen Lager Peggetz zu tun. Ich habe ein Bett für dich, wenn du willst, sagte er, und führte mich die Treppe hinauf zu einem kleinen Zimmer im Dachgeschoss, wo ich schlafen konnte. Als Gegenleistung sollte ich den Fußboden der Kirche wischen, die Sakristei in Ordnung halten und seinen Haushalt besorgen. Es waren einfache Arbeiten, die mir aber außerordentlich schwerfielen. Ich blieb schließlich drei Monate, und noch heute denke ich oft an diese Zeit zurück, an diese ungewöhnlichen Tage voller Putzlappen, Teller und Möbelpolitur. Obwohl ich mich in der Welt so gut auskannte, war ich von der simplen Mechanik eines Staubsaugers völlig überfordert. Ich hatte noch nie Bleiche benutzt und machte Löcher in Pater Renks Hemden. Ich ließ ein Bügeleisen auf einem Küchentuch stehen und versengte das Bügelbrett, aber das schien ihn nur zu amüsieren. Er saß in der Küche, sah mir zu und lachte leise. Einmal übernahm er den Staubsauger und saugte singend den Flur. Es gab lange, kalte Morgen, an denen ich seinen Predigten über Friedfertigkeit lauschte. Er stand vor dem Altar und sagte der Gemeinde, die Menschen müssten in Frieden miteinander leben, das sei ein ganz einfaches Gebot, das für alle gelte, ganz gleich, ob schwarz oder weiß, Österreicher, Italiener oder Zigeuner. Was weiß er schon, dachte ich, sagte jedoch nichts, sondern putzte und verhielt mich unauffällig.

Eines Tages fand er mich am Altar, wo ich nicht kniete, sondern eine Landkarte studierte. Er setzte sich in die erste Reihe und fragte mich, was ich suchte. Einen Weg über die Berge, antwortete ich. Er sagte, das sei ein guter Plan, aber nur Gott wisse, wohin dieser Weg mich führen werde. Ich sagte, Gott und ich seien wohl kaum gute Freunde, aber der Teufel scheine mich hin und wieder zu mögen, worauf Pater Renk zum Fenster sah und lächelte.

In den nächsten Tagen führte er einige Telefongespräche, und eines Morgens sagte er: Pack deine Sachen, Marienka, und komm mit. Was für Sachen?, fragte ich ihn. Er grinste und drückte mir Geld in die Hand, und dann fuhren wir durch eine wunderschöne Landschaft in Richtung Süden. In den Dörfern winkten die Menschen ihm zu. Auf einer Brücke stand: *Tirol ist unteilbar.* Dann ging es auf einer gewundenen Straße hinauf in die Berge, durch Haarnadelkurven, die nicht enden wollten – ich hatte ein Ge fühl, als würde ich, wenn ich mich umdrehte, mir selbst begegnen. Jeder Meter hielt neue, atemberaubende Anblicke bereit: die schroffen, grauen Berge, Schafherden, die die ganze Straße einnahmen, den plötzlichen Schatten eines Adlers, der dunkel auf das Gras der Böschung fiel.

Wir hielten in Maria Luggau, wo Pater Renk die zwölf Stationen des Kreuzwegs ging, mir einen Reisesegen erteilte und mich in der Dorfwirtschaft in Gesellschaft eines seltsamen, hart wirkenden Mannes zurückließ, der mich über den Rand seines Glases hinweg kurz musterte.

Über die Berge?, sagte er auf Deutsch, und ich hörte, dass es nicht seine Muttersprache war.

Ich nickte.

In diesem Teil der Welt, sagte er, gibt es nur zwei Dinge: Gott und Geld. Du hast Glück, dass du das Erste getroffen hast.

Er hatte noch nie einen Menschen über die Berge gebracht und schien der Sache nicht viel abgewinnen zu können. Er sagte, er werde mich nur mitnehmen, wenn ich einen Sack tragen würde. Ich hatte keine Ahnung vom Schmuggeln, ich wusste nichts von Schmuggelware und Steuern, aber ich sagte, ich würde mein eigenes Gewicht und mehr tragen, um nach Paris zu kommen. Er lachte leise und sagte: Paris? Natürlich, sagte ich. Paris?, wiederholte er. Er konnte gar nicht mehr aufhören zu lachen, und ich fand ihn geradezu widerwärtig mit seiner Lederweste, den strähnigen Haaren und den vielen Falten im Gesicht. Das ist die falsche Richtung, sagte er, es sei denn, du willst noch ein, zwei Jahre länger über Berge klettern. Auf dem Handrücken zeichnete er eine Karte und zeigte mir erst Paris und dann Italien und Rom. Ich bin nicht dumm, sagte ich zu ihm. Er trank die winzige Kaffeetasse aus und sagte: Ich auch nicht. Dann warf er die Zigarette auf den Boden, trat sie aus, erhob sich und ging, ohne sich umzusehen, hinaus.

Auf der Straße blieb er stehen, zeigte mit dem Finger auf mich und sagte, mein Glück reiche nur so weit wie meine Freundschaft mit dem Priester.

Ich führe dich über die Berge, aber kein Stück weiter. Verstanden?

In der Nacht, in der er mich über die Grenze brachte, trug er drei Säcke Medikamente. Mich ließ er nichts tragen. Wir marschierten schweigend über den Talgrund, die Steine am Fluss schimmerten bläulich im Mondlicht. Wir gingen durch eine Wiese, und das Gras reichte mir bis zur Taille. Er hatte gesagt, dass es auf beiden Seiten der Grenze Zöllner gebe, die in verschiedenen Abständen entlang der Grenze patrouillierten, und dass ihn die Italiener am meisten hassten. Jetzt fragte er: Dir ist klar, dass du dafür ins Gefängnis kommen kannst? Ich antwortete: Das ist mir nicht neu – ich kenne den Unterschied zwischen einer Tür und einem Schlüssel. Am Waldrand hielten wir an. Du bist eine ganz Wilde, was?, sagte er. Er schüttelte den Kopf und seufzte, und dann band er mir eine Schnur um und befestigte das andere Ende an seinem Gürtel. Er sagte, es tue ihm leid, mich wie einen Esel behandeln zu müssen, aber in der Dunkelheit könne ich mich verlaufen. Die Schnur war so kurz, dass ich ihn mit ausgestrecktem Arm an der Schulter hätte berühren können. Er war überrascht, dass ich mit ihm Schritt hielt – die Schnur spannte sich nur ein- oder zweimal. Auf halber Höhe drehte er sich um, zog die Augenbrauen hoch und lächelte mich an.

Seine Hemdbrust pochte im Rhythmus seines Herzschlags, aber damals hielt ich noch nicht viel von ihm, Chonorroeja. Er ließ mein Herz nicht schneller schlagen.

Der Mond verschwand, es war ganz dunkel, und es schien mehr Sterne als Himmel zu geben. Wir hielten uns abseits der Straßen und Wege und stapften querfeldein durch den Wald. Es ging steil bergauf, wir spürten unsere Beine. Das Schweigen schien ihn zu entspannen – nur einmal während des Aufstiegs fuhr er plötzlich herum, weil er ein Geräusch gehört hatte. Er legte mir die Hand auf den Kopf und drückte mich zu Boden. Weit entfernt schimmerte das Licht zweier Taschenlampen durch die Bäume; es strich über einen steilen Grat. Ich dachte, wir müssten vielleicht dort hinaufklettern, aber er wandte sich zur Seite, und wir gingen leise durch den Wald, immer weiter bergan, bis die Bäume aufhörten. Vor uns lag ein langes Geröllfeld. Gib acht, sagte er, die Steine sind glitschig. Als wir den Kamm überquert hatten, blieb er stehen und sagte, das schwerste Stück des Weges liege noch vor uns. Die Carabinieri hätten einen Hass auf ihn, und ihre größte Freude wäre es, ihn zu schnappen.

Für den Abstieg löste er die Schnur von seinem Gürtel und schulterte die Säcke anders. Ein Bach sprudelte über graue Felsen. Wir folgten ihm, er rauschte immer lauter. Es begann zu regnen, und ich rutschte im Matsch aus. Er half mir auf und sagte, er habe gewusst, dass ich irgendwann das Gleichgewicht verlieren würde. Ich wusste nicht, was er meinte.

Hast du keine Angst vor den Soldaten?, fragte er.

Ich bildete den Satz langsam in meinem Kopf, damit er umso mehr Wucht bekam, denn es war einer, den Stanislaus vor langer Zeit gern gesagt hatte, und ich wollte diesem seltsamen Mann Enrico etwas Schönes geben. Auf

Deutsch sagte ich: Ich würde mit Freuden einen Katzen-
arsch ablecken, mein Freund, wenn ich dadurch den Geschmack der Soldaten aus dem Mund bekommen könnte.

Er warf den Kopf in den Nacken und lachte.

In jener Nacht schlief ich in der Hütte, die er gebaut
hatte. Die Türangeln bestanden aus Reifenstücken, die
Bretter hatten Teerflecken, und die Fenster waren klein.
Nur ein einziges Möbelstück wirkte fehl am Platz: ein
Sekretär mit Rolldeckel. Die Tischplatte war mit Papieren übersät, einige davon trugen ein Wasserzeichen. Er
gab mir Decken und eine Karaffe mit kaltem Bergwasser,
stellte allerlei auf den Tisch und sagte, ich solle mich bedienen: geräuchertes Fleisch, gedörrtes Gemüse, Streich-
hölzer, Kondensmilch, eine Laterne. Es war noch dunkel,
als er die Hütte wieder verließ, um in Sappada sein Ge-
schäft zum Abschluss zu bringen. Die Tür fiel hinter ihm
ins Schloss.

Ich hatte meine dritte Grenze überschritten und war in
Italien.

Der Anblick des Bettes machte mich froh. Ich legte
mich diagonal darauf. Draußen plätscherte der Bach. Im
Nu war ich eingeschlafen. Ich wusste, dass er zurückgekehrt war, denn ich sah nasse Stiefelabdrücke auf dem Boden. Es mussten Stunden vergangen sein, denn das Licht
war hell und gelblich. Ich hörte seinen Atem aus der Richtung eines Stuhls, der neben dem Bett stand. Er murmelte
mir, die ich scheinbar schlief, etwas auf Italienisch zu, ging
wieder hinaus und schloss hinter sich leise die Tür.

Ich erzähle dir das alles, Čhonorroeja, damit du verstehst, dass ich nicht mehr von dem Gedanken getrieben
war, ich müsste weiterziehen. Es gibt ein altes Roma-
Sprichwort, nach dem der Fluss nicht an der Quelle und

nicht an der Mündung ist, aber es hatte den Anschein, als hätte ich etwas überschritten. Ich hatte den Gedanken an Paris abgestreift, meine Schritte waren anders geworden. Ich faltete die Decken zusammen, packte die Lebensmittel ein, die er für mich hingestellt hatte, küsste den Tisch zum Dank und verließ die Hütte. Fünf Tage lang folgte ich der Straße, die durch das Tal führte. Immer wieder musste ich an Enrico denken: Er hatte mich nichts gefragt, und doch hatte ich nicht das Gefühl gehabt, er habe kein Interesse an mir oder möge mich nicht. Je weiter ich mich von ihm entfernte, desto näher war er mir. Später, viel später, sagte er einmal zu mir, das Leben sei deshalb so seltsam, weil wir einfach nicht wüssten, was uns hinter der nächsten Ecke erwarte. Es war ein nicht sehr origineller Gedanke, doch die meisten haben ihn vergessen.

An einem regnerischen Tag hörte ich hinter mir das Geräusch rollender Räder. Enrico saß in einem ziemlich ramponierten Jeep und rief mir zu, ich sei vielleicht etwas müde, und als ich das bejahte, sagte er, ich könne mich gern neben ihn ins Trockene setzen. Ich sagte, im Jeep sei es wohl kaum trockener als draußen, schließlich habe der Wagen kein Dach. Er zuckte die Schultern und sagte: Man kann doch so tun, als ob. Ich sah zu den Bergen, ging um den Wagen herum und stieg ein. Trocken, oder?, sagte er. Als er wendete, traf uns der Regen von der Seite. Ich zog den Kopf ein und hielt die Hände vor die Heizungsschlitze. Vor uns lag die Straße. Und hier endet die Geschichte meiner Reise.

Wir fuhren zu Paolis Café. Paoli stand hinter der Theke, sah uns an, grinste kopfschüttelnd und sagte, wir sollten uns setzen.

Ich wollte von Enrico wissen, warum er mich nie gefragt habe, ob ich Zigeunerin sei. Er sagte, ich hätte ihn ja auch nie gefragt, ob er kein Zigeuner sei.

Es war die vielleicht schönste Antwort, die ich je bekommen habe.

Wir lernten einander langsam kennen, voller Angst und Aufregung, entfernten uns voneinander und näherten uns wieder an. Manchmal, wenn ich ihn im schummrigen Licht der Lampe sah, schien er den Schatten näher zu sein als mir. Wir umarmten uns unbeholfen und saßen lange reglos da, doch die Entfernung zwischen uns schmolz und verschwand, und das Begehren ließ nie nach. Es schien mir, als hätte die Welt mich auf die Probe gestellt und mir endlich Freude gestattet. Lange fanden wir in uns nur wenige Worte, die wir einander sagen wollten, und so lernten wir, schweigend zusammen zu sein. Das Jetzt war uns genug. In der Nacht, wenn er schlief, lag mein Haar auf seiner Brust, und ich sah, wie es sich hob und senkte. Der Morgen brach an, und er ging zum Ofen und erweckte ihn zum Leben. Auf meiner Wange, wo er mich mit dem Finger berührte, war ein Rußfleck. Nachts erzählte ich ihm von Petr, von der Zeit mit Swann und Stránský, von dem, was zwischen uns gewesen war, und Enrico saß einfach da und hörte zu, bis Licht durch das Fenster fiel und den Morgen ankündigte.

Wenn er – manchmal tagelang – fort war, wartete ich auf ihn, ohne ein Auge zuzumachen. Ich war gegen Verzweiflung nicht gefeit, und es gab Zeiten, da fragte ich mich, wie ich an einem solchen Ort überleben sollte, es gab Tage, da war ich überzeugt, dass ich einfach in die Berge gehen und verschwinden würde, dass ich einen Fuß vor den anderen setzen würde, ohne Plan und Ziel – aber dann kehrte Enrico zurück, und das Licht erschien mir wieder heller, das Glück war wieder da, einfach so. Es fiel mir schwer, mich zu erinnern, was das Warten für mich bedeutet hatte.

Nach all den Jahren im Wohnwagen war es seltsam, keine Pferde zu sehen, wenn ich aus dem Fenster blickte.

Enrico war kein einfacher, unkomplizierter Mann. Seine Herkunft gefiel ihm nicht, und lange verbarg er sie vor mir. Mir war nie der Gedanke gekommen, Reichtum könne schmerzen wie eine eiternde Wunde, aber nun sah ich, dass Enrico gegen den Reichtum seiner Familie ankämpfte. Es war eine Familie von bekannten Richtern und Rechtsanwälten – sehr wohlhabend und angesehen, ja sogar sympathisch. Er hatte versucht, alles hinter sich zu lassen: die prächtigen Häuser in Verona, die Innenhöfe, die Gärten mit den Marmorstatuen. Ich glaube aber, wenn man etwas hinter sich lassen will, folgt es einem einfach. Enrico gehörte in die Berge, nicht mehr und nicht weniger. Er hatte schon in jungen Jahren in Hotels, Restaurants und bei verschiedenen Seilbahnen gearbeitet, aber im Grunde hatte er immer nur allein dort oben auf den Gipfeln sein wollen, und so hatte er eine Hütte auf der italienischen Seite der Grenze gefunden, im Windschatten eines Berges und einiger vom Winter geduckter Bäume. Das Geld für die Hütte hatte er sich mit Gelegenheitsarbeiten verdient. Es gab nicht viele, die ihn besuchten. Für manche war er «der Welsche», ein Fremder, dabei war er, wie er sagte, in Wirklichkeit bloß ein Bürger von Anderswo.

An dem Tag, an dem er seinen Lederkoffer zu einem Schuhmacher brachte und sich Stiefel daraus machen ließ, wusste er, dass er in den Bergen bleiben würde.

Er lebte abseits der Menschen und genoss das, was Paoli

als süßes Nichtstun bezeichnete. Man mochte ihn, deinen Vater – er brachte Schmuggelware über die Berge, führte ein ruhiges Leben und hatte nichts für die Bombenleger übrig, die im Namen des freien Südtirols Telefonmasten in die Luft jagten. Von seiner Familie hielt er sich fern, er wollte nichts mit ihr zu tun haben, und wenn es Zeit war zu hungern, dann hungerte er eben. Aber das alles trug er nicht wie eine Opfergabe vor sich her – er war kein Heiliger, ganz und gar nicht. Jahre später sagte er, es sei dumm gewesen, ihre Existenz zu leugnen. Meine Schwierigkeiten waren es schließlich, die ihn zwangen, den Kontakt zu seiner Familie wieder aufzunehmen.

Ich lebte seit knapp drei Monaten bei ihm, als die Carabinieri kamen. Saubere Uniformen, weiße Koppel, Epauletten. Es war, als sähe man die Traurigkeit kommen. Sag kein Wort, flüsterte Enrico. Sie stapften herein, legten mir Handschellen an, stellten mich in eine Ecke und verprügelten deinen Vater vor meinen Augen. In seinen alten Kleidern und weißen Verbänden nahm er den nächsten Zug nach Verona. Er verriet mir nie, worin seine Gegenleistung bestanden hatte – es war das erste Mal, dass er seinen Vater um einen Gefallen bat –, aber er kehrte mit einem Dokument zurück, das mich aus den Fängen der Carabinieri befreite. Nach einigen Tagen kam ein Wagen mit einem Beamten der Kreisbehörde, der mir im Namen der Republik Italien einen blauen Pass aushändigte und ohne ein weiteres Wort wieder davonfuhr. Ich fragte Enrico, was er dafür getan habe, doch er zuckte nur die Schultern und sagte, es sei ihm ein Leichtes gewesen, die für mich unüberwindlichen Hindernisse aus dem Weg zu räumen. Ich wusste jedoch, wie viel ihn das gekostet hatte: Bis dahin hatten die Carabinieri nicht gewusst, aus welcher Stadt und welcher Familie er stammte. Auch einige Südtiroler begegneten ihm nun mit Misstrauen, doch Enrico sagte nur, das sei ihm gleichgültig, ich hätte nun einen Pass, und das sei das Wichtigste – ein Mann, der an eine Sache wirklich glaube, könne gar nicht anders als an einer anderen zum Verräter zu werden.

Er schnürte seine Stiefel und fuhr fort zu schmuggeln, dabei wusste er, dass er, wenn er erwischt wurde, im Gefängnis landen würde – ein zweites Mal würde er nicht um einen Gefallen bitten. Und in einem Frühjahr kam es auch so: Drei Monate war er fort. Ich dachte, mein Herz würde die Wände der Hütte sprengen, Chonorroeja. Ich lag da und horchte in meinen Bauch hinein, wo du immer größer wurdest.

Und so geschah es dann.

Eines Nachmittags holte Enrico einen schönen Anzug aus der Truhe – dunkelblau mit ganz feinen Nadelstreifen –, hielt ihn hoch und sagte: Ich hasse dieses verdammte Ding. Er rollte ihn zusammen, wickelte ihn in Packpapier und sagte: Wir fahren nach Verona. Für mich hatte er ein schönes Kleid gekauft, das leider zu kurz war und meinen sich wölbenden Bauch betonte. Es ist schwer, sich über die ältesten Sitten hinwegzusetzen, über die Gesetze, die Erbfolge und Grundbesitz regeln und Schweigen über bestimmte Dinge gebieten, doch er wollte mit ihnen nichts zu tun haben. Er legte die Hände auf meinen Bauch und grinste wie ein einfältiger Junge. Paoli fuhr uns nach Bozen und pfiff dabei die ganze Zeit vor sich hin. Im Zug rang Enrico nervös die Hände und wollte mir mit einem Mal die Geschichte seiner Familie erzählen, aber ich sagte, das sei nicht nötig. Er zog sich im Abteil um, sein sonnenverbrannter Hals stand in scharfem Kontrast zum Weiß der Brust. Ein- oder zweimal erhob er sich, lachte laut und sagte: Sieh mich an – ich fahre tatsächlich nach Hause! Ein paar Stunden später gingen wir durch eine breite Auffahrt auf ein Haus zu, das mich an Budermice erinnerte. Das Licht war so klar und rein, dass es schien, als wäre es gewaschen.

Der Anlass war die Hochzeit seines Bruders. Die ganze Familie hatte sich eingefunden: Manche standen auf dem Rasen, andere saßen auf der Veranda und tranken etwas, die Frauen debattierten über das festliche Abendessen. Enricos Vater grinste und warf sein Glas auf den Boden, als er uns sah, und seine Brüder jubelten. Enricos Mutter, deine Großmutter, war eine kultivierte Frau – allerdings nicht so kultiviert, Čhonorroeja, dass sie mir nicht irgendwann gesagt hätte, wie kultiviert sie war. Ich hielt den Kopf erhoben und blieb entspannt – ich hatte nicht vor, mich zu verstecken.

Das Festmahl wurde auf riesigen silbernen Tellern serviert. Es gab den besten Wein, die frischesten Oliven, das zarteste Fleisch, die buntesten und exotischsten Früchte. Ich sagte mir, das alles sei nur ein Film und ich solle es genießen – schließlich könne man nicht wissen, wie lange es anhalten werde. Enrico war immer neben mir. Das ist Zoli, sagte er. Sonst nichts. Ich war glücklich – für ihn war mein Name genug. Man trank noch mehr Wein. Eine Opernsängerin sang eine Arie. Wir applaudierten, und Enricos Vater zwinkerte mir über den Tisch hinweg zu. Später nahm er mich an der Hand und spazierte mit mir durch den Garten. Er sagte, er werde seinen Sohn nie wirklich kennen, aber es sei das erste Mal, dass Enrico diesen Anzug trage, und er freue sich – etwas in ihm habe sich verändert. Du hast einen guten Einfluss, fügte er hinzu und grinste. Seine Frau warf uns wütende Blicke zu. Ich wagte es, ihr zuzulächeln, aber sie wandte sich abrupt ab. Unsere Zimmer lagen an entgegengesetzten Seiten des Hauses, doch Enrico trat spät in der Nacht singend und betrunken durch die Tür, legte sich quer über das Fußende des Bettes auf die zurückgeschlagene Tagesdecke und schlief ein. Am nächsten Morgen war sein Mund ausgetrocknet, und er hatte einen Kater. Er sagte, irgendwann würden wir im Tod vereint sein – warum so lange warten? Es war seine Art zu sagen, dass er mich heiraten wolle.

Auf der Rückreise, im fahrenden Zug, wagten wir diesen Sprung. Enrico schloss mich in die Arme und drückte mich an sich – mehr Formalitäten brauchten wir nicht.

Vor ein paar Jahren – ich glaube, es war 1989, aber Jahreszahlen bedeuten mir inzwischen so wenig – ist die Berliner Mauer gefallen. Vielleicht war es gar keine Mauer im eigentlichen Sinne, sondern eine Idee, die sich über ihre eigene Schlichtheit erhoben hatte.

Enrico und ich gingen zu Paolis Café und sahen die Fernsehberichte aus Berlin. Wie seltsam, dass all diese jungen Männer mit ihren Hämmern genau in demselben Augenblick auf den Beton eindroschen, in dem Paoli seine nie einwandfrei funktionierende Kaffeemaschine verfluchte. Die Bilder aus Berlin erinnerten mich so an meinen Großvater und seinen Hass auf Beton. Paoli schloss sein Café an diesem Abend erst spät, und als wir heimgingen, legte dein Vater mir den Arm um die Schultern.

Wirst du nun zurückgehen?, fragte er.

Meine Antwort war ein maskiertes Ja. Oftmals hatte ich

mich nachts in die offene Weite meines früheren Lebens geträumt, in die Gesellschaft von Menschen, die jetzt nur noch Schatten waren. Jedes Jahr stellte er mir diese Frage aufs Neue, und vier Jahre später lieh er sich das Geld für die Reise von seinem Bruder in Verona. Du erinnerst dich sicher: Damals bist du bei Paoli und seiner Familie geblieben, während wir in Bozen in den Zug stiegen und uns auf die weite Reise machten. Wir fuhren dahin und stiegen in Wien aus – deine alte Mutter mit ihrem Kopftuch, dein Vater in seinem fadenscheinigen Anzug. Die Straßen waren so sauber, dass ich überrascht war, wenn ich einen Fetzen Papier sah, einen Zigarettenstummel, einen Kronkorken. Wir kauften Fahrscheine nach Bratislava, blieben jedoch über Nacht in einem ehemals feinen Hotel in der Wiener Kolschitzkygasse, nicht weit vom Bahnhof, wo die Straßenlaternen aussahen, als würden sie knicksen. Auf dem Frisiertisch stand ein Spiegel, den ich mit der Tagesdecke verhängte, um unsere Spiegelbilder nicht sehen zu müssen. Wir lagen ganz still da. Dein Vater hatte mir verschiedene bunte Perlenketten gekauft, die ich mir als Gürtel um die Taille schlang, eine Erinnerung an die Kleider, die ich in meinem alten Leben getragen hatte. Ich verknotete die Ketten, dass die Glasperlen knirschten. Das Hotel war zwei Generationen alt. Ich hörte das leise Summen des Aufzugs und das Läuten der Glocke am Empfang. Die Zimmerdecke war in den Ecken mit Stuck verziert. Die Kranzleisten verliefen eine Handspanne unterhalb der Wasserflecken. Ich phantasierte Bilder in die einander überlagernden Flecken und ließ mein altes Ich wiederauferstehen, doch ich war noch immer nicht sicher, ob ich es über mich bringen würde, zu den Orten zu reisen, wo ich ein Kind gewesen war.

Enrico sagte kein Wort, als ich am nächsten Tag wieder aus dem Zug stieg, den Kopf schüttelte und sagte: Es tut mir leid.

Er stülpte seinen Hut um und kniff eine Falte hinein – ich wusste genau, dass er an das Geld dachte, das er sich geliehen hatte. Wir gingen durch Wien wie zwei dahinschwebende alte Klaviertöne, und am Nachmittag fuhren wir mit einem Bus etwa eine Stunde über Land nach Braunsberg. Wir stiegen auf den Hügel an der Donau, und ich konnte in der Ferne die grauen Wohnblöcke von Bratislava erkennen: Sie sahen aus wie die Bauklötze eines Kindes. Das war meine alte Heimat. Der Fluss wand sich von der Stadt weg. Es wehte ein starker Wind. Enrico drückte meine Hand und fragte mich nicht, was ich dachte, aber ich wandte mich ab. Mir war, als wäre unser Leben, obwohl das meiste davon vorbei und immer weniger davon übrig war, noch immer erfüllt von Zweifeln. Die Schatten der Wolken zogen über die Wohnblocks. Ich hielt Enricos Arm und lehnte mich an seine Schulter. Er sagte nur meinen Namen, sonst nichts.

Ich konnte nicht dorthin, nicht damals. Ich brachte es nicht über mich, diesen Fluss zu überqueren, es war zu schwer. Enrico legte mir den Arm um die Schultern, und gemeinsam liefen wir den steilen Hügel hinunter. Ich stellte mir uns beide als einen Teil der Stille ringsum vor.

Am nächsten Morgen gingen wir zum Bahnhof. Als ich die Buchstaben über die Anzeigetafel schnurren sah, war ich in Versuchung, die Reise doch noch zu machen, aber dann stiegen wir in den Zug, der uns dorthin bringen würde, wo inzwischen wohl meine neue Heimat war. Dein Vater legte den Kopf an meine Schulter, schlief ein und gab Geräusche von sich wie ein keuchendes Pferd. Später machte er einen freien Platz im Liegewagen ausfindig und begleitete mich dorthin, und als ich eingeschlafen war, legte er sich neben mich. Während der ganzen Reise zurück nach Italien fragte ich mich, was ich versäumt hatte und ob es vielleicht besser war, es versäumt zu haben. Ich fürchtete, dass meine alte Heimat sich nicht verändert hatte, und zugleich fürchtete ich, sie könnte sich furchtbar verändert haben. Wie soll man erklären, dass es Zeiten gibt, in denen wir uns sogar an unsere Ängste klammern? Aber wenn ich ehrlich sein soll: Ich hätte den See an der Straße nach Prešov besucht, die schattigen Wäldchen, in denen auf Harfen gespielt wurde, die schmale Straße, auf der wir bei Conkas Hochzeit getanzt hatten – diese Tage leuchteten in meinen Gedanken wie eine schimmernde Münze.

Es gibt Zeiten, da vermisse ich die prallgefüllten Tage, und alt zu sein schützt mich nicht vor der Traurigkeit. Einst habe ich mich schuldig gemacht, indem ich dachte, dass nur gute Dinge geschehen würden, und dann habe ich mich schuldig gemacht, indem ich dachte, dass diese Dinge nie wieder geschehen würden. Jetzt warte ich, ohne zu urteilen. Willst du wissen, was ich liebe? Ich liebe die Erinnerung an Paoli, die jedes Mal wach wird, wenn die Glocke an der Cafétür erklingt. Ich liebe den schwarzen Kaffee, den Paolis Tochter Renata macht – sie steht mit baumelnden Ohrringen und lackierten Fingernägeln hinter der Theke. Ich liebe Franz, den Akkordeonspieler, der im Café in der Ecke sitzt und sich die Hand vor den Mund hält, damit man seine schlechten Zähne nicht sieht. Ich liebe die alten Männer und ihre Streitereien über den Wert von Dingen, die sie eigentlich verabscheuen. Die Kinder, die noch immer Spielkarten zwischen die Speichen ihrer Fahrräder klemmen. Das Zischen von Skiern. Die Touristen, die aus ihren Wagen steigen, die Augen mit der Hand beschirmen und geblendet wieder einsteigen. Die blauen Strickhandschuhe der Kinder. Ihr Lachen, wenn sie die Straße hinunterrennen. Dass aus schlammiger Erde Obstbäume wachsen. Ich liebe Spaziergänge durch den Herbstwald. Die Rehe, die auf schmalen Wildwechseln in Serpentinen den Berg hinauftraben und den Kopf senken, um zu trinken. Ich liebe ihre schwarzen Augen. Den Wind, der von den Berggipfeln über das Tal streicht. Die jungen Männer an der Tankstelle mit ihren weit offenen, löchrigen Hemden. Das Feuer in den selbstgemauerten Kachelöfen. Die abgewetzten Türklinken aus Messing. Die alte Kirche, deren Dachbalken still auf einem Haufen liegen, und sogar die neue Kirche, wenn auch nicht ihre scheppernde Glocke. Ich liebe den Sekretär mit dem Rolldeckel, auf dem noch immer zahllose Papiere liegen. Ich liebe die Erinnerung an die Zeit, als du ein Jahr alt warst, als du deine ersten Schritte gemacht hast und auf den Hintern gefallen bist und geweint hast, weil der Holzboden so überraschend hart war. An den Tag, als du zum ersten Mal mit dem Fuß aufgestampft hast wie ein Junge. An den Tag, als du mit einem Armvoll Brennholz hereinkamst, beinahe so groß wie ich, und sagtest, dass du bald gehen würdest, und ich fragte: Wohin?, und du sagtest: Genau. Ich liebe es, dass all diese Fragen über mich kommen und dass sie immer und immer wiederkommen. Ich liebe die Winter, die über mich hinweggezogen sind, ja, sogar die schlimmen Unwetter, die über uns alle hinweggezogen sind. Ich liebe die Erinnerung an die Stille, wenn Enrico nicht da war, wenn ich nur auf das Klicken des Schlosses warten konnte – und dann kam er und klopfte Schnee, Regenwasser oder Pollen von den Stiefeln.

Es ist immer gut, meine Tochter, auf Überraschungen gefasst zu sein. Hier kann es jederzeit schneien – ich habe sogar im Sommer Schneeflocken fallen sehen, gefolgt von heftigen Gewittern. Seltsam, wie weit mein Leben vorangeschritten ist – ich habe so viel Schönheit darin entdeckt, dass es mich noch immer erstaunt.

Enrico hat mir einmal von seiner Kindheit erzählt, als er ein kleiner Junge von fünf Jahren war und marineblaue kurze Hosen und weiße Kniestrümpfe trug. Er lief durch den Innenhof des Hauses in Verona, durch den wunderschönen Garten mit den großen Farnen und Springbrunnen, den mit weißgekalkten Ziegelsteinen eingefassten Beeten und den riesigen Töpfen mit hochaufragenden Pflanzen, um die sich der Gärtner seiner Mutter kümmerte. Am Ende des Gartens stand eine große Bronzestatue, die drei Schimpansen darstellte: Einer legte die Hand über die Augen, einer hielt sich die Ohren zu, der dritte bedeckte mit den Händen den Mund. Zu ihren Füßen war ein kleines Becken, in das plätschernd Wasser floss. Dort saß Enrico stundenlang.

Manchmal sehe ich mich als Kind. Ich sehe, wie sehr ich geliebt wurde und wie sehr ich liebte. In meinem kindlichen Herzen glaubte ich, dass das nie enden würde, doch ich wusste nicht, was ich mit so viel Liebe tun sollte, und gab sie hin. Ich habe mir Augen, Ohren und Mund zugehalten, aber dann habe ich wieder zu mir gefunden, und obwohl ich mich in Mehl gewälzt habe, bezeichne ich mich heute wieder als schwarz. Ich habe mein Volk nie verlassen, auch wenn mein Volk mich verlassen hat.

Dein Vater hat mir nie viele Fragen über meine Vergangenheit gestellt, und darum habe ich ihm oft davon erzählt. Für mich wart ihr, du und er, die Einzigen, denen ich diese Worte und das Dunkel, von dem sie kündeten, anvertrauen konnte.

Die Knochen, die sie gebrochen haben,
sagen uns das Wetter voraus:
Was wir in den Jahren '42 und '43
unter den Hlinkas erlebten

Über spitze Steine rollten unsere Räder,
Und der hohe Himmel ruhte auf der Erde.
An einem goldenen Morgen schlängelte sich der Fluss,
Und zwei Gardisten holten uns ein.
Wir fragten, auf welcher Straße wir entkommen könnten,
Und sie wiesen uns die schmalste.

Such nicht nach Brot, dunkler Vater,
Unter Brotkrumen wirst du keines finden.

Der Frühling starb an der fernsten Ecke,
Und unser Lied stieg auf in die Berge,
Wo es von den Felsen widerhallte
Und einen zweimal gelüpften Hut aufsetzte.
Wir nannten das Lied die Stille,
Und doch antwortete es.

An manchen Tagen suchten wir den Himmel,
Aber – lieber Gott! – es war ein langer Aufstieg.

Land der schwarzen Wälder, wir sind aus dir gewachsen,
Wir fanden Sonne in deinen Zweigen

Und warme Zuflucht zwischen deinen Wurzeln,
Ein Hemd, einen Hut, einen Gürtel in deinem Moos.
Jetzt regnet es, und es regnet so stark,
Wer kann unsere schwarze Erde trocknen?

Die Stunde unseres Wanderns war da
Und vorbei und da und wieder vorbei.

Sie trieben unsere Wagen auf das Eis
Und umschlossen den weißen See mit Feuern,
Und als die Kälte Sprünge bekam,
Jubelten die Hlinkas.
Wir feuerten unsere besten Pferde an,
Doch sie rutschten blutend ans Ufer.

Mein Land, wir sind deine Kinder,
Sammle das Eis und lass es frieren!

Die Frauen traten ans Fenster,
Um zu sehen, was vor uns lag,
Sie warfen die Asche hinaus,
Damit der Wind ein paar Flocken hinauftrug:
Die dunkelsten Wintervögel sagten den anderen,
Sie sollten nicht folgen.

Der Schnee fiel weiß und lange,
Und unsere Räder versanken bis zu den Achsen.

Wie weich der Weg ist,
Die Zweige grau und kahl,
In den Wipfeln leuchtete Licht und warnte
Das andere Licht vor der Rückkehr.

Für den Wald waren wir alles andere
Als Feind und Gefahr.

Wie oft verbeugten sich die Bäume
Vor unserem langen, dunklen Marsch.

Sie beluden die Waggons,
Bis die Federn sich nicht mehr bogen.
Wir hörten das Klagen der Zigeunerkinder,
Zu hungrig für Schlaf und Träume.
Selbst wer überlebte,
Fand in jedem Überleben ein Grab.

Über weißen Feldern und Wäldern
Riefen alte Sorgen nach neuen.

Am Tor zwei hölzerne Balken,
Aus denen nichts zu schnitzen war,
Nicht Löffel, nicht Mond und nicht Zigeunerhimmel,
Nicht Schwalbe, nicht Eule und nichts, was fliegt.
Wir gingen hintereinander hindurch
Und sahen auf zum Himmel.

Wer kann die Zeit von den Sternen ablesen,
Wenn über den Augen ein Dach ist?

Ein schwarzer Kinderfinger strich über eine Motte,
Die über eine Kerzenflamme strich.
Der Winter kam näher,
Kalt, schnell und blau.
Wir träumten von einem besseren Ort
Knapp über den Wipfeln der Kiefern.

Und doch: Ein schmaler Schattenstreifen
War nur ein Schatten.

Wir trugen die Ströme der Ströme durch die Jahre
Und hörten den Kummer, die schrecklichen Klagen
In all den einsamen, verfluchten Orten:
Auschwitz, Majdanek, Theresienstadt, Lodz.
Wer gab ihnen, Gott, diese Orte
Am Rand der schwarzen Wälder?

Wir wurden durch ihre Tore hineingetrieben,
Und durch die Kamine ließen sie uns hinaus.

Sanfte Mutter, sei keine Freundin der Schlange,
Die selbst von den Schlangen gehasst wird.
Du fragst, warum dieses Lied nicht spricht
Von Träumen und geöffneten Toren?
Dann komm und sieh die Räder,
Tief im Schlamm, tief in der dunkelsten Erde.

Sieh unsere Wagen: zerstört.
All die Zigeuner und Juden: gebrochen.

Lass die Toten nicht hinter dir,
Mit denen wir den Hunger geteilt haben.
Lass die Schlangen nicht dem Schicksal entkommen,
Das sie uns zugedacht hatten.
Die Eiszapfen, von den Drähten gepflückt,
Werden unsere Zungen nicht beschweren.

Wir beobachten, Bruder, noch immer
Die ferne Biegung.

Die Glocke, die läutet,
Ist nicht die Glocke von früher.
Wir holen sie herunter
Und nehmen das alte, gegossene Messing.
Es bringt uns zurück
Zu der alten, fünfeckigen Straße.

Ich spreche zu dir aus der bemoosten Erde –
Lass deinen Mund eine Geige sein!

Das Lied des Wanderns ist in allen Bäumen,
Man hört es im letzten Stern vor Morgengrauen,
Es erklingt in den Wellen der Flussbiegung
Und kehrt zu uns zurück.
Bald sieht man nichts im Kamin
Als Stille und Zwielicht.

Der Himmel ist rot und der Morgen auch,
Rot ist der Horizont, Genosse!

Alte Roma-Mutter, verbirg nicht deine Ohrringe,
Deine Münzen, deine Söhne, deine Träume,
Nicht einmal in deinen goldenen Zähnen.
Und sag dem dunklen Bruder des Teufels:
Wenn er wieder einmal Seelen einsammelt,
Wird er von uns keine mehr kriegen.

Wer hat gesagt, deine Stimme wird fremd klingen jenen,
Die du hervorgebracht hast?

Sonne und Mond und zerrissenes Sternenlicht,
Wagen und Huhn und Dachs und Messer –

Sie alle haben den Kummer gehört,
Denn sie haben mit uns gelitten.
Wer am Abend getrauert hat,
Wird am Morgen frohlocken.

Die Knochen, die sie gebrochen haben,
Sagen uns das Wetter voraus.

Wenn wir sterben und zu Regen werden,
Werden wir kurz verharren,
Bevor wir weiterfallen.
Wir werden im Schatten der bemoosten Eiche bleiben,
Wo wir geweint haben und gegangen sind,
Wo wir gegangen und gewandert sind.

Zoli Novotna
Bratislava, September 1957

Paris
2003

Im gelben Nachmittagslicht steigt Zoli aus dem Zug und hebt die Hände über die Augen. Ihre Tochter tritt aus den Schatten. Sie ist groß, schlank, kurzhaarig. Sie küssen sich viermal, und Francesca sagt: «Du siehst toll aus, Mama.» Sie bückt sich und hebt die kleine Tasche zu Zolis Füßen auf. «Ist das alles?» Sie haken sich unter und gehen unter dem weiten Dach der Gare de Lyon an einem Zeitungsstand vorbei, durch eine Gruppe junger Mädchen hinaus ins Sonnenlicht. An der Ecke hören sie ein schrilles Hupen. Auf der anderen Straßenseite steigt ein junger Mann mit einer offenen Lederjacke aus einem Wagen. Auch sein Haar ist kurz, das Hemd ist ehrgeizig weit aufgeknöpft. Er eilt zu Zoli, und bei der Begrüßung streifen seine Bartstoppeln über ihre Wange.

«Henri», sagt er. Sie schnappt nach Luft und lehnt sich kurz an einen Laternenpfahl. Der Name ist dem ihres Mannes so ähnlich.

Francesca hüpft vorn um den Wagen herum und hilft Zoli auf den Beifahrersitz. «Kann er Italienisch?», fragt Zoli im Flüsterton, und bevor ihre Tochter antworten kann, sagt Henri, wie sehr er sich freut, sie kennenzulernen, wie großartig sie aussieht und wie wunderbar es ist, zwei so schöne Frauen im Wagen zu haben – zwei, das muss man sich mal vorstellen, zwei!

«Er kann Italienisch», sagt Zoli mit einem kleinen Lächeln und schließt die Tür.

Francesca lacht und setzt sich auf den Rücksitz, beugt

sich vor, legt die Arme um die Kopfstütze und massiert Zolis Nacken. So sorgend, denkt Zoli, hat mich schon lange niemand mehr berührt.

Der Wagen setzt sich mit einem Ruck in Bewegung, reiht sich in den Verkehr ein, umkurvt ein Schlagloch. Zoli stützt sich mit der Hand am Armaturenbrett ab. Die Straßen verzweigen sich, werden breiter und leerer. Sie sieht Ampeln blinken, Plakate huschen vorbei. Ich bin so oft in Paris angekommen, denkt sie, aber nie war es wie jetzt. Sie rasen bei Gelb über eine Kreuzung, auf einer langen, von halbwüchsigen Bäumen überschatteten Straße. «Später zeigen wir dir alles, Mama», sagt Francesca, «aber jetzt fahren wir erst mal nach Hause. Wir haben ein schönes Mittagessen vorbereitet – warte nur, bis du all die Käsesorten siehst!» Das ist etwas, das ihre Tochter sich für sie ausgedacht zu haben scheint – dass sie eine große Leidenschaft für Käse hat –, und am liebsten würde sie jetzt sagen: Das war dein Vater, nicht ich. Zoli legt ihre Hand auf Henris Arm und fragt ihn, ob er Käse mag, und aus irgendeinem Grund findet er das witzig, sie weiß nicht, warum. Als er scharf abbiegt, schlägt er mit der Hand aufs Lenkrad.

Sie fahren langsamer, vorbei an Kiosken und Geschäften mit seltsamen Namen in fremdartiger Schrift. Dunkel verschleierte Araberinnen treten aus einem Laden, sie sieht nur ihre Augen. Ein Stück weiter schiebt ein Mann einen mit Jacken beladenen Karren über die Straße. Zoli betrachtet ihn. «So viele Menschen», sagt sie. «Ich hätte nie gedacht, dass es so sein würde.» Ihre Tochter löst den Sicherheitsgurt, damit sie sich vorbeugen und flüstern kann: «Ich bin so froh, dass du da bist, Mama. Ich kann's noch gar nicht glauben.»

Henri tritt kurz auf die Bremse, der Wagen wippt. «Schnall dich wieder an, Francesca», sagt er. Eine lange Stille tritt ein, und dann hört Zoli, dass ihre Tochter sich gegen die Lehne des Rücksitzes wirft und tief seufzt.

«Tut mir leid, Franca», sagt er, «aber ich bin der Fahrer.»

Wie seltsam, den alten Kosenamen ihrer Tochter aus dem Mund dieses jungen Mannes zu hören. Wie außergewöhnlich, überhaupt hier zu sein, in diesem kleinen Wagen, auf diesen belebten Straßen, an einem sonnigen Donnerstagnachmittag. Zu Hause, im Tal, werden sie heute an den tieferen Hängen das Heu mähen.

Sie fahren durch einige verwinkelte Nebenstraßen, halten unter niedrigen Bäumen vor einem hellen, mit uralten roten Marmorblöcken verzierten Gebäude, steigen aus und gehen über den Vorplatz. Henri stemmt sich gegen die riesige, mit einem schmiedeeisernen Gitter versehene Tür, die quietschend aufschwingt. Die Eingangshalle ist schwarz-weiß gefliest. Sie steuern auf einen alten Aufzug zu, aber Zoli wendet sich zur Treppe und erklärt, Tunnel und Aufzüge seien nichts für sie, sie bekomme darin Platzangst. Trotzdem nimmt Henri ihren Arm und führt sie zu der reichverzierten Tür des Aufzugs. «Die Treppe ist so steil», sagt er. Zoli streckt die Hand nach ihrer Tochter aus. Sie fürchtet jetzt, dass sie Henri nicht mögen wird, dass er einer von denen ist, die beinahe zu unbeschwert sind und stets bemüht, anderen diese Unbeschwertheit aufzudrängen. Sein Gesicht verhärtet sich ein wenig, er steigt allein in die Kabine.

Mutter und Tochter stehen wortlos voreinander. Francesca stellt die Tasche auf der untersten Stufe ab, nimmt Zolis Gesicht in ihre Hände und küsst sie auf die Augen.

«Ich kann's noch gar nicht glauben», sagt sie.

«In ein, zwei Tagen wirst du froh sein, wenn ich wieder fahre.»

«Wollen wir wetten?»

Sie lachen, steigen die Treppe hinauf und halten auf jedem Absatz an, damit Zoli verschnaufen kann. Sie hat das ungute Gefühl, dass die beiden die Wohnung umgeräumt, ein Bett und vielleicht eine Nachttischlampe für sie aufgestellt und alles blitzblank geputzt haben. Womöglich haben sie eigens für sie sogar Fotos gerahmt und aufgestellt.

Im dritten Stock eilt Francesca voraus, schließt die Wohnungstür auf und legt den Schlüsselbund auf ein niedriges Glastischchen.

«Komm rein, Mama, komm rein!»

Zoli hält an der Schwelle kurz inne, streift die Schuhe ab und tritt ein. Sie ist angenehm überrascht von der Wohnung, von den hohen Decken, den Stuckverzierungen, den Nischen, den Eichendielen, den Holzschnitten, die im Flur hängen. Das Wohnzimmer ist hell und freundlich, die Fenster sind hoch, und an der Wand hängt ein Gemälde, dem sie sofort ansieht, dass es ein Roma gemalt hat: kräftige, leuchtende Farben, eigenwillige Formen, eine Art Siedlung. Auf einem aus einer alten Eisenbahnschwelle geschnittenen Wandbord steht ein gerahmtes Foto von Enrico. Zoli streicht mit dem Finger über das harte, mit Teer imprägnierte Holz, dreht sich um und lässt den Blick durch das Zimmer schweifen.

Auf der gläsernen Platte des Couchtischs liegt das Programm der Konferenz. Es ist auf Französisch – fremde Worte, eigenartig aneinandergefügt. Das Faltblatt ist unerwartet modern und professionell gestaltet. Sie weiß, dass sie es betrachten und lobend kommentieren sollte, aber im Augenblick will sie die ganze Sache nur mit Schweigen übergehen.

Unter dem Tisch liegen ein paar Bücher. Sie zieht eines hervor, einen Bildband über Indien, und schiebt das Faltblatt mit einer raschen Bewegung darunter. Eine kleine Ecke lugt noch hervor, damit es nicht aussieht, als hätte sie es versteckt. Plötzlich steht ihre Tochter mit einem Glas Wasser neben ihr. Als ihr Blick auf das Eckchen des verdeckten Faltblatts fällt, wirkt sie etwas angespannt.

«Du bist bestimmt müde, Mama.»

Zoli schüttelt den Kopf – der Tag liegt hell und weit vor ihr. Sie streicht mit dem Finger über Francescas Bluse und sagt: «Wo ist der Käse, den du mir versprochen hast?»

Beim Essen plaudern sie: die Bahnfahrt, das Wetter, die neue Einrichtung von Paolis Café, aber im Verlauf des Nachmittags legt sich eine Schwere über sie. Francesca zeigt Zoli das Schlafzimmer. Das Doppelbett ist frisch bezogen, darauf liegt ein Nachthemd, an dem noch das Preisschild hängt. Francesca reißt es ab und flüstert, ihr Freund werde für ein paar Tage bei Freunden wohnen und sie selbst werde auf dem Sofa schlafen – keine Widerrede. Sie schlägt die Decke zurück, schüttelt die Kissen auf und führt ihre Mutter zum Bett.

Für einen Augenblick fühlt Zoli sich wie ein Stein, der lange irgendwo herumgelegen hat und nun von Hand zu Hand gereicht wird.

«Mach ein kleines Nickerchen, Mama. Wanzen hast du hier übrigens nicht zu befürchten.»

«Ich würde sie gar nicht bemerken, Čhonorroeja.»

Als sie erwacht, ist es dunkel, und für einige Sekunden weiß sie nicht, wo sie ist. Aus der Küche dringen leise, erregte Stimmen. Sie liegt lauschend da und hofft, dass sie sich beruhigen, doch Henri flucht, und dann hört sie eine Tür knallen. In der Küche wird die Schiebetür eines Schranks geöffnet, Geschirr klappert. Zoli sieht sich um. Sie ist umgeben von Dingen, die jemand anderem gehören: auf dem Frisiertisch Kosmetika, an den Wänden gerahmte Fotos, im Kleiderschrank zahlreiche Männerhemden. In Gedanken geht sie durch die drei Zimmer der alten Mühle: Die Türen quietschen, die Vorhangringe klingeln, durch eine Ritze an der Ofenklappe fällt etwas Licht, die Laterne flackert. Seltsam, dass sie in einen Zug gestiegen und so schnell an diesem völlig fremden Ort eingetroffen ist – es ist, als hätte die Reise sie durch ihre Mühelosigkeit getäuscht. Sie lässt sich wieder auf das Bett sinken. Es ist überraschend still im Raum – kein Verkehrslärm, keine spielenden Kinder, kein Radio in der Nachbarwohnung.

«Bist du wach?», fragt Francesca. Sie hat etwas Make-up aufgelegt und sieht großartig aus, als sie mit graziösen Schritten ans Bett tritt. «Möchtest du etwas essen, Mama? Wir haben einen Tisch in einem Restaurant reserviert.»

«Oh», sagt Zoli.

«Henri holt den Wagen. Magst du ihn?»

Zoli überlegt, was sie so schnell, so unvermittelt mögen könnte. «Ja, ich mag ihn sehr», sagt sie.

«Da bin ich froh», sagt Francesca und lacht leise. «Ich hab schon schlimmere Freunde gehabt.»

Sie umarmen einander. Zoli schwingt die Beine aus dem Bett, konzentriert sich auf ihre Arme und Beine und steht auf. Sie zieht das Nachthemd aus und bemüht sich, nicht zu schwanken. Francesca dreht sich um und schaltet eine Nachttischlampe an, während Zoli ihr Kleid anzieht. Wie dumm, dass sie nicht mehr Garderobe mitgenommen hat – aber sie hat sich eingeredet, es seien ja nur ein paar Tage, sie werde nicht an der Konferenz teilnehmen, sondern, wenn überhaupt, nur dasitzen und zuschauen, zuhören.

Ihre Tochter zupft das Kleid an den Schultern zurecht. «Alles in Ordnung, Mama?»

«Wenn es nicht weh täte, wüsste ich gar nicht, dass es da ist», sagt Zoli, und ein Lächeln geht über ihr Gesicht.

An der Tür sind drei goldfarbene Schlösser, die ihr vorher gar nicht aufgefallen sind. Und eine Kette. Zoli wird bewusst, dass sie noch nie irgendwo gewohnt hat, wo es ein Schloss an der Tür gab.

«Wir sollten den Aufzug nehmen.»

«Nein, Chonorroeja, wir gehen zu Fuß.»

Draußen, im Dunkeln, schnurrt ein Automotor. Henri winkt ihnen, und in seinem Gesicht steht ein Grinsen, das schon jetzt Meinungen und Urteile verströmt. Sie wird sich große Mühe geben, ihn zu mögen. Jedenfalls trägt er einen schönen Namen – ganz ähnlich wie der von Enrico, auch wenn der Klang nicht so voll und rund ist –, und er sieht auf eine nicht übertriebene Weise gut aus. Sie setzt sich auf den Beifahrersitz und tätschelt seinen Arm.

«Na dann», sagt Henri unvermittelt, und sie fahren los. Es regnet leicht.

Als sie im Zentrum ankommen, hat der Regen aufgehört, und im Licht der Laternen schimmern die Straßen schwarz und nass. Elegante Statuen und Häuser, jeder Winkel ist sorgfältig geplant, jeder Baum steht an dem ihm zugedachten Platz. Die Boote auf der Seine machen kleine Wellen. Zoli kurbelt das Fenster herunter, um das Plätschern des Wassers zu hören, aber der Verkehrslärm übertönt es.

Gravierte Spiegel hängen hinter der Bar des Restaurants. Viel dunkles Holz und Glas. Ober mit langen weißen

Schürzen. Man reicht ihr eine Speisekarte, und sie zuckt leicht zusammen und denkt: Wie absurd – eine Speisekarte auf Französisch. Ihre Tochter sagt: «Ich helfe dir, Mama.» So viele Gerichte zur Auswahl, und nicht eins davon ist einfach. Etwas umflort sitzt sie da und hört Francesca und Henri zu, die über ihre Arbeit mit Einwanderern sprechen und sagen, wie herzzerreißend ihre Geschichten immer sind – es sei geradezu unglaublich, dass in einer zivilisierten Gesellschaft Tag für Tag solche Dinge passieren.

Zolis Gedanken schweifen ab. Sie beobachtet die Ober im Hintergrund, ihre zierlichen Schritte. Sie streicht mit der Gabel über den Rand ihres Weinglases und fährt zusammen, als Francesca ihre Hand berührt. «Hast du mich gehört, Mama?»

Sie weiß, es geht um einen Algerier und ein Krankenhaus und die Blumen, die neben einem Bett stehen, aber sie hat den Kern der Geschichte noch nicht gefunden und muss sich konzentrieren. Offenbar schickt der Mann sich selbst Blumen, doch sie sieht darin nichts Trauriges, sondern vielmehr etwas Triumphierendes, aber das sagt sie nicht, sie ist zu sehr gefangen davon, wie gefangen ihre Tochter ist, in deren Augen Tränen glänzen, die sie rasch wegwischt.

Ein Ober erscheint und serviert drei große Teller. Das Essen beginnt, und Henri übernimmt Francescas Thema – es ist, als hätte er jetzt das Kommando über den Tisch, als säße er am Steuer und träte auf das Gaspedal. Mit hoher Stimme lässt er sich über das schwere Leben muslimischer Frauen aus: Niemand nimmt sie ernst, ihr Leben ist eingeengt durch Regeln, die andere ihnen auferlegen, sie sind vergiftet durch Stereotypisierung, und es ist höchste Zeit, dass die Gesellschaft sich für sie öffnet und ihnen zuhört.

Er ist ein Mann, denkt Zoli, der schon alles weiß, was er glaubt, wissen zu müssen.

Das Dessert wird serviert, und der Geschmack des Kaffees erfüllt sie mit Traurigkeit.

Sie erwacht auf dem Rücksitz des Wagens und zuckt zusammen, als Henri sie auf den Arc de Triomphe hinweist. «Ja, ja», sagt sie, «er ist schön», obwohl rechts und links von ihnen andere Wagen sind und sie nicht viel sehen kann. Sie kommen an einem Turm vorbei und fahren am Flussufer entlang. Henri schaltet das Radio ein und summt. Bald biegen sie auf eine Schnellstraße ein, und als Zoli sich umsieht und feststellt, dass sie in der Aufzugkabine ist, kommt es ihr so vor, als wären nur wenige Sekunden vergangen. Sie gerät in Panik und will auf einen der Knöpfe drücken, aber ihre Tochter fällt ihr in den Arm, streichelt sie und sagt: «Schon gut, Mama, wir werden blitzschnell oben sein.» Und tatsächlich sieht sie in Gedanken, wie auf ein Stichwort, einen Blitz flackern. Als sie die Wohnung betreten, spürt sie, dass ihre Tochter sie stützt. Zoli lässt sich auf das Bett fallen und lacht. «Ich glaube, ich habe zu viel Wein getrunken.»

Am nächsten Morgen steht sie früh auf, kniet neben dem Sofa nieder und kämmt das Haar ihrer schlafenden Tochter, wie sie es früher immer getan hat, als Francesca noch ein kleines Mädchen war. Francesca bewegt sich, lächelt. Zoli gibt ihr einen Kuss auf die Wange und geht in die Küche, um Frühstück zu machen. An der Kühlschranktür ist mit einem Magneten ein Zettel befestigt. Sie streicht mit dem Magneten über ihr Haar, und plötzlich steht Francesca, das Telefon am Ohr, hinter ihr. «Was machst du da, Mama?»

«Ach, nichts, Franca», antwortet sie, und der Name ist

dem von Conka so ähnlich, dass er in ihrer Brust noch immer bisweilen eine Leere entstehen lässt.

«Wofür ist der Magnet?»

«Ich weiß nicht», sagt Zoli. «Für gar nichts eigentlich.»

Ihre Tochter spricht rasend schnell in das Telefon. Wie es scheint, gibt es bei der Konferenz ein Platzproblem: Einige Räume sind zu klein. Francesca legt auf und seufzt. Sie öffnet eine Dose mit Kaffeebohnen, mahlt sie und füllt Wasser in eine Maschine. So viele weiße Apparate, denkt Zoli. Sie spürt eine leichte Spannung zwischen ihnen, und das will sie nicht, das wird sie nicht hinnehmen, ganz gleich, ob es bei der Konferenz Probleme gibt oder nicht. Sie fragt Francesca, wie sie geschlafen hat, und die antwortet: «Prima», und dann stellt Zoli dieselbe Frage noch einmal auf Romani. Es ist das erste Mal, dass sie diese Sprache benutzt, die Worte haben etwas Aufrüttelndes, und Francesca beugt sich vor und sagt: «Ich wollte, du würdest auf der Konferenz sprechen, Mama, ich wollte, du würdest das tun.»

«Worüber sollte ich denn sprechen?»

«Du könntest ein Gedicht vorlesen. Die Zeiten haben sich geändert.»

«Für mich nicht, Čhonorroeja.»

«Du würdest vielen Menschen etwas Gutes tun.»

«Das haben sie vor fünfzig Jahren auch gesagt.»

«Manchmal dauert es eben fünfzig Jahre. Es werden Menschen aus ganz Europa da sein, sogar ein paar aus Amerika.»

«Was gehen mich Amerikaner an?»

«Ich will damit nur sagen, dass es die größte Konferenz seit Jahren sein wird.»

«Macht dieses Ding einen guten Kaffee?»

«Bitte, Mama.»

«Ich kann nicht, Čhonorroeja.»

«Wir haben so viel Geld hineingesteckt. Es ist eine Riesensache, es kommen Leute aus aller Welt, es ist wie ein Mosaik. Sie kommen von überall her.»

«Letztlich wird es nichts bewirken.»

«Das glaubst du nicht», sagt ihre Tochter. «Das hast du noch nie geglaubt, Mama.»

«Hast du irgendjemandem von den Gedichten erzählt?»

«Nein.»

«Schwörst du?»

«Ich schwöre. Bitte, Mama.»

Sie legt die Hände auf den Tisch, mit Nachdruck, als wäre dieses Thema etwas, das sich mit den Fingern kneten lässt. Schweigend sitzen sie an dem kleinen, runden Küchentisch mit der roh behauenen Platte. Sie weiß, dass ihre Tochter viel Geld für diesen Tisch bezahlt hat – er ist schön gearbeitet, stammt aber dennoch aus einer Fabrik. Vielleicht ist es eine Mode. Manche Dinge kehren immer wieder. Eine Erinnerung überfällt sie: Enrico legte die gespreizte Hand auf den Küchentisch und stach mit einem Messer zwischen die Finger, immer und immer wieder, so lange, bis das Holz der Platte am Kopfende des Tisches ganz rau und zerkerbt war.

«Weißt du was, Franca? Dieser Kaffee schmeckt grässlich – dein Vater würde sich im Grab umdrehen.»

Sie sehen einander an, Mutter und Tochter, und beide lächeln breit bei dem Gedanken an diesen Mann, der nun für einige Sekunden zwischen ihnen erscheint.

«Du weißt, dass ich noch immer beschmutzt bin, ganz gleich, was geschehen ist.»

«Aber du hast doch selbst gesagt, das sei alles vorbei.»

«Ja, diese Zeiten sind vorbei, aber ich gehöre noch immer zu ihnen, zu diesen alten Zeiten.»

«Ich liebe dich, Mama, aber du kannst einen zur Verzweiflung bringen.»

Francesca sagt es mit einem Lächeln, aber Zoli wendet sich ab und sieht zum Küchenfenster. Von dort ist es noch ein Meter bis zur Mauer des Nachbarhauses.

«Komm», sagt Zoli, «lass uns einen kleinen Spaziergang machen. Diese Frauen gestern, beim Markt – die möchte ich nochmal sehen. Vielleicht können wir auch ein paar Kopftücher kaufen.»

«Kopftücher?»

«Und dann kannst du mir zeigen, wo du arbeitest.»

«Mama.»

«Das möchte ich jedenfalls tun, Čhonorroeja. Ich möchte einen kleinen Spaziergang machen. Das brauche ich.»

Als sie aus dem Haus treten, ist Zoli bereits außer Atem. Aus den Bäumen fliegen Stare auf und flattern über ihnen herum. Sie gehen auf dem Bürgersteig mit den rissigen Platten, Francesca drückt sich ihr Handy ans Ohr. Zoli weiß, es geht um Absagen, Registrierungen, Essenszeiten und tausend andere Dinge, eines wichtiger als das andere. Ihr fällt ein, dass sie nie im Leben ein Telefon besessen hat, und sie erschrickt, als Francesca ihr Handy zu- und wieder aufklappt, es am ausgestreckten Arm hält, auf einen Knopf drückt und ihr dann das Foto zeigt.

«Älter als ein Stein», sagt Zoli.

«Aber schöner.»

«Dieser junge Mann ...»

«Henri.»

«Sollte ich schon mal Lindenzweige schneiden?»

«Natürlich nicht, Mama! Manchmal gehen mir die Männer so auf die Nerven. Immer soll ich das Zigeunermädchen sein. Sie denken, dass ich beim Frühstück, ich weiß auch nicht ...»

«Mit den Fingern schnippe?»

«Ich hab schon so viele kennengelernt, vielleicht sollte ich mir einen Buchhalter zulegen.»

Schweigend, froh sitzen sie eine Weile in der Sonne, dann gehen sie Arm in Arm zurück zu Francescas Wagen, einem violettroten, käferförmigen Ding. Zoli setzt sich auf den Beifahrersitz, angenehm überrascht angesichts der Unordnung. Auf dem Boden liegen Pappbecher, Papier und Kleidungsstücke herum, und der Aschenbecher quillt über. Es gefällt ihr sehr, dieses komplizierte Versprechen eines so anders gearteten Lebens. Zu ihren Füßen sieht sie eines der bunten Faltblätter mit dem Programm der Konferenz. Während der Wagen sich in Bewegung setzt, versucht sie, die fremden Worte zu enträtseln. Schließlich sagt Francesca, während sie hochschaltet: «‹Vom Wohnwagen ins Parlament – Vermächtnis und Vorstellungswelt der Roma›.»

«Große Worte.»

«Aber gute Worte, findest du nicht?»

«Ja. Eigentlich gefallen sie mir.»

Und das stimmt, denkt sie – dieses Motto verspricht Kraft und Schwung, Anstand und Respekt, alles Dinge, die sie sich für ihre Tochter immer gewünscht hat. Das hölzerne Rad auf dem Faltblatt ist umgestaltet worden: Zwischen den Speichen sieht man eine Roma-Fahne, die leeren Sitzreihen eines Parlaments und ein tanzendes Mädchen. Am Rand des Faltblatts verblassen die bunten Farben. Sie bückt sich, hebt es auf und weiß, dass ihre Tochter sich jetzt freut. Als sie es auffaltet, sieht sie Namen, Termine, Saalnummern. Es wird Empfänge und festliche Abendessen geben. Sie wird, denkt sie, nicht hingehen.

Auch Fotos einiger Teilnehmer sind abgedruckt – Zolis Blick fällt auf das einer Tschechin mit hohen Wangenknochen und dunklen Augen, einer Professorin, einer Roma, und sie ist verblüfft, lässt sich aber nichts anmerken. Sie legt das Programm wieder auf den Boden, beißt, als sie durch ein Schlagloch fahren, die Zähne zusammen und sagt: «Ich kann's kaum erwarten.»

«Wenn du sprechen willst, könnte ich was arrangieren, bei der Gala vielleicht oder am letzten Abend.»

«Ich mag keine Galas, Franca.»

«Früher schon.»

«Früher, ja. Damals.»

Sie fahren hinaus in einen Vorort von Paris. In der Ferne sieht Zoli ein paar niedrige Wohnblocks. Sie denkt daran, wie sie mit Enrico auf dem Hügel stand und auf Bratislava blickte. Sie spürt seine zärtliche Berührung, atmet seinen Duft und sieht – sie weiß nicht, warum –, dass seine Hosenbeine im Wind flattern.

«Und hier arbeitest du?»

«Wir haben hier draußen eine Klinik.»

«Diese Leute sind arm», sagt Zoli.

«Wir bauen gerade ein Zentrum auf. Wir haben fünf Anwälte. Es gibt eine Hotline für Asylbewerber. Viele sind Muslime. Nordafrikaner. Auch Araber.»

«Und unsere Leute?»

«Ich leite ein Projekt an den Schulen in Saint Denis. Und eins in Montreuil. Künstlerische Gestaltung für

Roma-Mädchen. Du kannst dir später Bilder ansehen, die sie gemalt haben – ich zeig sie dir.»

Sie parken im Schatten der Wohnblocks. Zwei kleine Jungen rollen einen Autoreifen über den Bürgersteig. Die Spiele bleiben dieselben, denkt Zoli. Ein paar Männer stehen brütend vor dem grauen, mit bunten Graffiti besprühten Rollladen eines geschlossenen Geschäftes. Vor der Tür eine Katze, aufmerksam, mit hohen Schultern. Ein älterer Junge zieht seine Jacke hoch und tritt nach der Katze, die ein paar Meter durch die Luft fliegt, aber geschickt landet und davonrennt. Der Junge öffnet die Jacke ein Stück und steckt den Kopf hinein.

«Klebstoff», sagt Francesca.

«Was?»

«Er schnüffelt Klebstoff.»

Zoli mustert ihn. Die Papiertüte pulsiert wie ein seltsames graues Herz.

Ein Gedanke kehrt zu ihr zurück: Paris – eine breite, elegante Avenue aus Vokalen und Konsonanten.

Sie haken sich unter, und Francesca sagt etwas über die Arbeitslosenquote, aber Zoli hört gar nicht hin, sondern sieht nach den Schatten, die auf den oberen Balkonen der Wohnblocks erscheinen und verschwinden. Sie streicht ihr Kleid glatt, als sie über verdorrten Rasen zur Tür einer auf Betonblöcken stehenden Baracke gehen. Sie ist mit einer dicken Querstange versehen. Francesca holt einen Schlüsselbund hervor, schließt auf und drückt gegen die Stange, worauf die Tür sich öffnet. Drinnen sind zwei Reihen von Arbeitsnischen, in denen hauptsächlich junge Frauen sitzen. Sie heben die Köpfe und lächeln. Francesca ruft dem Wachmann am anderen Ende der Baracke zu, dass er die Tür wieder abschließen soll.

«Aber wie kommen wir dann wieder raus?», fragt Zoli.

«Es gibt noch eine andere Tür – die bewacht er. Die Vordertür ist immer abgeschlossen.»

«Aha.»

Das Klappern der Tastaturen erstirbt, und über den Trennwänden erscheinen Köpfe.

«Hallo, zusammen!», ruft Francesca. «Das ist Zoli, meine Mutter.»

Und bevor sie auch nur Luft holen kann, ist sie von einem halben Dutzend Leuten umringt. Sie fragt sich, was sie tun soll – das Kleid raffen und einen Knicks machen? –, oder ob sie jetzt jeden küssen muss, wie es in Frankreich üblich ist, aber sie schütteln ihr die Hand und sagen anscheinend, wie sehr sie sich freuen, sie endlich kennenzulernen. Das «endlich» – das französische Wort klingt ähnlich wie das italienische – ist wie ein schmales Messer zwischen ihren Schulterblättern, und sie weiß nicht, in welcher Sprache sie antworten soll. Sie drängen sich um sie, und sie spürt, dass ihr Herz viel zu schnell klopft. Sie sieht sich nach ihrer Tochter um, kann sie aber nirgends entdecken. All diese Gesichter, so viele, lieber Himmel, so viele Gesichter, und mit einem Mal geht ihr das Wort «Eiderdaune» durch den Kopf, sie weiß nicht, warum. Ihre Knie geben ein wenig nach, sie ist auf einer Straße, sie biegt um eine Ecke, doch sie fängt sich, schüttelt den Kopf, ist wieder in der Gegenwart, und plötzlich ist Francesca da und stützt sie. «Du bist ganz blass, Mama – ich hole dir ein Glas Wasser.»

Man führt sie zu einem braunen Drehsessel. Sie lehnt sich zurück und sagt: «Ist schon gut, es war nur eine so lange Reise.»

Und als Francesca ihr das Glas reicht, fragt sie sich, in

welcher Sprache sie diesen Satz gesagt hat und was sie damit eigentlich sagen wollte.

«Das ist mein Arbeitsplatz», sagt Francesca.

Zoli sieht Fotos: sie und Enrico an einem Sommernachmittag im Tal. Sie streicht über sein sonnenverbranntes Gesicht. Eines zeigt Francesca als Achtjährige: Sie trägt ein kleines Kopftuch und steht vor der Mühle, deren Rad sich dreht und leicht unscharf ist. Haben wir wirklich so gelebt?, denkt sie. Sie will die Frage laut stellen, doch aus ihrer Kehle kommt kein Laut, und sie zwingt sich zurück in die Gegenwart, kneift sich ins Handgelenk und sagt, dass ihr das Büro gefällt – dabei ist es hier eng und stickig, und das Dach ist undicht.

«Was hast du eben von Eiderdaunen gesagt, Mama?»

«Ich weiß es nicht mehr.»

«Du bist ganz blass», wiederholt Francesca.

«Es ist ein bisschen warm hier drinnen.»

Ihre Tochter schaltet einen kleinen weißen Ventilator an und richtet ihn auf Zolis Gesicht.

«Ich war schon immer ziemlich blass», sagt Zoli, und das soll ein Witz sein, ist aber keiner, denn niemand versteht ihn, nicht einmal ihre eigene Tochter. Sie beugt sich vor und schaltet den Ventilator aus, und dann spürt sie Francescas warmen Atem auf der Wange, als diese sagt: «Vielleicht sollte ich dich lieber wieder nach Hause bringen, Mama.»

«Nein, nein, mir geht's gut.»

«Ich muss nur ein paar Telefongespräche führen.»

«Ja, mach nur, Chonorroeja.»

«Ja? Nur ein paar Telefongespräche. Ich muss bloß ein paar Sachen erledigen, und dann bin ich ganz für dich da.»

«Kopftücher», sagt Zoli und weiß abermals nicht, warum.

Als sie durch die Hintertür hinausgehen, schlendern ein paar Jungen vorbei. Einer schleppt auf der Schulter ein riesiges Radio. Sie tragen Baseballmützen, den Schirm im Genick, übermäßig weite Hosen und bunte Schuhe. Die Melodie des Liedes, laut und durchdringend, ist ihr nicht ganz fremd – sie glaubt, es schon einmal irgendwo gehört zu haben, aber vielleicht sind alle Lieder letzten Endes nur ein einziges Lied –, und für einen Augenblick würde sie am liebsten mit den Jungen gehen, über den Schuttberg klettern und sich mit ihnen auf die Baustelle setzen, um herauszufinden, woher sie dieses Lied kennt.

«Fahr mich ein bisschen herum, Franca», sagt sie.

«Aber du bist müde.»

«Bitte. Ich möchte ein bisschen herumgefahren werden.»

«Du bist der Boss», sagt ihre Tochter, und Zoli weiß, es ist nett gemeint, auch wenn es schroff und seltsam klingt. Sie gehen um die Baracke herum, und Francesca bleibt unvermittelt stehen. «Scheiße», sagt sie, beugt sich über die Kühlerhaube und hebt die Scheibenwischer an. «Sie haben die Gummis geklaut», sagt sie. «Daraus machen sie Steinschleudern. Schon das vierte Mal in diesem Jahr. Scheiße!»

Hinter dem Wagen landet ein Stein und rollt über den Asphalt.

«Steig ein, Mama.»

«Warum?»

«Steig ein! Bitte.»

Zoli setzt sich auf den Beifahrersitz. Ihre Tochter lehnt sich mit der Brust an den Wagen, und Zoli hört sie aufgeregt ins Telefon sprechen. Gleich darauf erscheint der Wachmann, sein Funkgerät knarzt. Francesca zeigt auf ein paar Kinder, die in alle möglichen Richtungen davonrennen. Der Wachmann beugt sich zu Zolis Fenster hinunter. «Es tut mir sehr leid, Madame», sagt er mit schwerem afrikanischem Akzent. Dann geht er mit müden Schritten in Richtung Baustelle.

«Das ist doch nicht zu fassen!», sagt Francesca. «Ich muss dich hier rausbringen.»

«Ich will es aber sehen.»

«Was gibt's da zu sehen, Mama? Das hier ist kein friedliches Alpental. Manchmal weigert sich die Polizei zu kommen. Es gibt jetzt Nachbarschaftspatrouillen, seitdem ist es ein bisschen ruhiger geworden. Mama, wäre es nicht besser, wenn …? Es tut mir leid, Mama, ich hätte dich nicht hierher bringen sollen.»

«Und wo sind unsere Leute?»

«Unsere?»

«Ja, unsere.»

«In Block 8. Weiter hinten, an der Schnellstraße, gibt es noch ein paar. Sie haben sich Hütten gebaut. Mal sind sie weg, dann sind sie wieder da.»

«Dann fahr mich zu Block 8.»

«Das ist keine gute Idee, Mama.»

«Bitte.»

Francesca gibt Gas, fährt an verrammelten Geschäften vorbei und hält vor einer Reihe gelber Poller. Sie zeigt auf ein sechsstöckiges Gebäude. Auf den Balkonen hängt Wäsche, gesprungene Fenster sind mit dickem, grauem Isolierband verklebt.

Zoli beobachtet ein kleines Mädchen, das über den Vorplatz rennt, einen Kleiderbügel in der Hand, an dessen

Ende eine rote Papierblume befestigt ist. Die Kleine hüpft durch die düstere Szenerie, vorbei an einem ausgebrannten Lieferwagen, und steigt auf ein schwarzes Klettergestell. Sie lässt den Kleiderbügel über ihrem Kopf wirbeln. Die Papierblume löst sich. Das Mädchen springt und fängt die Blume in der Luft.

«Wie viele leben hier, Franca?»

«Ein paar hundert.»

Auf einem der Balkone erscheint die Gestalt einer sehr dicken Frau. Sie beugt sich über das Geländer – das Fett ihrer Arme schwabbelt – und schreit dem Mädchen etwas zu. Das Kind huscht in den Schatten des Treppenhauses, hält inne, schleudert die Papierblume mit einer Bewegung aus dem Handgelenk noch einmal in die Luft und ist verschwunden. Zoli hat das Gefühl, dieses Mädchen schon einmal gesehen zu haben, an einem anderen Ort, zu einer anderen Zeit. Wenn sie lange genug darüber nachdenkt, wird ihr einfallen, wann und wo das war.

Das Mädchen erscheint auf dem obersten Balkon. Es hüpft dahin und wird unvermittelt durch eine Tür gezogen.

«Es tut mir leid, Mama.»

«Ist schon gut, mein Schatz.»

«Wir versuchen, ihnen zu helfen, so gut es geht.»

«Na los, Pferd, scheiß!», flüstert Zoli. Der Motor heult auf, sie fahren weiter.

An der Schnellstraße erblickt Zoli das Lager, das entlang einer halb fertiggestellten Straße errichtet ist. Die Türen der Wohnwagen sind offen, und daneben stehen mit aufgeklappten Motorhauben vier ausgebrannte Lieferwagen. Drei Männer mit nackten Oberkörpern beugen sich über einen Motor. Ein halbwüchsiger Junge zieht einen Stock hinter sich her und wirbelt blasse Aschewolken auf. Ein paar alte Männer sitzen wie aus Stein gehauen auf Stühlen. Einer von ihnen wischt sich mit dem Hemdzipfel über den Mund. Von verschiedenen Feuern steigt Rauch auf. An einem Telefondraht hängt ein Sortiment Schuhe, und rings um eine umgekippte Schubkarre liegen alte Reifen.

In rauem, kaltem Schweigen fahren sie vorbei.

Zoli starrt hinaus: vorbeiwischende Wagen, Leitplanken, niedrige Büsche, das Stakkato der weißen Markierungslinien.

«Wer sind diese Leute heute Abend?»

«Was?»

«Bei der Konferenz.»

«Akademiker», sagt Francesca. «Sozialwissenschaftler. Es gibt jetzt auch Roma-Schriftsteller, Mama. Einige Dichter. Einer kommt aus Kroatien. Es sind ein paar wirklich brillante Leute da, Mama. Dieser Kroate ist ein Dichter. Einer kommt von der Universität von –»

«Schön.»

«Mama, geht's dir gut?»

«Hast du die Schubkarre gesehen?»

«Mama?»

«Jemand sollte sie umdrehen.»

«Keine Sorge, wir sind bald zu Hause.»

In der Wohnung schläft sie schnell ein, das Kissen an die Brust gedrückt. Kurz nach Mittag erwacht sie, es ist ganz still. Im Badezimmer trinkt sie lange vom Wasserhahn. Sie zieht sich an und legt sich, die Hände über dem Bauch gefaltet, wieder auf das Bett. So könnte sie es lange aushalten, denkt sie. Nur ein bisschen Aussicht wäre schön, ein Sessel vielleicht, etwas Sonne.

Am frühen Nachmittag kommt Henri hereingeschlendert. Als sein Blick auf sie fällt, hält er inne, als hätte er vergessen, dass sie da ist. Er trägt eine gebügelte weiße Hose und ein hellblaues Hemd. Er telefoniert, lächelt breit und wirft ihr einen Kuss zu. Zoli weiß nicht, was sie von dieser Geste halten soll. Sie nickt zurück. Das ist sein Zimmer, denkt sie, das sind seine Hemden, sein Schrank, seine Bilderrahmen. In einem davon ist sie.

Im Badezimmer wäscht sie sich das Gesicht mit kaltem Wasser und macht sich bereit, ins Wohnzimmer zu gehen. Sie ist froh, Francescas Stimme zu hören, die in der Küche von irgendeinem Missverständnis beim Catering-Service erzählt. Henri versucht anscheinend, die Band aufzutreiben, die heute Abend bei der Eröffnung spielen soll, sich aber irgendwo betrunken hat.

«Nein, Schotten», ruft er ins Telefon. «Es sind Schotten, keine Iren!»

Francesca steckt den Kopf durch die Tür, zwinkert Zoli zu und macht mit der freien Hand kurbelnde Bewegungen, als wollte sie ihr Telefongespräch beschleunigen. Zoli setzt sich auf das Sofa und schlägt den Bildband über Indien auf. Leichname am Ufer des Ganges. Eine Menschenmenge vor einem Tempel. Sie blättert gerade um, als Henri plötzlich hektisch mit den Fingern schnippt, erst in Francescas, dann in Zolis Richtung. «Mein Gott, mein Gott, mein Gott!», ruft er, legt auf und stellt den Fernseher lauter. Auf dem Bildschirm ist er zu sehen, angespannt und nervös. Die Kamera fährt auf eine Gruppe tanzender Mädchen in traditionellen Kostümen. Das Motto der Konferenz wird eingeblendet, dann sieht man wieder die tanzenden Mädchen.

Francesca setzt sich neben Zoli auf das Sofa, und als der

Bericht zu Ende ist, nimmt sie die Hand ihrer Mutter und drückt sie.

«Und? Wie war ich?», fragt Henri und fährt sich mit den Fingern durch das Haar.

«Perfekt», sagt Francesca. «Nur die Zwangsjacke hättest du vorher ausziehen sollen.»

«Hm?»

«War nur ein Witz.»

Mutter und Tochter halten sich an den Händen und lehnen sich aneinander. Licht fällt durch die Vorhänge und ergießt sich zu ihren Füßen.

«Ein bisschen lockerer», sagt Francesca. Sie legt ihren Kopf an Zolis Schulter, und sie lachen im Chor.

«Also, ich fand mich ganz gut.»

Er dreht sich um und stapft in die Küche.

Die Stirnen der beiden Frauen berühren sich. Zoli hat das Gefühl, dass dieser nicht erbetene, nicht erzwungene Augenblick vollkommen ist. Sie würde jetzt gern die Zeit anhalten, aufstehen, ihre Tochter in der Wärme ihres Lachens auf dem Sofa sitzen lassen, an der Wohnungstür ihre Schuhe anziehen, die Treppe hinunter und durch die stillen Straßen gehen und die in diesem einen Augenblick eigenartiger Schönheit eingefrorene Stadt verlassen; sie würde am liebsten im Zug, dem einzigen sich bewegenden Ding, durch Paris schweben und heimfahren.

Zoli sitzt auf dem Badewannenrand und duscht, hält das Gesicht in die feinen Strahlen. Winzige Tropfen benetzen ihr Haar. Aus dem Schlafzimmer hört sie Geräusche: rasche Schritte, das Knallen einer Schranktür. Henris Stimme klingt gehetzt, er sucht seine Manschettenknöpfe. Francesca drängt ihn zur Eile – er muss sich auf den Weg machen. Schließlich verstummt sie, und dann ertönt ein langer Seufzer.

Zoli schließt die Augen und lässt das Wasser an ihrem Körper herabrinnen.

Die Wohnungstür wird lauter als sonst zugeschlagen. Ein leises Klopfen an der Badezimmertür.

«Die Luft ist rein, Mama.»

Sie ziehen sich im Schlafzimmer an. Zoli kehrt Francesca den Rücken, erhascht aber in einer Ecke des Spiegels auf dem Frisiertisch einen Blick auf ihre Tochter: die straffe Haut an der Taille, die braune Länge ihres Beins. Francesca windet sich in ein blaues Kleid und schlüpft in hochhackige Schuhe.

Zoli lehnt sich an den Frisiertisch und schließt vor dem Spiegelbild die Augen. «Vielleicht sollte ich lieber nicht mitkommen, Chonorroeja. Ich bin müde.»

«Du musst aber mitkommen, Mama. Es ist die Eröffnung.»

«Mir ist ein bisschen schwindlig.»

«Ich verspreche dir: Du brauchst dir keine Sorgen zu machen.»

«Aber ich könnte doch hier bleiben. Ich könnte mir Henri im Fernsehen ansehen.»

«Und vor Langeweile sterben? Ach, komm schon, Mama!»

Francesca kramt in einer Schublade, stellt sich hinter Zoli und legt ihr eine lange Halskette um. «Es ist eine alte persische Kette», sagt sie. «Ich hab sie auf dem Markt in Saint Ouen gefunden. War gar nicht teuer. Sie ist für dich.»

Ihre weiche Hand streicht über Zolis Kehle.

«Danke», sagt Zoli.

Während der Fahrt durch ein Labyrinth aus Schnellstraßen und Brücken trommelt Francesca mit den Fingern auf dem Lenkrad und erzählt, dass es beinahe unmöglich war, ein Hotel für die Konferenz zu finden. «Wir mussten die Worte ‹der Roma› durch das Wort ‹Europas› ersetzen, sonst hätte es nicht geklappt.» Sie lacht und wischt mit einem Zipfel ihres Schals einen Fleck von der Windschutzscheibe. «‹Vermächtnis und Vorstellungswelt Europas›! Muss man sich mal vorstellen! Aber auf dem Faltblatt stand natürlich der richtige Titel, und da wollten die vom Hotel das Ganze stornieren. ‹Zigeuner wollen wir nicht›, haben sie gesagt. Wir mussten damit drohen, vor Gericht zu gehen, worauf sie den Preis erhöht haben, sodass wir beinahe alles hätten abblasen müssen.»

Sie hält vor dem Hotel. Vor der Tür stehen Palmen. Viel Glas und überzuckerte Billigkeit.

«Und sie wollten wissen, ob die Leute mit Pferdewagen kommen würden!» Sie rollen noch, als sie den Sicherheitsgurt öffnet, lacht und auf das Lenkrad schlägt, aber versehentlich die Hupe trifft, sodass es scheint, als käme der Wagen wütend am Bordstein zum Stehen. Sie streift den Gurt ab. «Da wären wir.»

Zoli hört Vogelgesang, und es dauert einen Augenblick, bis sie merkt, dass er aus Lautsprechern kommt. Sosehr die Welt sich auch verändert, sosehr bleibt sie, wie sie immer war. Sie tritt in die Drehtür, so langsam, dass die von einem Motor angetriebene Tür beinahe ihre Ferse trifft. Sie geht weiter, die Tür geht mit, und es ist, als wäre Zoli in einem Mühlrad.

«Ich hasse diese Türen», sagt Francesca und führt Zoli durch den Korridor, vorbei an einer Reihe kleiner Hinweisschilder, bis sie vor dem Konferenzsaal angekommen sind, wo eine Großausgabe des Faltblatts aufgehängt ist.

Zoli sieht einige Frauen aus Francescas Büro, ihr offenes Lächeln. Im Meer der Gesichter erblickt sie auch ein paar Roma – sie erkennen einander immer: die Augen, die raschen Blicke, die Hände, die in freudigem Willkommen auf Schultern gelegt werden. Meine Sprache, denkt sie. Sie hört Worte, die wie Vögel von einem Ende des Raumes zum anderen flattern. Sie schwankt, es ist, als wäre Luft in ihren Beinen. Jemand drückt ihr ein Glas Wasser in die Hand.

Zoli nimmt einen Schluck und fühlt sich mit einem Mal ganz leer. Wozu all das? Wozu all die Aufregung? Warum nicht lieber heimfahren in ihr Tal und zusehen, wie die Sonne untergeht?

Sie sieht Henri, der einem hochgewachsenen Mann mit weißem Hut die Hand schüttelt.

«Das ist der Dichter», flüstert Francesca. «Und da drüben steht einer unserer größten Sponsoren, ich stelle ihn dir später vor. Und die Frau da ist eine Reporterin von *Paris Match* – sieht sie nicht toll aus?»

Alle Gesichter verschwimmen zu einem einzigen. Zoli wünscht sich Wut, findet jedoch keine. Sie will die Hand nach etwas ausstrecken, nach irgendetwas, einem Zaunpfosten, einem Rosenbusch, einem rauen Holzgeländer, dem Arm ihrer Tochter.

«Mama?»

«Ja, ja, es geht mir gut.»

Eine Glocke läutet, und Francesca führt Zoli durch den Korridor zum Ballsaal, wo silbernes Besteck und gefaltete Servietten auf runden Tischen arrangiert sind.

Das Gemurmel und Gelächter erstirbt nach und nach, denn jemand schlägt mit einem Messer gegen ein Glas. Ein Redner steht auf dem Podium, ein hochgewachsener

Schwede, dessen Worte ins Französische übersetzt werden. Zoli versteht nichts, und das ist ihr auch ganz recht, aber Francesca beugt sich hin und wieder zu ihr und flüstert ihr ins Ohr, was der Schwede gesagt hat: ein klares Bewusstsein unserer eigenen Geschichte, Erinnerung als Trichter, Verständnis für das Schweigen der Roma, mangelnder Schutz durch öffentliches Bewusstsein, mangelnder Schutz der Traditionen, die allen Dingen innewohnende Erinnerung. Große Worte für so kleine Zeiten, und obwohl alles Beifall klatscht, lässt Zoli sie an sich abperlen.

Sie sieht, wie ihre Tochter in ihrem wunderschönen blauen Kleid auf das Podium steigt, um die Teilnehmer auf Romani und Französisch willkommen zu heißen und die Themen der dreitägigen Konferenz aufzuzählen: Holocaust, erzwungene Assimilation, lexikalische Verarmung, kulturelle Werte in der schottischen Balladendichtung, polizeiliche Einschätzung belgischer Roma, ökonomische Stratifizierung sowie Vermächtnis der Roma. Sie sagt, wie stolz sie ist, so viele Fachleute versammelt zu sehen, so viel Interesse geweckt zu haben. «Wir werden uns nicht mehr an den Rand der Gesellschaft drängen lassen!» – ein Satz, der bejubelt wird. Dann zählt sie die Spender und Sponsoren auf, und obwohl Zoli sie gebeten hat, ihren Namen nicht zu nennen, tut sie es dennoch, und es ist, als träte auf einmal eine Stille ein, als wäre die Luft aus dem Saal gesaugt worden. Es gibt Applaus, er ist kurz, Gott sei Dank, und es wird kein Scheinwerfer auf sie gerichtet. Henri greift nach ihrer Hand und drückt sie, und jetzt will sie tatsächlich nur wieder in der Wohnung sein und mit über dem Bauch gefalteten Händen auf dem Bett liegen, aber das alles bedeutet Francesca so viel, und darum muss sie bleiben, an der Seite ihrer Tochter. Was macht es schon? Es ist ein kleines Geschenk. Nahe ihrem Herzen spürt Zoli eine leise Scham. Ich sollte aufstehen und applaudieren. Ich sollte ihren Namen rufen. Im Vergleich zu dem hier war alles, wofür ich stand, klein. Klein, dumm und selbstsüchtig. Zoli rafft ihr Kleid, erhebt sich und klatscht, als ihre Tochter in ihren hochhackigen Schuhen lächelnd und im Triumph das Podium verlässt.

Sie umarmen einander, schmiegen sich aneinander. Das ist es, was ich habe, denkt Zoli. Das ist mein Fleisch und Blut.

Auf dem Podium weisen die schottischen Musiker den Weg in den Abend. Die Musik erfüllt den Raum – Mandoline, Gitarre, Geige. Überall erklingt Gelächter, Bewegung setzt ein. Ober, Hotelangestellte, Männer mit Lederflicken auf den Ärmeln.

Zoli lehnt sich zurück, legt die Hand an den Hals und ist überrascht, als sie die neue Kette berührt. Sie kann sich kaum daran erinnern, dass Francesca sie ihr angelegt hat. Wie lange ist es her, fragt sie sich, seit ich so etwas getragen habe? Sie schließt die Augen, um Enrico zu sehen. Er kommt den Hang herauf, kommt auf die Mühle zu, wirft, noch bevor er eintritt, den Mantel von den Schultern. Er klopft die Erde von den Stiefeln und schließt die Tür.

Spiel, Geige, denkt sie, spiel.

Die Musik wird lebendiger. Unter dem Tisch streift Zoli einen Schuh ab. Die Luft ist kühl an den Zehen. Sie zieht auch den zweiten Schuh aus und reckt den Rücken. Jemand klopft ihr leicht auf die Schulter. Hinter ihr sagt eine Stimme leise ihren Namen. Sie dreht sich um und versucht, die Schuhe wieder anzuziehen. Wieder ihr Name. Sie steht auf. Der Mann ist stämmig, etwa Mitte vierzig und hat drahtiges Haar. Er hat etwas Volles, Offenes, und auf seinem Gesicht ist ein breites Lächeln. Er streckt ihr seine dicke, weiche Hand hin.

«Dávid Smolenak», sagt er. «Aus Prešov.»

Die Luft ringsum wird plötzlich schwer.

«Sie sind doch Zoli Novotna?»

Sie starrt auf die Stifte, die aufgereiht in der Brusttasche seines Hemdes stecken.

«Sind Sie Zoli Novotna?»

Es ist seit vielen Jahren das erste Mal, dass sie Slowakisch hört. Es klingt hier so fremd, so fehl am Platz. Sie hat das Gefühl, an einen anderen Ort versetzt worden zu sein, ihr Körper spielt ihr einen Streich, ihr Geist hält sie zum Narren.

«Entschuldigen Sie», sagt er, «wahrscheinlich habe ich mich geirrt.»

Ihr Blick schweift durch den Raum, sie sieht die vielen Gesichter an den vielen Tischen. Sie stammelt, schüttelt den Kopf, nickt, ja und nein.

«Sie haben ein Buch veröffentlicht, in den fünfziger Jahren.»

«Ich bin mit meiner Tochter hier», sagt sie, als würde das ihr ganzes Leben erklären.

«Es freut mich, Sie kennenzulernen», sagt er.

Sie fragt sich, was daran so erfreulich sein könnte, und spürt von tief innen eine Hitzewallung aufsteigen.

«Aus Prešov?», sagt sie und stützt sich am Tisch ab.

«Haben Sie vielleicht eine Minute Zeit?», fragt er. «Ich würde gern mit Ihnen reden. Ich habe Ihr Buch gelesen, ich habe es in einem Antiquariat in Bratislava entdeckt. Ein wunderbares Buch. Und ich war in den Siedlungen, in Hermanovce und so. Du liebe Zeit.»

«Ja.»

Er ballt eine Faust, hustet hinein und sagt: «Es ist gar nicht so leicht, Ihre Spur zu verfolgen.»

«Meine Spur?»

«Ihr Name ist mir zuerst begegnet, als ich Artikel über andere Schriftsteller gelesen habe, über Tatarka, Bondy, Stránský.»

«Ja, ja», sagt sie, und es ist, als wären plötzlich alle Fenster geschlossen worden.

«Ich wusste nicht, dass Sie hier sein würden», sagt er und stottert beinahe. «Ich habe angenommen ...» Er lacht ein Lachen, das dazu dient, Gesprächspausen zu füllen. «Wenn Štěpán nicht gewesen wäre, hätte ich nie etwas über Sie erfahren.»

Er zündet sich eine Zigarette an. Als er die Hand bewegt, zieht sie eine blaue Fahne hinter sich her. Zoli verfolgt die Kurve, die die Zigarette auf dem Weg zu seinen Lippen beschreibt, sie beobachtet die Bewegungen der Hand in der Luft, die flinken Finger. Die Worte sind von kleinen Rauchwölkchen begleitet. Er spricht über die Slowakei, über die Nöte der Roma und die Auswirkungen der europäischen Einigung, und mit einem Mal ist er in Bratislava, erzählt von einem Wohnblock namens Pentagon, von den Graffiti im Treppenhaus, von den Händlern in den dunklen Schatten – was für Händler? denkt sie –, von einer Ausstellung und davon, dass Stránskýs Gedichte jetzt wieder auferstehen. Ein seltsames Wort, denkt sie, Stránský würde es nicht gefallen, nein. Allein der Gedanke, ihn durch den Garten in Budermice schweben zu sehen ...

Der Journalist berührt sie am Ellbogen, und sie will sagen, nein, lassen Sie mich, lassen Sie mich in Ruhe, ich bin in einem Garten, ich bin unterwegs, ich bin nicht dort, wo Sie mich vermuten, ich bin fort, aber er redet schon wieder auf sie ein, über ein Gedicht, eines ihrer alten Lieder über den Stamm einer Linde. Er hat über Stránský recherchiert und ist auf *Credo* und dann auf ein schmales Bändchen mit Gedichten gestoßen. Sie waren eigenartig, diese Gedichte, von einer seltenen Schönheit. Die Ausgabe von *Credo* war uralt und verstaubt, und als er sich auf die Suche nach dem Buch machte, sagte man ihm, er könne es vielleicht in einem Antiquariat finden, es gebe einen kleinen Kult um dieses Buch, man betrachte sie als eine Stimme, als eine neue Stimme aus der Vergangenheit, und er hat gesucht, hat gegraben, aus Neugier, und dann sagt er abermals den Namen Štěpán und erzählt, wie ihm dieser, als er ihn endlich aufgestöbert hatte, geholfen hat. Er drückt die Zigarette in eine Untertasse, doch sie qualmt weiter. Rauch steigt auf – sie sieht, wie er sich kräuselt. Štěpán, sagt der Journalist noch einmal, und dann erwähnt er ein Foto, auf dem sie vor dem Flügel im Carlton Hotel zu sehen sind – die Schönheit, die Klarheit –, und Zoli möchte sich am liebsten vorbeugen und Wasser auf den Zigarettenstummel gießen, die Glut löschen, aber je länger sie hinsieht, desto mehr Qualm steigt auf.

«Swann?», sagt sie.

«Ja.»

«Stephen Swann?»

«Ja, natürlich», sagt er.

Zoli zieht einen Stuhl heran und lässt sich darauf sinken. Sie greift nach einem Glas Wasser und hebt es an den Mund. Sie weiß nicht, wer daraus getrunken hat, aber sie dreht es ein Stück und nimmt einen Schluck. Man trinkt nicht aus dem Glas eines anderen, und doch rinnt ihr das Wasser angenehm kühl durch die Kehle.

Am anderen Ende des Saals fällt Licht auf ein blasses Gesicht.

«Ich hab ihn heute getroffen», sagt der Journalist oder vielmehr: Er scheint es zu sagen – seine Stimme ist wie verweht, sie geht an Zoli vorbei ins Irgendwo. Sie klingt in ihren Ohren wie ein Windstoß, die Worte ergeben keinen Sinn, sie bestehen nur aus bedeutungslosen Lauten. Der Journalist beugt sich vor, ernst und mit verquollenen Augen, sein Atem riecht nach Zigarettenrauch. «An der Rezeption.»

Er geht vor ihr in die Knie und legt einen Arm auf die Stuhllehne. Sie spürt das Gewicht seiner anderen Hand auf ihrem Handgelenk.

«Frau Novotna?», sagt er.

Sie erhebt sich, und da, am anderen Ende des Saales, steht Stephen Swann wie ein stummer, in sich zusammengesunkener Kummer und starrt sie an.

Für einen Augenblick denkt Zoli, dass sie sich getäuscht hat, dass ihr Kopf ihr etwas vorgaukelt, dass sie sein Gesicht in dem eines anderen zu entdecken geglaubt hat, dass die Erwähnung seines Namens ihn in einem Fremden hat auferstehen lassen, dass ihre Benommenheit sie in die Irre geführt hat, dass die Zeit zersprungen ist und in Scherben zu ihren Füßen liegt. Der Mann – ist es wirklich Swann? – sieht sie unverwandt an, eine Hand hängt schlaff an seiner Seite, die andere hält einen Stock. Er trägt einen schönen grauen Anzug. Sein Haar ist ebenfalls grau – oder vielmehr das, was von seinem Haar übrig ist, denn er hat eine Halbglatze. Die Augenlider sind schwer, sein Gesicht ist schmal, die Stirn zerfurcht. Er rührt sich nicht. Zoli sieht sich nach einem Fluchtweg um. Ihr Atem klingt wie das Keuchen einer Ertrinkenden. Wieder sucht sie ihre Tochter, packt die Lehne des leeren Stuhls neben ihr. Geh weg, denkt sie. Bitte, geh weg. Verschwinde. Die Musik ist laut und mitreißend, und ein langer Zug des Bogens über die Saiten der Geige jagt ihr einen Schauer über den Rücken.

«Bitte entschuldigen Sie mich», sagt sie zu dem Journalisten.

«Ich würde mich gern ein wenig mit Ihnen unterhalten.»

«Ich muss gehen.»

«Vielleicht später?»

«Ja, ja, später.»

Der Mann am anderen Ende des Saals – es ist Swann, sie ist ganz sicher – setzt sich, steif und auf den Stock gestützt, in Bewegung und kommt auf sie zu. Er bewegt sich in seinem Anzug, der Stoff faltet und glättet sich. Er sieht aus wie ein seltsames graues Tier.

«Wir drei werden uns unterhalten», sagt der Journalist.

«Ja, natürlich.»

«Sollen wir uns hier wieder treffen, an diesem Tisch?»

Sie starrt auf sein rundes Gesicht und sagt mit Nachdruck: «Sie müssen mich jetzt entschuldigen.»

Aus dem Augenwinkel sieht sie Swann, die schlaffen Falten an seinem Hals, die unter seinem Kragen verschwinden, und für einen Augenblick denkt sie an einen verschlissenen Vorhang. «Komm nicht hierher», flüstert sie. Sie packt die hohe Lehne eines Stuhls und schiebt ihn aus dem Weg. Er ist noch drei Tische entfernt. «Nein.» Sie rafft ihr Kleid und ballt die Faust. «Verschwinde», murmelt sie. «Geh.» Zwei Tische. Dann steht er vor ihr und sagt leise seinen Namen: «Štěpán.» Als wäre er endlich ganz und gar Slowake, als wäre er nie etwas anderes gewesen, doch dann verbessert er sich, vielleicht weil er sich an etwas erinnert, das so alt ist wie eine in eine Gruft gemeißelte Inschrift. «Stephen.»

«Ich weiß, wer du bist», sagt sie.

«Können wir uns nicht setzen?»

In diesem Augenblick wünscht sie sich nichts so sehr wie einen Korbsessel, in dem sie sitzen und den Sonnenuntergang über dem Tal sehen kann – sie will alt sein und sterben, ja, das will sie. Sie will daheim in diesem braunen Korbsessel sitzen und in Enricos Schatten sterben.

«Nein», sagt sie.

Swann setzt etwas auf, das bestimmt ein Lächeln sein soll, doch es ist keins. «Ich kann dir nicht sagen, wie … Ich bin …» – er sucht nach einem slowakischen Wort, das er vielleicht nie gekannt hat – «… so glücklich.» Seine Worte sind eine hohle Imitation seines Lächelns. Er zieht einen Stift aus der Tasche, starrt ihn an und drückt mit der blassen, zitternden Hand die Mine heraus. «Ich dachte, dir wäre etwas passiert, ich dachte, du wärst vielleicht, ich dachte all die Jahre … Es tut so gut, dein Gesicht zu sehen, Zoli, so gut. Darf ich mich setzen, bitte? Sollen wir uns nicht setzen? Wie bist du –»

«Nein.»

«Ich muss dir etwas sagen. Bitte.»

«Ich weiß, was du sagen willst.»

«Seit Jahren will ich es dir sagen. Ich dachte wirklich, du wärst –»

«Ich weiß, was du gedacht hast.»

Er räuspert sich, als wollte er fortfahren, eine Information preisgeben, das richtige Wort aussprechen, doch es kommt nicht heraus, es scheint ihm in der Kehle stecken-geblieben zu sein, und er kann sein Zittern nicht verber-gen. Er senkt den Kopf, Schatten legt sich über seine Augen.

Sie wendet sich zum Gehen und hat – sie weiß nicht, warum und woher – einen kleinen Silberlöffel in der Hand. Im ersten Augenblick will sie ihn wieder auf den Tisch le-gen, doch sie tut es nicht. Sie steckt ihn ein und ist sicher, dass irgendein Ober, der Journalist oder ein Wachmann es gesehen hat und dass jemand kommen, sie am Arm pa-cken und sagen wird: Entschuldigung, kommen Sie bitte mit, zeigen Sie mir, was Sie in der Tasche haben, Diebin, Lügnerin, Zigeunerin. Hinter sich hört sie das Klopfen von Swanns Stock, vor ihr ist eine Menschentraube – der junge kroatische Dichter ist umringt von Frauen, von Fran-cescas Mitarbeiterinnen. Swann folgt ihr humpelnd, der Stock stößt rhythmisch auf den Boden.

Die Menge sollte sich teilen wie das Meer, doch sie tut es nicht. Zoli muss auf Schultern tippen. Man dreht sich um und lächelt, aber die Stimmen klingen für Zoli, als kä-men sie aus dem Inneren eines Baumes. Sie schiebt sich vorbei, ihre Nerven liegen blank.

Von der anderen Seite des Saals sieht Francesca mit einem kleinen, verwirrten Stirnrunzeln zu ihr, aber Zoli schüttelt den Kopf und winkt, als wäre alles in Ordnung, keine Sorge, Čhonorroeja, mir geht's gut. Sie schiebt einen letzten Stuhl beiseite. Durch die Tür, auf den Korri-dor, schnell jetzt, um die Ecke.

Er hat eine Glatze bekommen, denkt sie. Alt und kahl und ein Anzug, der eine Nummer zu groß ist. Altersfle-cken auf den Händen. Weiße Knöchel. Ein Stock mit sil-bernem Griff.

Vorbei an der Rezeption, durch das Foyer und die Drehtür, wo der Portier beflissen auf sie zueilt. «Taxi, bitte», sagt sie, erst auf Slowakisch, dann auf Italienisch – am liebsten würde sie an ihrer Zunge zerren, diese Sprachen herausreißen. Der Portier lächelt und hebt die Hand. Der Handschuh ist so weiß vor dem Rot seiner Livree.

Zoli sitzt schon halb im Wagen, als ihr einfällt, dass sie kein Geld hat, und sie denkt: Wie absurd, in diesen Wagen zu steigen, in einem fremden Land, um zu einer fremden Wohnung zu fahren, und das alles ohne Geld.

«Warten Sie bitte», sagt sie zu dem Fahrer.

Ihr Blick fällt auf ein Spiegelbild in der verglasten Hotelfront: das graue Haar, das bunte Kleid, die zusammengesunkene Haltung. Den weiten Weg gemacht zu haben, nur um sich so zu sehen. Sie geht wieder durch die Drehtür. Am Ende des Korridors erblickt sie Swann. Er sieht aus, als hätte er sein Leben lang jede falsche Abzweigung genommen, die er finden konnte. Für einen Augenblick ist er wieder der Mann auf dem Motorrad, ein Kaninchen springt vor ihm auf, er muss ausweichen, die Krücken sind an die Maschine geschnallt, Licht und Dunkel über den Feldern.

Sie eilt durch einen anderen Korridor und landet in der Küche, zum Erstaunen des jungen Mannes, der Karotten in dünne Scheibchen schneidet. Jemand ruft ihr etwas zu. Sie stößt mit der Hüfte gegen eine Arbeitsplatte aus Edelstahl und folgt einer Kellnerin, die mit einem großen Tablett die Küche verlässt, in den Saal, wo sie für einen Augenblick innehält, tief durchatmet und sich – all diese Menschen, dieses Gewimmel, die aufgeräumte Stimmung, die Musik – nach Francesca umsieht.

«Mama?»

Zoli geht zu ihr und fasst sie am Arm. «Ich brauche etwas Geld.»

«Natürlich, Mama. Warum?»

«Ich muss mir ein Taxi nehmen. Ich muss nach Hause. In deine Wohnung. Schnell.»

«Was ist passiert?»

«Nichts, mein Schatz.»

«Wer war der Mann, mit dem du gesprochen hast?»

«Das war Swann», sagt sie. Sie ist überrascht. Sie wollte sagen: Niemand. Sie wollte den Kopf schütteln und die Schultern zucken. Die Frage an sich abperlen lassen, Gleichgültigkeit vortäuschen. Sie wollte dastehen, der Inbegriff gewöhnlicher Stärke. Doch sie tut nichts davon. Stattdessen wiederholt sie es: «Das war Stephen Swann. Er ist mit irgendeinem Journalisten gekommen.»

«O Gott.»

«Ich brauche etwas Geld für ein Taxi.»

«Was hast du zu ihm gesagt?»

«Was ich zu ihm gesagt habe? Ich weiß nicht, was ich gesagt habe, Franca. Ich muss gehen.»

«Was macht er hier?»

«Ich weiß es nicht. Weißt du es?»

«Wie soll ich das wissen, Mama?»

«Sag es mir.»

«Nein», sagt ihre Tochter. «Ich hatte keine Ahnung.»

«Gib mir bitte Geld. Es tut mir leid. Es war nicht so gemeint. Ich bitte dich und deine schönen Augen um Verzeihung, Franca.»

Ein Licht streicht über das Tal, durch Baumwipfel sieht sie einen Vogel fliegen, vor ihr ist eine weiße Straße, die bergauf führt. Sie schwankt. Francesca nimmt ihren Ellbogen und legt den anderen Arm fest um ihre Taille.

Die Hoteltapete zieht vorbei, Gläser werfen Lichtblitze zurück, auf den unteren Ecken der Fenster sind Fingerabdrücke. Swann lehnt, eingerahmt von billigen Drucken, an der Wand und atmet schwer. Neben ihm steht mit gesenktem Kopf der Journalist und kritzelt etwas auf einen Notizblock. Als Zoli und Francesca vorbeigehen, sieht Swann auf. Seine Lippen bewegen sich, er hebt den Arm.

«Dreh dich nicht um», sagt Zoli. «Dreh dich bitte nicht um.»

Sie gehen zur Drehtür, begleitet von dem Vogelgezwitscher aus den Lautsprechern. Francesca drückt ihr ein paar Geldscheine in die Hand.

«Ich schwöre dir, Mama, ich hatte keine Ahnung. Bei meinem Leben.»

«Bring mich bis zum Taxi.»

«Ich komme mit.»

«Nein. Ich will allein sein.»

Als sie sich auf den Rücksitz setzt, riecht sie das Parfüm ihrer Tochter. «Die Schlüssel!», ruft Francesca, und Zoli kurbelt das Fenster hinunter und nimmt den Schlüsselbund.

Das Taxi fährt los, und Zoli sieht, dass ihre Tochter ihr etwas nachruft – ich liebe dich, Mama –, und im Foyer versucht Swann, sich durch die Menge zu drängen. Er ist dünn und zittert. Er sieht aus wie ein Mann, der es sich nicht leisten kann zu gehen, aber auch nicht bleiben will, und so tut er beides.

Das Taxi biegt auf die Straße ein, und Zoli lässt sich in das warme Kunststoffpolster sinken und blickt in den beunruhigend schönen Himmel.

Ohne auch nur eine Sekunde zu zögern, tritt sie in die Aufzugkabine, legt die Stirn an die kühle Holztäfelung und denkt an das Geräusch des Stocks, an das Schimmern des Lichts auf seiner Stirn, an die Konturen seiner Stirn.

Es dauert lange, bis sie auf einen Knopf drückt.

Es schnarrt und rumpelt, und sie wird emporgehoben. Im zweiten Stock öffnet sich die Tür, eine junge Frau mit Hund tritt ein. Zoli geht den Rest des Weges zu Fuß. Schließt die Tür auf. Tastet sich im spärlichen Licht durch den langen Flur. Sie lässt ihr Kleid auf den Boden fallen, der Löffel gleitet aus der Tasche. Sie streift auch das Unterkleid ab, steht nackt vor dem hohen Spiegel und betrachtet ihren Körper – ein armseliges Ding, braun und faltig. Sie löst ihr aufgestecktes Haar. Sie verstößt gegen alle uralten Gesetze. Im Wohnzimmer nimmt sie das Foto von Enrico von dem Bord am Fenster und zieht es aus dem Rahmen. Sie geht ins Schlafzimmer, legt sich ins Bett, krümmt sich zusammen und drückt das Foto unter ihre linke Brust.

Für einen Augenblick wünscht sie, sie hätte sich ange- hört, was Swann zu sagen hatte – aber was hätte er schon sagen sollen, was hätte er sagen können, was für einen Sinn hätte es gehabt? Sie schließt die Augen und ist dank- bar für die Dunkelheit. Muster ziehen vorbei, Kristalle, sanft fallende Schneeflocken. Keine Tage sind voller als die, zu denen wir zurückkehren.

Sie erwacht von Geräuschen. Mehrere Leute kommen in die Wohnung, Flaschen klirren, ein Koffer mit einem Musikinstrument stößt gegen eine Wand. Sie setzt sich auf und spürt das Foto, das an ihrer Brust klebt.

«Mama.»

Sie fährt zusammen, als sie Francesca mit angezogenen

Beinen am Fußende des Bettes hocken sieht. Der Raum ist ihr jetzt vertraut, er scheint beinahe zu atmen.

«Du wirst mich nochmal zu Tode erschrecken, Čhonorroeja.»

«Tut mir leid, Mama.»

«Wie lange bist du schon hier?»

«Eine Weile. Du hast so schön geschlafen.»

«Wer ist das? Wer sind die Leute da draußen?»

«Ich weiß es nicht. Dieses Arschloch hat sie angeschleppt.»

«Wer?»

«Henri.»

«Nein, ich meine, wer ist bei ihm?»

«Was weiß ich? Ein paar Betrunkene. Die Kneipen schließen jetzt. Tut mir leid. Ich werde sie rausschmeißen.»

«Nein, lass sie», sagt Zoli. Sie schlägt die Decke zurück, dreht sich zur Seite und stellt die Füße auf den Boden. «Gibst du mir mein Nachthemd?»

Sie kehrt ihrer Tochter den Rücken und schlüpft in das Nachthemd. Der Stoff fühlt sich rau an.

«Du hast mit Papas Foto geschlafen?»

«Ja. Albern, nicht?»

«Ziemlich.»

Aus dem Wohnzimmer hören sie wiederholte Ermahnungen, leiser zu sein. Ein Kronkorken fällt auf den Boden und rollt über das Parkett. Unterdrücktes Lachen. Zoli legt sich wieder hin.

«Geht's dir gut, Mama? Kann ich dir was bringen? Ein Glas warme Milch?»

«Hast du mit ihm gesprochen? Mit Swann?»

«Ja.»

«Und er hat gesagt, dass es ihm leid tut, nicht?»

«Ja.»

«Hat er auch gesagt, was ihm leid tut?»

«Alles, Mama.»

«Er war schon immer ein Dummkopf», sagt Zoli.

Leise Mandolinenklänge, dann ein hartes Lachen. Jemand zupft die Saiten einer Gitarre.

«Komm mal her.»

Francesca legt sich auf das Bett, streckt sich aus, nimmt eine Strähne von Zolis Haar und steckt sie in den Mund. Sie ist in vielerlei Hinsicht die Tochter ihres Vaters. Nebeneinander liegen sie in der bergenden Dunkelheit.

«Es tut mir leid, Mama.»

«Es braucht dir nicht leid zu tun.»

«Ich hatte keine Ahnung.»

«Was hat er sonst noch gesagt?»

«Er lebt jetzt in Manchester. Er ist '68 weggegangen, nach dem, was in Prag passiert ist. Er sagt, er dachte, du wärst tot. An der Grenze hatte man Leichen gefunden. Er war sicher, dass dir etwas Schlimmes zugestoßen war. Oder dass du irgendwo in der Slowakei in irgendeiner armseligen Hütte lebtest. Er hat dich gesucht. Überall.»

«Was macht er hier?»

«Er sagt, er versucht, auf dem Laufenden zu bleiben. Den Kontakt zu halten. Es ist eine Art Hobby. Er gebraucht noch immer das Wort ‹Zigeuner›. Fährt zu Konferenzen und so. Zum großen Fest in Saint Marie de la Mer. Überallhin. Er hat ein Weingeschäft.»

«Ein Weingeschäft?»

«In Manchester.»

«Niemand lebt mehr da, wo er aufgewachsen ist.»

«Was?»

«Das hat er mal zu mir gesagt.»

«Er sagt, es hat ihm das Herz gebrochen, Mama. So hat er sich ausgedrückt. Dass sein Herz seitdem gebrochen ist.»

«Lebt er allein?»

«Ich weiß es nicht.»

«Swann», sagt Zoli mit einem langsamen, traurigen Lachen. «Swann. Ein Kapitalist.»

Sie versucht ihn sich vorzustellen, wie er, inmitten von Regalen, lernt, die Preise zu kalkulieren. Das Glöckchen an der Tür läutet, er steht auf und begrüßt den Kunden mit einem kleinen Nicken. Später schlurft er gebeugt zum Laden an der Ecke, kauft einen halben Liter Milch und einen kleinen Laib Brot und geht nach Hause, zu einem kleinen Haus in einer langen Reihe kleiner Häuser. Er sitzt in einem weichen, gelben Sessel, sieht zum Fenster hinaus und wartet darauf, dass das Licht schwindet, damit er sein Abendbrot essen, zu Bett gehen und die Bücher lesen kann, die das Denken für ihn besorgen.

«Er will dich wiedersehen, Mama. Er sagt, dass seine Gedanken geborgt waren, aber deine Gedichte nicht.»

«Wieder nur sein üblicher Mist.»

«Er sagt, er hat auch ein paar von Stránskýs Gedichten.»

«Hat er irgendwas über Conka gesagt?»

«Er hat den Kontakt zu allen verloren. Er weiß nur, dass sie gezwungen wurden, in den Wohnblöcken zu leben.»

Sie spürt Francescas Körper. Wenn sie so aneinandergeschmiegt daliegen, ist es beinahe, als wäre jede von ihnen eine Erweiterung der anderen.

«Und der andere? Der Journalist?»

«Er will mit dir sprechen. Er ist auf ein altes Buch von

dir gestoßen und hat angefangen zu recherchieren. Anfangs war er nur neugierig. Die Gedichte haben ihm gefallen. Er will mit dir sprechen. Morgen.»

«Du kannst mit ihm sprechen, Franca. Sag ihm irgendwas.»

«Was denn?»

«Sag ihm, dass ich weggefahren bin.»

«Du fährst heim, nicht?»

«Natürlich.»

«Und was soll ich ihm außerdem sagen?»

«Sag ihm, dass nichts jemals fertig ist.»

«Was?»

«Sag ihm, dass nichts je ganz verstanden wird. Das ist es, was ich zu ihm sagen würde.»

Ein Friede senkt sich über sie, eine sich ausbreitende Ruhe. Francesca stützt sich auf einen Ellbogen, ihr Hüftknochen sieht aus wie ein kleiner Schattenhügel.

«Weißt du, was er von mir wissen wollte? Swann? Ganz zum Schluss?»

«Sag's mir.»

«Es war ihm ein bisschen peinlich. Er hat zu Boden gesehen. Er sagte, er wollte noch eines wissen.»

«Ja?»

«Na ja, er wollte wissen, was aus der Uhr seines Vaters geworden ist.»

«Das war seine Frage?»

«Ja.»

Zoli sieht einen schmalen Lichtstreifen an der Wand hinunterwandern. Jemand geht im Flur an der Schlafzimmertür vorbei, und aus dem Wohnzimmer ertönt wieder dieses «Psst, psst!». Sie schließt die Augen und sieht Swann, der auf einen bestimmten Punkt in der Vergangenheit starrt, als könnte das alles wiederkehren, als könnte alles wiederholt und heil gemacht werden. Eine silberne Uhr. Sie fragt sich, ob sie Mitleid mit ihm haben oder wütend werden oder es einfach nur amüsant finden soll, doch stattdessen spürt sie das leise Pulsieren einer eigenartigen Zärtlichkeit für ihn – nicht wegen dem, was er war oder was aus ihm geworden ist, sondern wegen dem, was er verloren hat, wegen all dem, an was er früher mit großer Gebärde geglaubt hat, so fest, so absolut. Wie muss es wohl für ihn gewesen sein, die Grenze ein letztes Mal zu überqueren und zurück nach England zu gehen? Leer heimzukehren, mit weniger, als er sich je hat vorstellen können? Swann, denkt sie, hatte nicht gelernt, wie man sich verirrt. Er wusste nicht, was es bedeutet, umzukehren und sich zu ändern. Sie wünscht sich, sie hätte ihn geküsst, hätte sein faltiges Gesicht in die Hände genommen und die Lippen auf die blasse Stirn gedrückt, um ihn zu erlösen, um ihn gehen zu lassen.

Zoli legt den Kopf auf die Brust ihrer Tochter und spürt das Wogen ihres Atems.

«Weißt du, was ich tun werde?», sagt Zoli. «Ich werde morgen zu ihm gehen. Und dann steige ich in den Zug und fahre heim. Ich will in Stille und Dunkelheit aufwachen. Das wünsche ich mir.»

«Willst du Swann sagen, wo du lebst?»

«Natürlich nicht. Ich würde den Gedanken, dass er dort auftauchen könnte, nicht ertragen.»

Und dann weiß Zoli genau, was sie tun wird: Sie wird ein Taxi nehmen, es am Hotel halten lassen und hineingehen in das Gezwitscher des Foyers, sie wird Swann auf seinem Zimmer anrufen, sie wird ihn auf sich zuhumpeln sehen, wird sein Gesicht in die Hände nehmen und ihn küssen, ja, auf die Stirn küssen. Sie wird ihm seinen Kummer erlauben und heimfahren, allein.

«Ich bin dort glücklich», sagt Zoli.

Ein Ton klingt durch die Wohnung, ein harter, schräger Ton, der durch die Luft schwebt und gleich darauf von einem zweiten umtänzelt wird, als wollte dieser den ersten erproben, bis sie schließlich zusammenstoßen, ansteigen und fallen und einander die Luft nehmen.

«Dieser Idiot», sagt Francesca. «Ich sag ihnen, sie sollen sofort aufhören.» Sie spannt sich, aber Zoli tätschelt ihre Hand. «Warte», sagt sie. Die Musik schwillt an, wird schneller, turbulenter.

«Zieh dich an», sagt Zoli.

«Was?»

«Komm, wir ziehen uns an.»

Jetzt ertönt auch Gelächter, und Rauch zieht durch den Flur. Die Frauen erheben sich. Ihre Kleider liegen auf dem Boden. Sie tasten im Dunkeln danach: ein Nachthemd, ein Kleid, ein Schuh mit hohem Absatz. Francescas Arm verfängt sich im Ärmel. Zoli hilft ihr und streicht ihr über die Wange. An der Schlafzimmertür bleiben sie stehen.

«Aber du bist im Nachthemd», sagt Francesca.

«Das ist mir egal.»

Sie gehen durch den Flur ins Wohnzimmer. Eine unvermittelte Stille erfüllt den Raum. Henri steht leicht schwankend und mit großen Augen da, einen dünnen Joint zwischen den Lippen. «Oh», sagt er. Die anderen sind die schottischen Musiker. Einer von ihnen – hochgewachsen, gutaussehend, mit lockigen Haaren – erhebt sich, macht eine tiefe Verbeugung und drückt seinen Joint in einem Blumentopf aus. Francesca kichert und sieht ihre Mutter an. Wie wunderbar, denkt Zoli, wie schön, dass selbst an diesem Abend alles noch immer so unvollendet ist.

Sie nickt ihnen zu und sagt: «Raucht ruhig weiter.»

Der Musiker sieht verwundert in die Runde und nimmt den Joint aus dem Blumentopf. Er streicht ihn glatt, zündet ihn wieder an und lacht.

«Was ist mit der Musik?», fragt Zoli.

Sie denkt daran, wie sie Zucker auf einem Blech hat tanzen lassen, damals, wenn sie die Kinder zu ihrem Wagen gerufen hatte. Sie legte ein Stück Blech auf einen Sägebock und streute etwas Zucker, Salz oder, wenn gar nichts anderes da war, eine Handvoll Grassamen darauf. Dann strich sie mit dem Geigenbogen über den Rand des Blechs, bis es anfing zu summen. Der Zucker hüpfte und bildete vibrierende Muster – stehende Wellen, Ringe –, und dazwischen sprangen einzelne Körner auf der Stelle, als wären sie winzige, weiße Solo-Akrobaten. Danach bettelten die Kinder darum, das Blech ablecken zu dürfen. Sie liebte diese Landkarten mit ihren willkürlichen Mustern und eigenartigen Klängen und auch die Art, wie die Kinder die Körner zurechtschüttelten. Für Zoli war es nicht neu oder ungewöhnlich. Sie hatte gehört, dass man sie Chladnis nannte: Tonbilder. Der Zucker bewegte sich zu den Stellen, wo die wenigsten Schwingungen waren. Und schon damals dachte sie, dass sie auf diesem Stück Blech womöglich die ganze Geschichte ihres Volkes finden könnte.

«Na los», sagt sie.

Der mit den Locken spielt einen Ton auf der Mandoline, einen falschen, zu hohen Ton, löscht ihn aber mit dem nächsten aus, und dann fällt, zunächst noch langsam, der Gitarrist ein. Eine Welle geht durch den Raum wie ein Wind, der über hohes Gras streicht, und es ist, als würde sich alles weiten, als würden erst das eine und dann das andere Fenster aufspringen, als würden schließlich auch die Wände verschwinden. Der Mandolinenspieler schlägt einen hohen Akkord an und nickt Zoli zu. Sie lächelt, hebt den Kopf und beginnt.

Sie beginnt.

Nachbemerkung und Danksagung
des Autors

Unsere Stimme entsteht aus den Stimmen anderer. Ich bin einer Reihe von Menschen, die mir in den vergangenen vier Jahren bei den Recherchen zu diesem Buch, der radikalen Umgestaltung seiner Struktur und dem Feinschliff geholfen haben, sehr dankbar. Meine Familie hat keinerlei Verbindung zur Kultur der Roma – es ist wohl das Vorrecht des Schriftstellers, sich in etwas hineinzustürzen, vor dem andere aus guten Gründen zurückschrecken. Ich habe sehr viele Quellen ausgewertet, zu viele, um sie alle nennen zu können. Unsere Geschichten gehen auf zahllose Geschichten anderer zurück.

Die folgenden Schriftsteller und Künstler haben mich inspiriert: Ilona Lacková in «A False Dawn: My Life as a Gypsy Woman in Slovakia» (University of Hertfordshire Press), Milena Hübschmannová, Bronisława Wajs (Papusza) und Jerzy Ficowski. Die Arbeiten von Ian Hancock vom Center of Romani Archives in der University of Texas haben mir enorm geholfen. Die Sprache und Orthografie der Roma wird erst in jüngster Zeit nach und nach kodifiziert. Laut Hancock wird das Wort «Zigeuner» von manchen Roma entschieden abgelehnt, von anderen aber toleriert. Dass es überhaupt noch verwendet wird, liegt hauptsächlich daran, dass es im Romani kein anderes allgemein anerkanntes Äquivalent gibt. Das wird sich im Lauf der Zeit und mit zunehmend besserem Forschungsstand ändern. Ich habe gewisse Schreib- und Ausdrucksweisen gebraucht, die infolge geografischer, historischer und politischer Bedingungen zum Zeitpunkt der Handlung dieses Romans geläufig waren. Etwaige Fehler gehen ausschließlich auf mein Konto.

Die Geschichte von Zoli entstand, nachdem ich das hervorragende Buch «Bury Me Standing: The Gypsies and Their Journey» von Isabel Fonseca gelesen hatte. Zu der Figur Zoli wurde ich inspiriert durch die Lebensgeschichte der polnischen Dichterin Papusza (1910–1987). Zolis Gedicht stammt nicht von ihr, lehnt sich aber, was die Form betrifft, an die Gedichte Papuszas und anderer an. Trotz zahlreicher gegenteiliger Behauptungen (auch solcher, die einigen Protagonisten in diesem Roman in den Mund gelegt werden) gab es unter den europäischen Roma viele Dichter, deren Werke allerdings fortwährend ignoriert wurden.

Ich möchte mich sehr herzlich bei Laco Oravec, Martin Fotta und allen anderen Mitarbeitern der Milan-Šimečka-Stiftung in Bratislava bedanken, die mich zwei Monate lang mit dem Leben der Roma bekannt gemacht haben. Ohne ihre Unterstützung hätte ich dieses Buch nicht schreiben können. Ich kann mir keine besseren Führer und Gastgeber vorstellen als die Menschen in den Siedlungen, die ich in der westlichen und östlichen Slowakei besucht habe. Die folgenden wissen um ihre Rolle bei der Entstehung dieses Buches – ich wollte, ich könnte meinem Dank spürbarer Ausdruck verleihen: Richard Jurst, Robert Renk, Valerie Besl, Michal Hvorecký, Jana Belišova, Anna Jurová, Daniela Hivešová-Šilanová, Zuzanna Bošelová, Mark Slouka, Zdenek Slouka, Thomas Überhoff, Dirk van

Gunsteren, Thomas Böhm, Manfred Heid, Tom Kraushaar, Françoise Triffaux, Brigitte Semler, Martin Koffler, Barbara Stelzl-Marx sowie die Menschen in den Roma-Siedlungen, die ich besucht habe.

Außerdem möchte ich mich bei Lorcan Otway für seinen fachkundigen Rat sowie beim Hunter College und dem Hertog Fellowship Program bedanken. Eine tiefe Verbeugung vor meiner Recherche-Assistentin Emily Stone. Dank auch an Roz Bernstein, Frank McCourt, Terry Cooper, Gerard Donovan, Chris Barrett Kelly, Tom Kelly, Jim Harrison, Aleksandar Hemon (für die Musik!), Bill Cobert und die Mitglieder der American Irish Historical Society. Dieses Buch ist den Mitarbeitern der New York Public Library und den Wissenschaftlern am Cullman Center gewidmet, doch ein besonderer Dank gebührt Marzena Ermler und Wojciech Siemaszkiewicz und natürlich Jean Strouse, Pamela Leo, Adriana Nova und Amy Aazarito.

Zu den vielen, vielen Autoren, deren Werke ich hilfreich fand, gehören Will Guy, Eva Davidová, Emilia Horváthová, Michael Stewart, Alaina Lemon, David Crowe, Donald Kenrick, Tera Fabianová, Cecilia Woloch, Jan Yoors, Margriet de Moor, Louise Doughty, Václav Havel und Walter Starkie – um nur einige zu nennen.

Last but not least: Alison Hawke, Kirsty Dunseath, Daniel Menaker und Sarah Chalfant.

© Miriam Berkley

B 23/4

Stewart O'Nan

«Romane von solcher Intensität, dass man sich ihnen nicht entziehen kann.» New York Times

Sommer der Züge
Roman. rororo 22778

Die Speed Queen
Roman. rororo 22640
Margie Standiford sitzt in der Todeszelle. Stunden vor der Hinrichtung erzählt sie, wie sie zur «Speed Queen» wurde.

Ganz alltägliche Leute
Roman. rororo 23531

Das Glück der anderen
Roman. rororo 23430

Engel im Schnee
Roman. rororo 22363

Der Zirkusbrand
Eine wahre Geschichte. rororo 23703

Abschied von Chautauqua
Roman. rororo 23491

Halloween
Roman. rororo 24002

Eine gute Ehefrau
Roman. rororo 24278

Alle, alle lieben dich
Roman
Mit feinem Gespür für die abgründigen Schattierungen des Alltäglichen zeichnet Stewart O'Nan das Psychogramm einer Kleinstadt im Ausnahmezustand.

Rowohlt 05038

Weitere Informationen in der Rowohlt Revue *oder unter* www.rororo.de